Lea Lessek

Im Sog des Schi

Du kannst ihm nicht entkommen

Roman

Bibliografische Information der Deutschen Nationalbibliothek: Die Deutsche Nationalbibliothek verzeichnet diese Publikation in der Deutschen Nationalbibliografie; detaillierte bibliografische Daten sind im Internet über dnb.dnb.de abrufbar.

Umschlaggestaltung: Jennifer Schattmaier, Schattmaier Design,
https://schattmaier-design.com/
Lektorat: Sara Glicker für Mountain Sky UG
Satz: Julia Antonia Reimann,
für Mountain Sky UG unter Verwendung von: © Pixabay

Herstellung und Verlag: BoD – Books on Demand, Norderstedt
ISBN: 978-3852612-684

IM SOG DES SCHICKSALS

- Du kannst ihm nicht entkommen -

Man hat immer einen Grund zu kämpfen.
Gebt niemals auf!
Dieses Buch ist jedem Menschen gewidmet,
der schlimmes Leid in seinem Leben erfahren musste.

Für Alexander, Philipp und Robin.
Verliert niemals den Glauben an euch selbst.

Im Sog des Schicksals

Du kannst ihm nicht entkommen

Prolog

Wer entscheidet über Leben und Tod? Sind es die, die denken, sie hätten das Recht dazu? Sind es diejenigen, die sich das Recht nehmen, andere Menschen zu quälen oder sie leiden zu lassen?
Wer darf entscheiden, was mit einem Menschen geschieht? Ist es nicht das Recht aller Menschen, in Frieden zu leben, ohne sich Sorgen um ihre Familie zu machen?

Schlechte Menschen werden nicht geboren, sie werden gemacht. Wenn schlechte Menschen schlechte Menschen machen, haben dann die Guten das Recht sie zu bestrafen? Wenn man darüber nachdenkt, ist es schwer, zu verstehen, wer ein schlechter Mensch ist und wer nicht. Was macht einen guten Menschen zu dem, was er ist? Kann nicht auch jemand schlecht sein, der im Inneren gut ist?
Genau darum geht es in diesem Buch.
Es gibt Menschen, die haben nicht die Möglichkeit sich für einen Weg zu entscheiden. Ein Kind zum Beispiel, welches in schlechter Umgebung aufwächst. Es lernt schlechte Dinge zu tun, um zu überleben. Ist dieses Kind ein schlechter Mensch, nur weil es überleben will? Weil es nie die Chance hatte, sich anders zu entscheiden? Darf es von anderen Menschen aufgrund seiner Natur gejagt werden oder

darf man es dafür bestrafen, was andere aus ihm gemacht haben?
Menschen passen sich ihrer Umgebung an. Manche sind stark genug, um einen eigenen Charakter zu entwickeln, andere brauchen jemanden, an den sie sich hängen können.
Es gibt Menschen, die treffen erst in einem entscheidenden Augenblick die Wahl, ob sie gut oder schlecht sind. Manche müssen erst erkennen, dass sie falschliegen, um zu versuchen ihre Fehler zu korrigieren.
Ein Mensch zu sein heißt, selbst entscheiden zu können welchen Weg man geht. Welchen Entschluss man fasst, hängt von jedem selbst ab. Jeder muss das tun, was er für richtig hält. Doch diejenigen, die manches für richtig und gut halten, sollten auch denen zuhören, die in ihren Augen schlecht sind. Manchmal können die Schlechten auch gutes tun.

Mein Name ist Lea Lessek.
Vor einer Weile gab ich meinem besten Freund ein Versprechen.
Das Versprechen, auf seine Tagebücher aufzupassen.
Außerdem versprach ich ihm seine lange Geschichte in Worte zu fassen. Dies ist keine Geschichte, wie jede andere, denn sie ist sein Leben.

Ein ganz normales Leben

Ich war einmal normal,
ein normales Kind,
mein neues Leben ist anders.

Kalt und düster brach der Abend heran. Die Ruhe, die sich ausgebreitet hatte, wurde nur durch die hastigen Schritte eines kleinen, hilflos und mager aussehenden Jungen, der höchstens zehn Jahre alt war, unterbrochen.

Sich fürchtend warf er einen Blick hinter sich, während seine Beine ihn weitertrugen. Er machte den Eindruck, als würde er vor jemandem oder etwas Angst haben.

Er bog um eine Ecke und brachte sich vor seinen Verfolgern in Sicherheit. Drei oder vier Männer, die von einem weiteren Jungen begleitet wurden, hatten sich an seine Fersen geheftet. Durch die Dunkelheit konnte man nicht erkennen, wie viele es insgesamt waren. In diesen Sekunden war das aber auch egal.

»Er will abhauen!«, zischte Jack, einer der Männer, wütend. »Ty! Du solltest auf ihn aufpassen!«

»Er hat mich niedergeschlagen«, widersprach ein etwas kleinerer, dicklicher, junger Mann, der gerade einmal volljährig zu sein schien und hinter Jack her eilte.

»Ich hoffe für dich, dass wir ihn noch schnappen. Sonst mach ich dich kalt!«

»Jack, bitte, ich konnte nichts dafür«, versuchte er ihn zu besänftigen.

»Er ist ein Kind! Was glaubst du, warum er weggelaufen ist? Er hat alles mitgehört. Max! Komm her!«

Max, ebenfalls ein dünner Junge, der erst zwölf Jahre alt war, zuckte erschrocken zusammen. Er hatte versucht, sich von der Gruppe abzusetzen, indem er sich langsam fortschleichen wollte. Auch Max wollte nicht länger dieser Gruppe angehören und mit seinem Freund zusammen verschwinden. Mad, einer der anderen Männer, die dabeistanden, zerrte ihn am Kragen seines T-Shirts zurück.

»Er ist dein Freund! Hol in mir zurück! Wo versteckt sich Jordan? Du musst es wissen!«

»N...N... Nein, ich ha...be k...keine Ahnung!« Während Max vor sich hin stotterte, packte Mad ihn im Genick und zwang ihn so, ihm in die Augen zu sehen. Max verzog vor Schmerzen das Gesicht, doch Mad schien das nicht zu interessieren. Sein Griff lockerte sich nicht.

»Sag es mir!« Um seine Worte zu unterstreichen drückte er ihm eine Pistole, die er vorher in dem Bund seiner Hose stecken hatte, an den Kopf. Max fing an zu weinen. Panik hatte sich in seine Augen geschlichen.

»Ich weiß es nicht!«

»Dann brauche ich dich nicht mehr!« Er schubste Max zu Boden und zielte mit dem Lauf seiner Waffe auf den Kopf des Jungen.

»Nein!«, ertönte es plötzlich, nur wenige Meter von ihm entfernt. Der kleinere Junge, der sich zuvor versteckt und das Geschehen beobachtet hatte, sprang hinter ein paar Kisten hervor.

»Bitte, tu Max nichts, bitte, bitte.« Er fing auch an zu schluchzen. Die Tränen hinterließen auf seinem dreckigen Gesicht eine Spur.

»Bin ich eigentlich nur von Weicheiern umgeben? Ihr gehört einer mächtigen Gruppierung an. Ihr müsst bei uns bleiben, es gibt kein Zurück!« Mad trat einen Schritt an Max heran. Jordan wandte sich nun an Jack und begann zu flehen.

»Tut das nicht Jack, bitte, bitte, nicht!«

»Was sollen wir nicht tun?«

»Lasst ihn in Ruhe! Lasst uns in Ruhe! Max, alles in Ordnung mit dir?«

»Ja. Danke Jordan.«

»Komm, wir gehen.« Er half seinem Freund aufzustehen.

»Das wäre ja noch schöner. Habt ihr nicht gehört, was ich euch gesagt habe?! Ihr werdet nicht gehen!« Mad sah Jack auffordernd an. Für Jacks empfinden wirkte Mad zu entspannt, sonst war das Gegenteil der Fall. Jordans und Max´ Blicke trafen sich, nickten und rannten davon. Über Mads Lippen huschte ein bösartiges Grinsen.

»Was machen wir jetzt, Mad?«

»Wir töten sie beide! Gib ihnen ein wenig Vorsprung. Ich weiß, wo sie hinwollen.«

»Woher? Du hast eben gesagt, du wüsstest es nicht!«

»Du Idiot! Natürlich weiß ich es, aber auf offener Straße würde uns doch jeder sehen. Zu viele mögliche Zeugen. Der kleine Bastard hat sich von allein gezeigt, ohne, dass wir ihn groß suchen mussten. Die sind noch zu jung, um zu verstehen, dass ich sie zum Narren gehalten habe.« Eine Ader in seiner Schläfe begann zu pochen. Es war das Zeichen dafür, dass er wütend war.

»Wie auch immer, wir schaffen den Dreck weg, keiner wird sie vermissen.« Jack sah ihn ein wenig unsicher an. Er wollte keine Kinder umbringen. Man konnte auch sagen, dass es gegen seine Prinzipien ging.

Die Jungs waren an einer kleinen Bucht angekommen, in der sich, wenn man einige Meter an der steilen Treppe, die in den Fels geschlagen war, emporkletterte, eine Höhle befand. In dieser hatten sich die beiden schon öfter versteckt.

Schwer atmend stiegen sie den steilen Hang hinauf und krabbelten in die vermeidlich sichere Höhle.

»Glaubst du, sie kriegen uns?«

»Ich weiß es nicht. Ich habe Angst.« Ängstlich blickte Jordan seinen Freund an.

»Warum sind sie böse auf uns?« Max verstand nicht, weswegen sie sterben sollten.

»Ich habe gelauscht. Ich weiß, warum sie mich früher von der Straße holten. Sie sind der Meinung, dass die Drogen von kleinen Kindern verkauft werden sollen, da man es uns nicht zutraut. Deshalb haben sie uns aufgenommen. Und ich habe gehört, dass viele, egal ob Kinder oder Erwachsene, an den Sachen gestorben sind, die wir verkauft haben. Jedes einzelne Wort konnte ich verstehen, ich wollte da weg. Ich wollte nicht mehr helfen.«

»Ich will zu meiner Mutter. Jordan, wir müssen fliehen.«

»Das will ich auch, aber meine Mama ist tot. Weißt du, wo deine ist?«

»Ich habe sie getötet!« Die Jungs erschraken bei dem Klang von Mads bösartiger Stimme und sprangen ruckartig auf. »Ihr habt euch euer Grab selbst ausgesucht! Hier kann euch niemand hören und es wird euch auch niemand finden.«

»Bitte tu uns nichts, wir erzählen auch nichts weiter.« Vielleicht war Jordan zu gutgläubig, doch er versuchte sich und seinen Freund zu retten.

Wieder ließ Mad ein grausames Lachen ertönen.

»Ihr wärt sowieso früher oder später gestorben. Genauso, wie alle anderen, die wir nicht mehr brauchen!« Er zeigte erst auf Max und als nächstes auf Jordan.

»Aber mein Papa lebt noch, ich werde ihn finden und er wird mich beschützen.« Jordan war nun wieder den Tränen nahe.

»Dein Vater lebt? Wenn er dich nicht verkauft hat, ist er sicher tot.«

»Mein Papa hat mich lieb! Und er wird mich finden. Meine Mama hat gesagt, mein Papa lebt noch!«

»Oh, was bist du für ein dummer, armer Junge. Zu dumm, um die Wahrheit zu akzeptieren. Du kannst einem schon fast leidtun!« Jordan senkte den Kopf und weinte. Er sah kurz traurig zu Max hinüber, der mittlerweile von zwei Männern festgehalten wurde. Als nächstes wandte er seinen Blick wieder dem Boden zu.

»Aaaaaaaah!« Ein stechender Schrei kam aus der Ecke, in der Max stand. Er hatte einen der Männer zwischen die Beine getreten und versuchte zu entkommen. Doch ein weiterer Mann, der nah am Eingang gestanden hatte, ergriff Max sofort und hinderte ihn daran, verschwinden zu können.

»Du kleiner Bastard!« Mad war wieder zum Ausgang geeilt und schlug Max mit der Faust ins Gesicht. Jordan wollte hin stürmen und ihm helfen, doch Jack packte ihn schmerzhaft am Arm.

»Max!« Hilflos rief Jordan den Namen seines Freundes.

Doch dieser fiel ungebremst zu Boden und stieß einen Schmerzensschrei aus. Seine Nase blutete, da sie bei der Landung auf das Gesicht gebrochen wurde. Er versuchte aufzustehen, doch Mad zog ihm die Beine weg und stellte sich, mit einem Fuß, auf den Bauch von Max. Dieser versuchte, ihn weg zu schieben, um sich zu befreien. Doch Mad trat ihm mit voller Wucht in den Magen.

»Max!« Wieder schrie Jordan laut auf, in der Hoffnung, jemand könnte ihn hören. Doch er wusste, dass diese Chance sehr gering war. Um genau zu sein, sie ging gegen null.

»Sei still!« Jack schlug ihm mit der flachen Hand ins Gesicht.

»Mad, vielleicht sollten wir sie wieder mitnehmen! Sie könnten für uns noch wichtig sein. Ich denke, sie haben ihre Lektion gelernt. Solch einen Willen haben nur wenige.« Jack hatte offensichtlich Bedenken oder fand Gefallen an den Jungen. So genau konnte man das bei ihm nicht sagen.

Aus Jordans Augen quollen Tränen und er schüttelte den Kopf. Er weinte bitterlich. Verzweifelt versuchte er die Tränen für sich zu behalten, doch das war unmöglich.

»Heulen hilft dir auch nicht! Das hättet ihr euch früher überlegen sollen!«, brachte Jack hervor.

»Jack, ich weiß, dass Max dein Liebling ist! Deswegen übernehme ich das hier! Du kümmerst dich um Jordan. Wir werden die Regeln einhalten, das ist unsere Pflicht! Das weißt du so gut wie ich!«

Kaum hatte Mad es ausgesprochen, wandte er sich an Max, der wimmernd auf dem kalten und nassen Steinboden lag. Um ihn herum war bereits sein Blut, welches aus Max` Mund lief, während er hustete.

Mad packte ihn an den Haaren und zog ihn hinter sich her. Max schrie und schlug verzweifelt um sich, während Mad ihn aus der Höhle zog. Dort ließ er ihn auf den nassen Steinen liegen. Er hob seine Pistole hoch, zielte auf den Jungen, tat einen Atemzug. Ein Schuss viel. Dann war es still.

Jordan hielt sich die Augen zu. Nach einigen Sekunden lugte er vorsichtig durch seine Finger hindurch und sah seinen Freund am Eingang der Höhle liegen. Er bewegte sich nicht mehr. Sein erst zwölf Jahre alter Freund war tot. Verzweiflung und Traurigkeit füllten sein Herz.

Jetzt, da er begriff, dass auch sein Leben in Gefahr war, fing er an, laut zu schreien. Jack packte Jordan an den Schultern und rüttelte ihn.

»Das ist deine letzte Chance. Kommst du mit uns zurück, oder nicht?« Jordan starrte Jack an. Er zitterte am ganzen Körper. Sein T-Shirt war von Tränen durchnässt. Seine geröteten Augen sahen Jack an, doch dieser wich seinem Blick aus.

»Ich will nicht, dass andere Menschen sterben müssen.«

»Du musst härter werden! Es ist deine Entscheidung, du könntest groß werden.« Ängstlich schüttelte Jordan den Kopf.

Er wusste, dass er jetzt sterben würde. Doch er wollte nicht länger bei diesen Menschen leben und für sie arbeiten. Langsam zog nun auch Jack seine Waffe, entsicherte sie und richtete sie auf das verheulte Gesicht von Jordan, doch er zögerte einen Moment. Er sah in die Augen des Jungen und erkannte sich in ihnen wieder.

»Ich kann es nicht. Lauf! Lauf Jordan!«

Verwirrt ergriff dieser seine Chance und rannte los, um zu fliehen. Mit großen Schritten stürmte er aus der Höhle. Zu seinem Unglück erkannte ihn Mad in letzter Sekunde und trat ihm gegen den Oberschenkel, sodass er auf den Boden fiel. Dort kauerte er, während Mad noch ein zweites und drittes Mal in die Magengegend schlug.

»Ist es dir nicht möglich, deinen Scheiß Job zu erledigen?« Mad richtete die Waffe auf den herbeieilenden Jack. Doch kaum hatte er sie gesehen, blieb er wie angewurzelt stehen. Völlig benommen schloss Jordan die Augen und hoffte, dass er endlich einschlafen könnte und die Schmerzen aufhörten. Jemand zog ihn an den Haaren hoch und sah ihn sich an. Der Junge hatte jegliches Zeitgefühl verloren.

»Bring es zu Ende! Ich mach dich kalt, wenn du dich weigerst!«, erklärte er Jack energisch. Jordan stand schwankend am steilen Abgrund und konnte sein Gleichgewicht kaum noch halten.

»Bring es zu Ende!«

»Warum Mad? Warum soll ich ihn töten?«

Jack sah auf den leblosen Körper von Max hinunter und verzog das Gesicht.

»Wir haben den Auftrag bekommen, beide zu töten. Also tun wir es!« Er zog seine Waffe und richtete sie auf Jordan, der damit kämpfte, nicht umzufallen. Doch bevor Mad abdrücken konnte, verlor Jordan das Gleichgewicht und stürzte kopfüber hinunter. Sein Kopf prallte gegen einen Felsvorsprung und hinterließ einen stechenden Schmerz. Gleich war alles vorbei. Er hatte das Gefühl zu schweben. Benommen sank er ins kühle Wasser.

Völlig verschwitzt und mit rasendem Herzen wachte Sebastian in seinem Bett auf. Seine Nächte waren der reinste Alptraum und auch die letzte war nicht besser gewesen. Ständig träumte er von solchen Sachen. Sein Herz raste immer noch und er war nass, als ob er selbst gerade ins Wasser eingetaucht wäre.

Sebastians Mutter stand in der Tür und erkundigte sich nach seinem Wohlbefinden.

»Alles in Ordnung mit dir, Schatz?«

»Alles okay«

»Hast du Fieber? Du bist klitschnass geschwitzt.« Sie fühlte seine Stirn.

»Mir geht es gut! Du brauchst dir keine Sorgen machen. Warum bist du noch wach?«

»Ich habe noch mit Alicia telefoniert. Du hattest wieder einen Alptraum, oder? Ich habe dich schreien gehört.«

»Seit Alicia in Amerika ist, schlafe ich keine Nacht durch.« Er setzte sich im Bett auf und packte sich an die Stirn. Fürchterliche Kopfschmerzen hatten sich hinter seiner Schläfe gebildet und sein pochender Puls machte es auch nicht besser.

»Soll ich dir etwas zu trinken holen?«

»Es ist schon gut. Du brauchst das nicht zu tun. Ich versuche, einfach weiter zu schlafen und bin mir sicher, dass es mir dann besser gehen wird.«

»Aber, wenn was ist, rufst mich. Ich bin immer für dich da.«

»Das weiß ich. Aber ich muss langsam lernen, allein klarzukommen. Du tust immer alles für mich. Wie meine richtige Mutter.« Basti wischte mit der Hand über seine Augen, denn er spürte, wie sich Tränen darin sammelten.

Seine Adoptivmutter kam nun ans Bett, setzte sich neben ihn und nahm ihn in den Arm.

»Du warst lange genug auf dich allein gestellt. Es ist mir egal, wie alt du bist. Ich werde immer für dich da sein. Du bist jetzt mein Sohn und das wirst du auch immer bleiben.«

»Glaubst du, ich werde es jemals vergessen?«

»Ich fürchte nein. Aber du musst versuchen, damit zu leben. Du hast mir nie erzählt, was wirklich passiert ist. Deshalb kann ich dir auch nicht viel mehr helfen.«

»Im Moment will ich darüber auch nicht sprechen.«

»Das musst du auch nicht, nur manchmal hilft es, mit jemandem zu sprechen.«

»Danke.«

»Ich lasse dich jetzt allein. Wenn was ist, weißt du ja, wo du mich findest.« Sie schloss die Tür leise hinter sich und ging selbst zu Bett.

Basti saß noch lange auf seinem Bett. Schlafen konnte er nicht mehr, in seinem Kopf überschlugen sich die Gedanken. Die ganze Zeit musste er daran denken, wie Max erschossen wurde. Er wusste zwar, dass Max tot sein musste, aber er hoffte, dass er doch überlebt hatte, egal wie. Schließlich hatte er den Sturz auch überlebt.

Erst durch die Morgenröte bemerkte ich, wie spät es mittlerweile war. Er stand auf und schaute durchs Fenster. So lustlos wie heute war er schon lange nicht mehr gewesen. Er hatte immer noch furchtbare Kopfschmerzen und fühlte sich auch nicht wohl.

Eigentlich wollte er sich heute mit seinen Freunden treffen, doch ihm war nicht danach. Er stand auf, suchte seine Klamotten zusammen und ging ins Badezimmer. Müde zog er sich seine Boxershorts aus, schob die Tür der Dusche auf und stellte sich hinein. Er drehte das Wasser auf eiskalt und ließ es über seinen Rücken laufen, um die Müdigkeit zu verscheuchen. Die Kälte machte ihm nichts aus, er hätte stundenlang darunter stehen können. Schließlich wusch er sich mit Duschgel den Schweiß vom Körper, stieg aus der Dusche, zog sich seine Klamotten an und putzte sich die Zähne. Sein Gesicht war etwas blass, doch das störte ihn nicht. Basti schmierte sich Gel in die Haare und kämmte sie nach oben. Dann verließ er das Badezimmer.

»Beeil dich, sonst kommst du zu spät!« Seine Mutter hatte den Frühstückstisch gedeckt und wartete bereits auf ihn. Besorgt sah sie ihn an, als er sich setzte.

»Es ist alles in Ordnung!«

»Ich mache mir trotzdem Sorgen um dich. Du schläfst nicht, du isst kaum und du redest auch nicht viel.«

»Mir geht es gut, das habe ich dir schon vor ein paar Stunden gesagt!« Erst, nachdem er ausgesprochen hatte merkte er, dass seine Stimme lauter war, als er es beabsichtigt hatte. »Sorry, ich wollte nicht schreien«, entschuldigte er sich. Mitleidig sah ihn seine Mutter an.

»Bitte, mach dir keine Sorgen. Ich gehe jetzt zur Schule und heute Abend dann zu Timo, okay? Und heute Mittag komme ich auch nach Hause und esse, ist das in Ordnung?«

»Ich bin froh, dass du Freunde gefunden hast und auch eine Freundin.«

»Wenn ich meine Freunde nicht hätte, dann hätte ich niemals nach vorne schauen können.«

Gewöhnliche Sorgen

Wir alle müssen lernen,
wer wir sind, was wir sind,
wo wir hingehören.

Alles begann auf dem Gymnasium während der Einschulung in die fünfte Klasse.
Herr Bausch sollte der neue Klassenlehrer der 5a werden. Alle waren aufgeregt, doch die anwesenden Eltern konnten ihre Sprösslinge beruhigen. Die Klasse, die aus sechsunddreißig Schülern bestand, machte Kennenlernspiele. Natürlich gab es den einen oder anderen Schüler, der sich später als Nervensäge oder Kotzbrocken herausstellte.

Grundsätzlich verliefen sich jeden Morgen ein paar Schüler und kamen zu spät zum Unterricht, was zur Gewohnheit wurde. Die einzelnen Jahre bis zur zehnten Klasse vergingen wie im Flug und mittlerweile waren nur noch fünfundzwanzig Schüler in der Klasse. Sie hatten ihren Klassenlehrer Herrn Bausch abgewählt und stattdessen Frau Miller bekommen.

Da ab der elften Klasse Kurse gewählt wurden und man nicht mehr in einer großen Klasse zusammengehörte, war es so, wie überall anders auch. Nach und nach bildeten sich innerhalb dieser einzelnen

Kurse, kleine Freundeskreise, welche sich auch nachmittags trafen (wenn sie nicht gerade für das Abitur oder Klassenarbeiten lernten).

Die Clique, in der auch Sebastian war, bestand aus diversen Personen. Natürlich war keiner von ihnen eine langweilige Person. Jan und Lea waren wohl vor geraumer Zeit ein Paar gewesen, nun stritten sie sich nur noch. Svenja war ein umgänglicher Mensch. Mit ihr konnte man gut reden und alles unternehmen. Sabine war ähnlich wie Lea, aufgedreht und etwas kindisch, aber trotzdem kamen alle mit ihr klar.

Eines Tages hatte Lea Sebastian mitgebracht. Sie kannte ihn schon lange, aber es hatte sich nie die Möglichkeit ergeben ihn mitzunehmen. Doch dann merkte sie, dass er perfekt in die Clique passte. Zu ihrer Verblüffung angelte er sich die fast vier Jahre jüngere Svenja, die erst zur Realschule ging und später ins Gymnasium überwechseln wollte.

Irgendwann, Mitte der zwölften Klasse, nachdem bereits Kurse gewählt worden waren, kamen noch die festen Partner in die Clique. Es gab einen festen Kern, der durch dick und dünn ging.

Das Haus von Sabines Freund Timo hatte sich zu ihrem festen Treffpunkt entwickelt. Oder viel mehr die umgebaute Garage, die einer kleinen Ein-Zimmer-Wohnung glich. Timo war vierundzwanzig und ging nicht mehr zur Schule. Er befand sich am Ende seiner Ausbildung zum Polizisten. Vorher war er noch bei der Bundeswehr und hatte pausiert, bevor er die Lehre begann. Timo hatte früh seine Eltern verloren und wohnte nun allein. Das Haus hatte zwei Wohnungen, wovon Timo eine bewohnte und die andere freistand. Sie trafen sich fast jeden Tag dort. Zwar waren nicht immer alle da, aber die, die es waren, feierten oder saßen nur zusammen.

An diesem Wochenende waren, bis auf wenige Ausnahmen, alle zusammen und feierten ausgelassen.

»Sina, gib mir meine Kippen wieder!«, schrie Marco, der sich normalerweise aus Ärger heraushielt.

»Mein Gott, stell dich nicht so an. Ich hab mir doch nur eine genommen! Hier hast du sie wieder«, erwiderte sie gelassen und holte, mit der Verpackung in der Hand, aus.

Doch Sina warf die Zigaretten zu schräg und traf Sebastian am Kopf, woraufhin er sie ebenfalls anbrüllte.

»Sag mal bist du bescheuert? Weißt du eigentlich, wie weh das tut!«

»Heul doch, du benimmst dich wie ein kleines Kind! Sei nicht immer so empfindlich!« Kaum hatte sie ausgesprochen betrat Alexander das Zimmer. Wie immer hatte er eine Kiste Bier in den Händen. Aber nicht irgendeins, es musste Kölsch sein.

Bevor er sich versah, waren die ersten Flaschen bereits aus dem Kasten verschwunden. Jeder, der in der Nähe von Alexander stand, hatte sich eine Flasche genommen. Da Alex Angst hatte, jemand könne ihm auch noch die anderen Flaschen wegtrinken schnappte er sich eine und machte sie auf, um sie in einem Zug zu leeren. Doch Matthias war schneller, er riss ihm das Bier aus der Hand und leerte die Flasche bis zur Hälfte.

»Super, hast mir gleich eins aufgemacht, voll der Service. Finde ich echt klasse,« meinte Matthias.

»Wie bist du denn drauf? Mach´ dir deine Flasche gefälligst selbst auf!«

»Reg dich nicht auf Alex, der hat heute eh einen Schaden«, deutete Daniel mit dem Kopf zu Matthias nickend an. »Der ist nur am Schummeln.«

»Ich schummle überhaupt nicht und ich habe auch keinen Schaden!«

»Ach nein? Was ist denn das unter dem Tisch? Sind die Karten dahingeflogen, oder was?«, reagierte Daniel auf die Widerworte von Matthias.

»Ich weiß, dass ich nicht geschummelt habe, du Pappnase.«

»Ich habe dir schon tausendmal gesagt …« Matthias ließ Daniel nicht ausreden. Stattdessen fiel er ihm ins Wort und fragte Alex, ob er nicht auch mitspielen wolle. Doch dieser lehnte ab, da er noch etwas mit Janine, seiner Freundin, zu klären hatte.

»Hey Alex, hast du ein Problem mit Janine?«, rief Marco quer durch den Raum.

»Das geht dich gar nichts an!«, mischte sich jetzt Sina ein.

»Ist schon gut, Sina. Ich habe echt ein Problem mit Janine. Sie hat mitbekommen, was zwischen Mandy und mir am Samstag gelaufen ist.«

Marcel konnte sich gerade noch vor einem Lachanfall retten und weil Sina ihn voller Zorn ansah, machte er auch ein bedrücktes Gesicht.

»Du bist aber auch bescheuert, Alex. Ich glaube, dass du so ziemlich jedes zweite Wochenende in so eine Situation schlitterst. Du glaubst doch nicht im Ernst, dass wir dich jetzt auch noch bemitleiden.«

»Sehr mitfühlend, Marco. Hätte ich nicht besser sagen können. Wie wäre es damit, wenn du ihm jetzt noch einen Tritt in die Eier verpasst? Dann fühlt er sich bestimmt besser«, fuhr Sina ihn an. »Mach dir nichts draus. Marco weiß manchmal nicht, wie man jemanden tröstet.«

»Danke Sina, aber er hat Recht. Ich schlittere echt oft in so eine Situation. Ich sollte echt nicht immer so viel trinken.«

Von draußen hörte man zwei Personen laut streiten, was Jan und Lea ankündigte.

»Bist du heute nur doof, Jan?«

»Geh mir doch einfach aus dem Weg. Ich habe echt kein Bock jetzt mit dir zu diskutieren. Außerdem stimmt es, du bist extrem schusselig und ein Trampel!« Kurz nachdem Jan seinen Satz beendet hatte, kamen sie rein. Lea stolperte mit ihren hohen Schuhen über eine Stufe vor der Tür und landete unsanft auf dem Boden.

»Ach nee! Sag ich doch. Na ja, ich muss mir echt überlegen, ob ich mich noch weiter mit dir unterhalten soll.«

»Du bist echt fies Jan. Kein Wunder, das du keine Freundin abbekommst. So egoistisch und arrogant, wie du geworden bist, solltest du froh sein, dass ich überhaupt mit dir rede. Du solltest in den Spiegel gucken, dann siehst du, was du für ein Arsch geworden bist«, fauchte Lea ihn an, nachdem sie wieder aufgestanden war. Austeilen konnte Lea schon, allerdings ging es immer in die Hose, wenn sie versuchte schlagfertig zu sein.

Wenn die anderen geglaubt hatten, dass der Streit damit aus der Welt geschafft wäre, dann hatten sich getäuscht.

»Hör zu, du kannst mich nicht leiden und ich kann dich nicht leiden. Also warum gibst du dich nicht damit ab?«, konterte Jan etwas lauter, als er eigentlich wollte, denn jetzt hörten alle, wie sie sich stritten.

»Ich hasse dich. Ich kann nicht glauben, dass ich dich jemals gemocht habe. Was habe ich dir damals getan? Du bist so ein fieser Kerl geworden. Du, mit deiner dummen Art. Du kommst dir wohl ziemlich cool vor! Du bist echt so ein ...« Lea suchte nach geeigneten Worten, die zu Jan passen könnten, doch Jan konterte schneller.

»Cooler, gutaussehender Typ. Danke Lea, aus deinem Mund hätte ich das nicht erwartet.«

Lea war baff, sodass es ihr für einen Moment die Sprache verschlagen hatte. Sie wollte sich in Richtung Mädchentisch begeben, als Jan ebenfalls die Richtung änderte und die beiden mit den Köpfen zusammen knallten.

»Kannst du nicht aufpassen, wo du hinläufst?« Jan schien aufgebracht.

»Warum sollte ich? Du bist doch in mich geknallt und nicht andersrum.«

»Weißt du was, Lea? Du kannst mich mal.«

»Leute, könnt ihr nicht aufhören? Ihr versaut uns echt die Stimmung«, schritt nun Alex dazwischen.

»Eigentlich seid ihr erwachsen, aber davon sehe ich nicht viel.«

Doch anscheinend hatte keiner der beiden Alex wahrgenommen, denn sie stritten weiter, als ob niemand etwas gesagt hätte.

»Du bist ein Arschloch«, schrie Lea und kippte Jan ein Glas Bier über den Kopf, woraufhin Jan tobte und sich direkt vor Lea stellte.

»Du kannst froh sein, dass du ein Mädchen bist. Sonst würde ich mich vergessen.«

»Ein Mädchen, ach so! Warum schlägst du denn nicht zu? Zeig was in dir steckt, lass den Proll raushängen!«, provozierte sie Jan.

Doch leider nahm er ihre Worte ernst und schubste Lea so doll, dass sie zurück schubste und die beiden kurz davor waren, sich an den Kragen zu gehen. Bevor das passieren konnte, hielten die anderen sie auseinander.

»Pack Lea an und ich mach dich fertig! Nur, weil dein Vater seine Wut an dir auslässt, heißt das nicht, dass du das auch bei anderen machen kannst!« Anscheinend duldete Sebastian diesbezüglich keinerlei Diskussion, denn er blickte Jan nun zornig an.

Doch Jan tat so, als habe er die Anspielung nicht gehört und protestierte weiter. »Lasst mich. Sie will doch, dass ich ihr eine knalle«, schrie Jan seine Freunde an, bis Svenja Jan eine Backpfeife gab und Jan sie verdutzt ansah.

»Sorry Jan, aber ich finde, du gehst zu weit. Wenn ich es nicht besser wüsste, würde ich sagen, dass ihr zwei ein echt gutes Pärchen abgeben würdet. Ihr seid beide gleich!«

»Ich würde mit Lea nicht als Partnerin haben wollen, wenn sie der letzte Mensch im Universum wäre!«

Daraufhin drehte sich Jan um, nahm sich eine Bierflasche, setzte sich wütend hin und nahm einen großen Schluck aus ihr, während ihm das Bier immer noch aus den Haaren tropfte.

Kurz darauf setzte sich auch Lea hin, allerdings nahm sie sich kein Bier. Sie war traurig darüber, was Jan eben von sich gegeben hatte. Auch wenn sie nicht miteinander klarkamen, trotzdem war sie sehr verletzt.

»Ich versteh euch zwei nicht. Ihr streitet euch den ganzen Tag, aber statt euch aus dem Weg zu gehen, findet ihr immer wieder zusammen«, stellte Sabine fest, nachdem sie sich neben Lea gesetzt hatte. »Warum sucht ihr euch denn immer wieder, wenn ihr euch doch nicht leiden könnt? Findest du Jan wirklich so abstoßend, Lea?«

»Er mag mich nicht. Man kann sich keine Hoffnungen auf eine Freundschaft machen, wenn es nicht einen Funken Nettigkeit zwischen zwei Menschen gibt. Außerdem muss ich jedes Mal meinen Frust an ihm auslassen. Er steigt immer in mir auf, wenn ich Jan sehe.«

»Aber Lea, so schlimm ist doch Jan gar nicht. Ich habe ihn noch nie so gesehen wie heute. Du hast ihn aber auch echt gereizt.«

»Ich weiß. Aber was soll ich denn sonst tun? Er will doch immer der Stärkere sein. So hätte er es beweisen können. Außerdem hasse ich es, wie sich alles entwickelt hat. Von einen auf den anderen Tag war er so abstoßend zu mir.«

»Schau ihn dir doch mal genau an. Glaubst du echt, dass es dich geschlagen hätte? Du hast ihm keine Wahl gelassen. Los sieh hin!«

Lea tat, was Sabine verlangte und drehte sich langsam mit verschränkten Armen um. Sie sah Jan erst ein bisschen beleidigt an, aber dann veränderte sich ihr Blick auf ihn.

Schlagartig war er nicht mehr der fiese Idiot, den sie nicht mochte. Eigentlich war er ja ganz süß. Es war zur Gewohnheit geworden, dass sie sich gegenseitig anfeindeten. Als sich ihre Augen trafen, spürte

Lea ein Kribbeln in der Magengegend, eine Träne kullerte über ihre Wange. Sie wollte sich wegdrehen, aber da Jan es auch nicht tat, hielt sie weiterhin Blickkontakt. Langsam legte sie ihre Arme auf ihre Oberschenkel und erwiderte seinen Blick weiterhin durchdringend.

Es dauerte nicht lange, bis die anderen aufhörten zu reden und abwechselnd Jan und Lea betrachteten.

Man konnte die Spannung zwischen den beiden spüren, ja schon fast schmecken. Keiner traute sich, einen Ton von sich zu geben. Beide sahen sich tief in die Augen. Es schien so, als ob sie die Welt um sich herum vergessen hätten. Niemand der Freunde traute sich, zu blinzeln, um nicht auch nur einen Augenblick zu verpassen. Doch als Lea bemerkte, dass sie angestarrt wurden, stand sie schnell auf. Sie sah verlegen und verwirrt auf die Uhr und tat so, als ob sie erschrocken wäre.

»Mist, schon halb zehn, wird Zeit, dass ich mich auf den Weg mache. Ich schreibe morgen eine Arbeit, die ist wichtig für mich.«

»Stimmt, ich muss auch weg. Warum habe ich die Zeit vergessen?«

»Ich weiß warum«, warf Matthias ein und alle grinsten.

»Warte Lea, ich komme mit«, rief Jan ihr hinterher. »Wie du kommst mit? Mit mir?«

»Klar mit dir. Wen soll ich denn sonst gemeint haben?« Zügig nahm er seine Jeansjacke und begab sich mit Lea nach draußen. Sobald die zwei den Raum verlassen hatten, kam ein Gemurmel auf, welches Jan und Lea mit Sicherheit mitbekamen.

»Was war das denn eben? Habt ihr das gesehen oder habe ich das geträumt?«, bemerkte Svenja aufgeregt, woraufhin die anderen wieder, wie wild durcheinander redeten.

Nachdem sich die Aufregung gelegt hatte, trat eine seltsame Stille ein. Es war so, als ob man einfach den Ton ausgestellt hätte. Diese Ruhe hielt nicht lange an, denn Svenja unterbrach wieder das Schweigen.

»Ich habe eine super Idee! Was haltet ihr davon, wenn wir versuchen Jan und Lea zusammen zu bringen?« Wieder trat eine Stille ein und als ob jemand den Ton auf volle Lautstärke aufgedreht hätte, schrien alle durcheinander. Nicht alle wussten, dass Lea und Jan einmal zusammen gewesen waren und wollten es sich auch definitiv nicht vorstellen.

»Hast du einen Knall!« Daniel schien völlig aufgelöst.

»Mein Leben ist mir lieb, ich hänge daran«, antwortete Alex mit einem Gesichtsausdruck, als hätte man ihm gerade den Weltuntergang prophezeit.

»Du sollst dich ja nicht umbringen«, verteidigte Svenja ihren Vorschlag.

»Diesen Versuch mit Jan und Lea zu starten, kann man aber mit einem Selbstmord vergleichen«, meldete sich jetzt Sabine, die gerade von der Toilette kam, völlig aufgelöst.

»Ich finde die Idee geil, ist mal was Neues. Kommt Leute, bitte, bitte, bitte.« Svenja sah ihre Freunde flehend an und erhoffte sich damit eine Zustimmung.

»Habt ihr nicht gesehen, wie die beiden sich angesehen haben? Ich bin mir sicher, dass sie zusammenfinden«, brachte jetzt Sina ihre Meinung mit ein.

»Und wie sollen wir das anstellen? Glaubt ihr, das wäre so einfach? Ich dachte, in unserem Alter macht man sowas nicht mehr. Davon abgesehen glaube ich nicht, dass es funktionieren würde. Aber wenn ihr es versuchen wollt, bitte, ich halte euch nicht davon ab.« Timo war der Einzige, der mehr von Beziehungen verstand.

»Okay, versuchen wir es und dann haben wir endlich Frieden«, warf Matthias ein und als ob für ihn das Gespräch damit beendet wäre, stürmte er los, rannte auf die Toilette und knallte die Tür.

»Der muss aber dringend«, brachte Timo ein.

»Ich bin auch dafür. Schließlich geht uns allen das Gestreite auf die Nerven und außerdem muss man Mädchen immer Recht geben, sonst sind die sauer.« Daniels Pech war, dass die Mädchen seine Worte gehört hatten und nun mit Kissen auf ihn zu stürmten, sodass er lauthals um Hilfe schrie.

»Hey Leute, ihr schmeißt noch alles um. Bevor ihr alles zertrümmert, lasst uns anstoßen. Auf unseren Erfolg, Jan und Lea zu verkuppeln.«

Svenja nahm Alex in den Arm.

»Warum ist Janine heute nicht gekommen?«

»Sie wird sauer auf mich sein. Ich muss das mit Mandy unbedingt aus der Welt schaffen. Wir wollten anstoßen, Leute!«

Zumindest stieß der Rest der Clique an und hob die Flaschen. Nachdem sie diese wieder abgesetzt hatten, gab Sebastian einem kräftigen Rülpser zum Besten und ließ sich auf das rot-braune Sofa hinter sich fallen. Nach einer Weile lagen alle kreuz und quer irgendwo im Raum herum.

Nach einigen Stunden wurden sie müde und machten sich auf den Weg nach Hause. Alex unterhielt sich noch kurz mit Svenja, bevor er ging.

»Ich gehe auch. Kommst du gleich auch Alex?«

»Klar Sven. Versuch bitte, mit Janine zu reden, bevor sie Morgen noch eine Dummheit macht. Sag ihr, dass zwischen Mandy und mir nichts lief.« Alex schien das Missverständnis wirklich mitzunehmen. Doch Svenja bekräftigte ihn.

»Mach ich Alex, ciao Leute.«

»Manchmal verstehe ich dich nicht, Basti. Warum säufst du immer so viel?«, erkundigte sich Alex, der ihn beim Hinausgehen stützte.

»Ich sa..u...feee niä«, erwiderte Basti so gut er noch konnte. Dabei verlor er das Gleichgewicht und fiel nach links ins Blumenbeet, wo er erst einmal liegen blieb und einschlief. Nachdem Alex ihn nach knapp einer halben Stunde endlich wach bekommen hatte, gingen sie auch nach Hause.

Lea war währenddessen bereits zu Hause und sah noch lange aus dem Fenster ihres Zimmers. Sie glaubte nicht, dass sie vor knapp einer Stunde ihre Gefühle für Jan wiedererweckt hatte. Ihr Körper kribbelte auch jetzt noch. Sie sah den Nachbarn beim Grillen zu oder vielmehr beim Bier danach und fragte sich, wann sie das letzte Mal mit ihrer Mutter und ihrem Vater gegrillt hatte. Seit dem Tag ihre Schwester ausgezogen und ihr kleiner Bruder in die Pubertät gekommen war, war es zu Hause anders.

Ihr Vater musste den ganzen Tag arbeiten. Sie sah ihn ab und zu beim Mittagessen, aber manchmal auch erst am Wochenende, wenn er nicht auch dann arbeiten musste. Ihre Mutter arbeitete ebenfalls seit einiger Zeit wieder im Schichtdienst. Oft waren Lea und ihr Bruder deswegen am Wochenende allein zu Hause. Nachdem Lea sehr lange über alles Mögliche nachgegrübelt hatte, schlief sie in ihrem Sessel ein.

Während Lea, Jan und einige der Anderen schon schliefen, rappelten sich nun auch Timo und Julian, ein Kollege aus der Ausbildung, der spontan noch vorbeigekommen war, auf. Sie räumten gemeinsam noch etwas auf und verabschiedeten sich dann voneinander.

Erbarmungslos

Manchmal tun wir dumme Sachen, die wir selbst nicht erklären können.

An diesem Morgen kam Lea nicht aus den Federn. Nachdem ihr Wecker fast eine halbe Stunde lang geklingelt hatte, stand sie endlich auf. Völlig übermüdet tappte sie ins Badezimmer und begutachtete sich im Spiegel. Als sie fertig war, eilte sie nach unten, rannte zur Tür und zog sich ihre Schuhe an.

»Willst du nicht frühstücken, Lea?«

»Nein, keine Zeit Mama, tschüss.« Schon war Lea auf dem Weg zur Schule. Sie rannte, so schnell sie konnte, um den Bus noch zu bekommen. Auf halben Weg merkte sie, dass sie ihn unmöglich noch einholen konnte und so beschloss Lea, zu Sabine zu rennen und nachzufragen, ob sie sich ein Fahrrad ausleihen könnte.

Mittlerweile war es zwanzig vor acht.

»So ein Mist, ich werde die Arbeit verpassen!«

Sie sprintete mit dem Fahrrad durch den Wald und war bald an der Schule. Während Lea es abschloss, ließ ihre Lehrerin den Blick in der Klasse umherwandern und bemerkte, dass Lea fehlte.

»Weiß jemand, wo Lea ist?«

Alle blickten sich nur fragend um, aber schon bald beantwortete sich die Frage von selbst. Vom Flur der zweiten Etage war ein lautes Poltern und Krachen zu hören.

»Sorry, ich habe es eilig«, ertönte die Stimme von Lea in der nächsten Sekunde.

»Pass doch auf, wo du hinläufst. Ich habe gerade alles aufgewischt«, ranzte sie der Hausmeister an. Lea war auf dem nassen Boden ausgerutscht und in einen Haufen von Müll, Eimern und anderem Putzzeug gekracht.

»Lea, hast du vor da Wurzeln zu schlagen, oder möchtest du heute noch die Arbeit schreiben? Ich habe sie gerade erklärt«, meckerte jetzt auch ihre Lehrerin, die in den Flur gekommen war.

Mit gesenktem, aber gut zu erkennendem rotem Kopf begab sich Lea in die Klasse und setzte sich auf einen Platz, neben Jan, da kein anderer mehr frei war.

»Ach ja Lea, nach der Arbeit kommst du bitte zu mir!«, meinte Frau Meier in einem ziemlich deprimierenden Ton.

»Guten Morgen Lea. Ich hoffe, du hast gut geschlafen«, flüsterte Jan zu ihr spöttisch zu.

»Vielen Dank Jan. Gibst wohl wieder deinen Großkotz zum Besten«, gab Lea leise zurück.

»Jan, Lea! Ruhe jetzt. Sonst fliegt ihr raus. Da Frau Lessek zu spät gekommen ist, schreiben wir die Pause durch.« Alle stöhnten, während Frau Meier die Arbeiten austeilte. »Wen ich beim Reden oder Abschreiben erwische, dem nehme ich sofort die Arbeit ab. Derjenige bekommt einen Eintrag und eine Sechs.«

Als alle Arbeiten ausgeteilt waren, starrte Lea entsetzt auf die Blätter. Sie sah nur Zahlen und wusste nichts damit anzufangen. Langsam legte sie den Stift hin und fing an, an ihren Fingernägeln zu knabbern.

»Scheiße, warum habe ich nicht gelernt?«, fragte sie leise vor sich hin. Jan hörte es und beobachtete sie bedrückt. Er wollte nicht, dass Lea unglücklich war. Lea überlegte hin und her, ob sie bei Jan abschreiben sollte. Ungeduldig wippte sie auf ihrem Stuhl auf und ab und knabberte weiter an ihren Fingernägeln. Immer wieder wanderte

Jans Blick besorgt zu ihr. Doch nach einem strengen Blick von Frau Meier, den er als Warnung verstand, sah er nicht mehr zu ihr.

Währenddessen saßen in Sinas Klasse die Schüler zwar brav auf ihren Plätzen, machten sich aber wie jedes Mal über die Lehrerin lustig. Außer Matthias und Sina, die beiden unterhielten sich im flüsternden Ton quer durch die Klasse so gut es möglich war.

»Wenn ich noch ein Wort von euch höre, fliegt ihr aus der Klasse.« Die Spaßbremse schob ihre hässliche Hornbrille hoch. Als ob nichts gewesen wäre, unterhielten sie sich weiter.

»Was glaubst du, wie es Jan und Lea jetzt in der Mathearbeit geht?«, erkundigte sich Matthias.

»Ich habe keine Ahnung, aber ich hoffe, dass Lea nicht wieder alles vergeigt. Noch eine fünf in der Arbeit und das war es für sie.«

Doch Lea saß vor der Arbeit und hatte außer dem Datum und die einfachsten Rechnungen, nichts geschafft. Jan war schon lange fertig, doch er gab nicht ab und betrachtete Lea weiterhin mitleidig.

»Noch fünf Minuten«, verkündete die Lehrerin.

Lea kamen die Tränen, doch sie biss sich auf die Lippe und hielt diese zurück. Währenddessen entfernte Jan seinen Namen und beobachtete Lea weiter. Als es zum zweiten Mal klingelte und die Pause, die sie nicht hatten, vorbei war, mussten sie die Arbeiten abgeben.

Jan, der in der Sekunde aufstand, als auch Lea ihren Stuhl verließ, rammte sie, sodass sie ein Stück zur Seite stolperte und ihr Blatt fallen ließ. Schnell sammelte er es auf und tauschte es mit seinem. Lea, die nichts gemerkt hatte, ging zum Pult, legte ihre Arbeit auf den Tisch und wartete auf ihre Lehrerin, die mit Lea noch ein paar Worte wechseln wollte. Die anderen, bis auf Jan, waren bereits gegangen, um zum Chemieraum zu eilen.

»Jan, gibst du bitte auch ab?«

»Ich muss nur noch meinen Namen drauf schreiben.«

Da Lea ihren Namen vergessen hatte, konnte er schnell seinen eigenen Namen auf der Arbeit eintragen. Dann stürmte er nach vorne, legte sie auf das Pult, und verließ den Klassenraum.

Lea wippte unterdessen unruhig auf und ab, während sie darauf wartete, dass ihre Lehrerin das Gespräch begann.

»Lea, ich weiß nicht, was mit dir los ist. Das ist jetzt schon das fünfte Mal in diesem Monat, dass du zu spät kommst. Ich hoffe, ich darf von deiner Arbeit mehr erwarten!« Damit war das Gespräch anscheinend beendet und Lea ging ebenfalls zum Chemieraum.

Nach der Schule sollte Lea noch ihrem Deutschlehrer helfen ein Plakat aufzuhängen, während Sabine und Svenja, die vor der Klasse gewartet hatten, mit Jan nach unten auf den Schulhof zum Fahrradständer gingen. Dort warteten bereits Matthias und Sina.

»Was ist mit Lea los? Sie sieht niedergeschlagen aus.«

»Sie ist heute Morgen schon wieder zu spät gekommen und dann hat sie noch die Arbeit verhauen. Sprich sie aber nicht drauf an.« Jan zuckte daraufhin nur mit den Schultern.

»Sollen wir noch auf sie warten?« Hoffnungsvoll lächelte Svenja in die kleine Runde.

»Auf jeden Fall, sie wird ziemlich mies drauf sein. Wir sollten sie trösten.«

Sabine war wahrhaftig ihre beste Freundin. Jan begutachtete in dieser Zeit desinteressiert seine Schuhe. Er wollte nicht, dass jemand erfuhr, was er wirklich fühlte und wie er zu Lea stand. Doch Svenja gab ihm einen Schubs und bat ihn dann darum, wenigstens ein bisschen mitfühlend zu sein.

»Warum?«, fragte Jan. Innerlich fühlte er sich nicht gut dabei, wenn er so tat, als wäre Lea ihm vollkommen egal, doch er hatte seine Gründe.

»Ist schon okay, Jan. Halt einfach die Klappe, wenn sie kommt.« Svenja schien sauer zu sein.

»Da kommt sie endlich«, rief Matthias. Dabei sprang er vom Fahrradständer herunter, auf den er sich gestellt hatte, um nach Lea Ausschau zu halten.

»Nimm es nicht so schwer. Ich habe auch schon öfter eine Arbeit verhauen. Das nächste Mal üben wir alle zusammen«, munterte Svenja sie auf.

»Woher weißt du das?«

»Na ja, Jan hat es uns erzählt, du hast ihm lei….« Mit einem lauten Huster sprang Jan vor sie und fiel ihr ins Wort.

»Sie haben nachgefragt und da habe ich es ihnen erzählt. Keine wichtige Sache eben.«

»Ach so.« Wieder fiel Leas Blick zu Boden.

»Hast wohl gehofft, dass du mir leidgetan hast, oder?«, brachte Jan spöttischer hervor, als er es eigentlich wollte.

»Vielleicht dachte ich, dass du doch ein Mensch mit Gefühlen geblieben bist!«, zischte Lea ihn an.

»Leute, ich habe voll Lust auf Party«, warf Svenja ein, die anscheinend die Problematik wieder vergessen hatte und sich von Sabine einen bösen Blick dafür einfing.

»Warum nicht? Warum solltet ihr auf alles verzichten, nur weil ich schlecht drauf bin? Lasst uns eine Party feiern. Für die nächste Arbeit lerne ich eben etwas mehr.«

»Demnächst solltest du vielleicht überhaupt etwas lernen«, entgegnete Jan wieder einmal gehässig.

»Hab ich doch.« Lea sah betrübt zu Boden.

»Deshalb hast du auch die ganze Zeit das Gegenteil vor dich hingeredet. Noch dazu hast du außer der ersten Aufgabe und dem Datum nichts hingeschrieben.«

»Das stimmt, Jan. Ist das jetzt ein Grund auf mir herum zu hacken? Sorry Leute, ich muss aufs Klo!« Traurig drehte sich Lea um und lief zu den Toilette. Bevor auch nur einer einen schiefen Blick auf Jan werfen konnte, fing er an, sich zu verteidigen.

»Wenn jetzt einer auch nur ein Wort sagt, beiß´ ich«, zischte er und ging davon. Erst auf halben Weg stoppte er, wechselte die Richtung und bog zu den Toiletten ab. Er hatte das Gefühl, sich entschuldigen zu müssen. Dort traf er Lea, die auf der Mauer links neben den Toiletten saß und weinte. Er sah sich um, ob keiner ihrer Freunde ihn beobachtete, und ging zu ihr hinüber.

»Tut mir leid«, entschuldigte er sich.

Lea sah ihn erschrocken an und wischte schnell ihre Tränen weg.

»Wieso? Ich brauche kein Mitleid eines Menschen, der mich nicht mag. Das ist demütigend!«

»Es war blöd von mir. Lea, bitte. Ich mag es nicht, wenn du weinst.« Ungläubig blickte sie ihn an und erhob sich.

»Du glaubst doch nicht, dass ich dir das abkaufe? Erst bringst du mich zum Heulen, dann willst du mich trösten. Bei dir stimmt was nicht. Das artet doch eh wieder in einem Streit aus. Geh´ einfach und lass mich in Ruhe!«

Jan dachte nicht daran, zu gehen. Stattdessen tat er etwas, was niemand vermuten würde. Er nahm seinen Mut zusammen und schob ihr Kinn langsam mit seinem Zeigefinger nach oben, so, dass er Lea in die Augen sehen konnte.

»Ich hatte nie vor einen Streit anzufangen, zumindest nicht immer.« Jan war sichtlich angespannt. Sein Herz flehte ihn an, ihr seine Gefühle mitzuteilen, doch sein Verstand weigerte sich, dies zuzulassen.

»Wieso bist du dann so abweisend und gemein?« Jan zuckte mit den Schultern.

»Keine Ahnung, es ist eben einfacher, seinen Frust rauszulassen.«

»Wie meinst du das?«, hakte sie nach.

»Ist nicht so wichtig.«

Lea sah ihm tief in die Augen und merkte, wie sie rot wurde.

»Du kannst ja richtig nett sein«, stellte sie fest.

»Du hast mir leidgetan, Lea.«

»Das ist irgendwie aufmunternd.« Beide blickten sich tief in die Augen und wieder trat eine seltsame Stille ein, bis Jan sie unterbrach.

»Schön sich nicht immer zu streiten, oder?«

»Ich könnte mich dran gewöhnen«, antwortete Lea und wurde wieder rot.

»Mit der Arbeit Lea, warum hast du mich denn nicht gefragt, ob ich dir Nachhilfe gebe?«

»Du hättest mich doch wieder aufgezogen. Und überhaupt, warum sollte ich dich fragen, du lässt keine Gemeinheit aus und ...« Wieder kamen Lea die Tränen. Plötzlich hatte sie das Gefühl, dass Jan ihr was vorspielte. Sie konnte es sich selbst nicht erklären, doch auch ihr Herz war durch das ganze Auf und Ab verwirrt.

»Warum weinst du jetzt wieder?«

Lea drehte sich weg und vergrub ihr Gesicht in den Händen. Jan versuchte, seine Gefühle zu unterdrücken, doch das funktionierte nicht. Er nahm Lea und schloss seine Arme um sie. Ohne zu zögern umarmte sie Jan ebenfalls und weinte nun noch heftiger. Er streichelte ihr durchs Haar und hielt sie fest an sich gedrückt.

›*Warum kann ich nicht mit ihr zusammen sein?*‹ Jan hielt sie noch fester an sich gedrückt.

Es dauerte nicht lange, bis die anderen kamen, die sich Gedanken machten, wo sie abgeblieben waren. Erschrocken blieben sie stehen.

»Sag, dass ich träume«, stieß Sabine hervor. »Sag, dass das da nicht Jan und Lea sind, die da Arm in Arm vor der Toilette stehen.«

»Sieht so aus. Aber ich kapier das nicht. War das nicht so, dass die beiden sich nicht leiden konnten?«, warf jetzt Svenja ein.

»Sie waren nicht immer zerstritten, ganz im Gegenteil. Es gab mal eine Zeit, in der haben sie sich super verstanden.« Sebastian, der beste Freund von Lea, war hinzugekommen. Eigentlich wollte er Svenja, Lea und ihr Fahrrad mit dem Auto abholen, hatte aber den Rest der Clique gesehen und sich zu ihnen gesellt.

»Wie meinst du das?«, wollte Jenny wissen.

»Lasst sie einfach allein. Ich bin froh, dass es grade so ist, wie es früher war. Auch, wenn ich weiß, dass die beiden niemals ein Paar sein können. Vergesst die Idee mit dem Zusammenbringen, tut mir den Gefallen.«

Alle sahen Basti fragend an, zuckten mit den Schultern und nickten.

»Psst, ich glaube, sie küssen sich jetzt«, zischte Svenja aus dem Gebüsch heraus.

»Das ist ziemlich dreist, was wir hier tun.«

Doch Svenja war da anderer Meinung als Sabine.

»Dann guck doch weg!«

Sie beugte sich weiter auf einen Ast, um besser sehen zu können.

Jan und Lea bekamen von all dem nichts mit. Sie sahen sich in die Augen und führten ihre Köpfe langsam zu einander. Lea stellte sich auf die Zehenspitzen und Jan hielt sie fest in seinem Arm. Immer näher kamen sie mit ihren Mündern zusammen. Krrrrrrrrrr…

»Aua«…

»Pass doch auf.«

»Psst, seid leise!«

»Aber ich habe mir weh getan.«

»Pssst.«

Doch Jan und Lea waren schnell auseinander gesprungen und richteten ihre Blicke verlegen in Richtung des Buschs. Sabine lag auf dem Boden und Svenja, die den abgebrochenen Ast in der Hand hielt, lag auf ihr drauf.

»Man, gerade jetzt!«, grummelte Jan vor sich hin.

Sie sahen sich an, wobei Jan den Kopf schüttelte, sodass Lea verstand, dass es keine Möglichkeit gab, zusammenzukommen. Nicht, weil er sie nicht mochte. Im Gegenteil. Es hatte andere Gründe.

Schließlich gingen sie schweigend zu ihren Freunden. Basti nahm das Fahrrad mit, aber Lea entschloss sich mit dem Bus zu fahren. Sie wollte in Jans Nähe sein und den Moment genießen. Außerdem wollte sie Bastis Fragen ausweichen. Ihre Freunde würden sie im Bus nicht darauf ansprechen. Sebastian wollte ihr das Fahrrad zur Bushaltestelle bringen, an welcher sie aussteigen würde.

Während der Busfahrt waren Jan und Lea sehr still. Sie standen sich gegenüber und sahen sich gelegentlich an, wandten den Blick jedoch wieder ab.

Die Anwesenden, die die zwei kannten, sprachen ebenfalls nicht. Es war eine peinlich bedrückende Stille. Gerne hätten sie das Thema angesprochen. Sich darüber ausgetauscht, doch da Jan und Lea sich wie zwei Fremde verhielten, taten sie es nicht.

Die Busfahrt schien Stunden zu dauern. Lea versuchte, ihre

Gedanken zu sammeln, genau wie Jan es auch tat. Doch ab und zu, wenn der Bus über Fahrbahnschwellen fuhr, berührten sich ihre Hände. Man konnte sie nachgrübeln sehen, dennoch sprach niemand.

Als der Bus an der Haltestelle hielt, stieg der größte Teil an der Kirche aus. Sie unterhielten sich darüber, wer noch Lust hätte, Karten zu spielen. Doch Jan verabschiedete sich schnell von den anderen und verschwand. Lea bedankte sich bei Basti fürs Mitnehmen des Rades und fuhr ebenfalls davon. Alle sahen ihnen verdutzt hinterher und dachten sich ihren Teil.

Plötzlich fiel Svenja auf, dass Alexander und Janine verschwunden waren.

»Ich glaube, die vertragen sich gerade wieder. Sie hatten sich doch wegen der Ex-Freundin von Alex gestritten.«

Daniel, der sich gerade seine Zigarette angesteckt hatte, fiel Svenja ins Wort. »Ach so nennt man das heute. Reden, so, so.« Er deutete mit dem Finger auf Alex und Janine, die wild knutschend an der Pommesbude standen.

»Du Sabine, ich dachte immer, Jan kann Lea nicht leiden. Das hat er eben jedenfalls noch gesagt.«

»Ich hab auch keine Ahnung, Matthias. Ich denke eher, dass es keiner zugeben will.« Basti, der wusste, warum Jan Lea so abweisend behandelte, hielt sich zurück. Er machte keine Hoffnungen, dass die zwei jemals wieder zusammenkommen könnten.

»Also, ich bin dafür, dass wir jetzt nach Hause gehen und uns am Samstag auf ein Glas Bier treffen«, meinte Matthias und sah sich im Kreis um.

»Ich wäre dafür. Wenn jeder was mitbringt, wird es auch nicht teuer«, stimmte Svenja zu und die anderen nickten.

»Also Samstag Fete, ich freu´ mich«, jubelte Daniel und machte einen Luftsprung.

»Hey Alex, ihr kommt doch auch am Samstag, oder?« erkundigte sich Jenny lauthals bei Janine und Alex.

»Klar kommen wir«, antworteten beide zurück.

Lea, währenddessen schon zu Hause, saß vor ihrem Essen und dachte über Jan nach. Sie fügte noch einmal die Bruchstücke ihrer Gedanken zusammen. Ständig schob sie ihre Erbsen von links nach rechts und wieder zurück über den Teller.

Essen wollte sie nicht. Dieser Tag war bisher verwirrend. Er war, bis auf die Klassenarbeit, nicht so schlimm gewesen. Sie fühlte sich glücklich. Es schien so, als ob ihr sehnlichster Wunsch endlich in Erfüllung gegangen wäre. Andererseits war sie auch unglücklich. Es war zum verrückt werden. Konnten ihre Gedanken denn nicht einmal klare Bahnen ziehen?

Doch auch Jan erging es nicht anders. Er machte, in Gedanken versunken, seine Hausaufgaben und kaute an seinem Füller herum. Sein Hund saß die ganze Zeit vor ihm und hielt seine Leine im Maul, denn Jan hatte vergessen, mit ihm Gassi zu gehen.

Eigentlich war es nicht Jans Hund, sondern der seines Stiefvaters. Doch er musste sich um ihn kümmern. Das Problem war, dass er schon sehr alt war und gefühlt jede Stunde raus musste. Anfangs hatte er sich auch immer wieder über den dämlichen Namen gewundert. Wer nennt seinen Hund denn bitte Scar? Rocky, Bobo und so weiter, das waren Hundenamen, aber Scar? Na ja, es war eben Jacks Hund und anscheinend war es in Amerika normal, die Hunde so zu nennen. Als Jan ihn weiterhin ignorierte, lief der Hund hinunter in das Wohnzimmer und machte dort sein Geschäft.

Zu seinem Unglück genau auf den Teppich seines Stiefvaters.

Da Jan es nicht bemerkt hatte, hatte er es auch nicht weggemacht. Wie hätte er es denn auch merken sollen? Er saß vor seinen Hausaufgaben und kaute erneut an seinem Füller, dass mittlerweile der obere Teil verbogen war.

Doch plötzlich riss ihn etwas aus seinen Gedanken. Es war der Aufschrei seines Stiefvaters, der den Hundehaufen gefunden hatte.

»EY! Komm sofort runter, sonst knallt es!« Zu Hause hieß er EY oder Idiot! Mit mulmigem Gefühl ging Jan hinunter. Er konnte seinen Stiefvater nicht leiden. Er hasste ihn, schon seit er ihm es erste Mal vorgestellt wurde. Jan redete nie über ihn und er hasste es, wenn er den Leuten aus der Nachbarschaft »seinen« Sohn vorstellte. Jans Stiefvater, der übrigens Jack hieß, war ein hohes Tier in einer großen Firma, jedenfalls hatte er eine Menge Geld. Jans Mutter ging trotzdem noch arbeiten, weil der großzügige Stiefvater ihr kaum Geld für sich selbst ließ.

Nach außen hin waren sie eine Vorzeigefamilie. Doch das war nur Schein. Nach dem Tod seines Vaters und seiner damals erst sechs Jahre alten Schwester, hatte sich Jans Leben verändert. Ständig hatte er Angst um seine Mutter, weil sein Stiefvater öfter ausrastete.

Als Jan unten ankam, sah Jack ihn missbilligend an. Er hatte Besuch.

»Du warst schon wieder nicht mit dem Hund draußen. Du bist echt ein Idiot! Schau dir die Schweinerei an. Das ist ein viertausend Euro Teppich!«

»Ich habe Hausaufgaben gemacht!« Jan schien gereizt zu sein.

»Deine Hausaufgaben sind mir scheißegal. Du sollst dich um den Hund kümmern!«

Es gab immer einen Grund, weswegen sein Stiefvater ihn fertig machte. Jack war aus Amerika und hatte Jans Mutter dort kennen gelernt.

»Ich muss Hausaufgaben machen. Die sind wichtiger als so ein blöder Köter!«

»Das ist nicht irgendein blöder Köter. Das ist mein Hund und du hast dich um ihn zu kümmern! Und sei nicht so vorlaut, sonst knallt es!«

»Dann schlag lieber mich, anstatt deine Wut wieder an meiner Mutter auszulassen, du brutales Sch…!«

»Sprich dich nur aus. Sag´, was du zu sagen hast oder bist du so ein Feigling, wie dein Vater es war?«

»Sprich nicht so über meinen Vater!« Jan kochte vor Wut, doch ebenfalls stieg die Angst in ihm. Jack würde ihn wirklich schlagen, so wie er es schon einmal getan hatte, das war zwar viele Jahre her, doch er hatte es noch sehr gut in Erinnerung. Er war groß gebaut und kräftig, es darauf ankommen lassen, wollte er es deswegen nicht wirklich.

Auch sein Mitarbeiter meldete sich nun zu Wort.

»*Das ist also dein missratener Sohn!*«

»*Ich bin nicht sein Sohn!*«

»*Sei still, wenn sich Erwachsene unterhalten!*« Dieser Kerl war keinen Deut besser als Jack.

»Das ist er! Mit dem hat man nur Ärger!« Jan, der die Schnauze voll hatte, drehte sich um und wollte nach oben gehen, als Mad ihn anbrüllte und von hinten an den Haaren riss, so dass Jan vor Schmerzen in die Knie ging.

»Klasse Erziehung Jack, der hört ja aufs Wort!« Jack sah seinen Arbeitskollegen, der Jan immer noch an den Haaren zog, grimmig an.

»Was soll diese Ironie, Mad?«

»Lass mich los du Mistkerl!«, fauchte Jan.

»Du hast es nicht anders gewollt!«

Jan wollte sich losreißen, doch Mad schlug ihm ins Gesicht und machte sich dann auch noch über Jan lustig. Dann ließ Mad ihn wieder los.

»Du Schwein!« In Jan schlich sich ein ungutes Gefühl, was diesen Mad betraf, doch unter keinen Umständen wollte er Schwäche zeigen.

»Sag mal Jack, lässt du immer so mit dir umspringen? Du weißt doch am besten, wie man sich Kinder gefügig macht!« Mit einem gemeinen Grinsen zog Mad die Augenbraue hoch.

»Was soll ich denn tun? Wie stellst du dir das vor? Ich kann ihn hier ja schlecht disziplinieren!« Jack zuckte mit den Schultern, während Jan ahnte, was ihm blühen würde und versuchte zu verschwinden.

Der Typ schien noch brutaler zu sein als sein Stiefvater. Doch Mad hielt ihn jetzt wieder fest. Dieser war Jan deutlich überlegen.

»Lass mich los!« Er trat Mad gegen das Schienbein, woraufhin dieser unmittelbar zurücktrat, doch nicht gegen Jans Bein. Er traf seinen Bauch mit dem Knie. Anscheinend trat dieser Mad gerne zu.

»Scheißkerl! Du Arschloch, ich hasse dich und deinen Scheiß Kollegen!« Jan ignorierte Mad und schrie Jack an.

»Scheiß Kollege!« Bösartig wiederholte Mad die Worte. »Ich lasse mich nicht von einem kleinen Bastard, wie dir, beleidigen!«

Jan, der mit den Händen vor dem Bauch haltend auf dem Boden lag, traute sich nicht mehr, etwas zu sagen. Sein Mut war wie weggefegt. Doch wenn er gedacht hätte, dass sein Stiefvater und dieser Mad ihn in Ruhe lassen, hatte er sich getäuscht.

»Bist wohl doch ein Feigling, oder was bist du? Ein Feigling oder ein Schwächling!« Jan antwortete nicht. »Sprich mit mir!« Mad trat Jan in den Bauch. »Also, was jetzt, ein Feigling oder ein Schwächling?«

Wieder antwortete Jan nicht. Er wollte nicht auf das Spiel anspringen. Er wusste, wenn er einmal antworten würde, würde es nie ein Ende nehmen. Er dachte nur an seine Mutter, die die Wut sonst abbekommen würde. Also ließ er es über sich ergehen.

»Sag es! Feigling!« Er trat Jan wieder in den Bauch.

Dieser schloss seine Augen und versuchte die Schmerzen zu vergessen. Doch Mad zog ihn am T-Shirt zu sich hin.

»Sieh mich an, wenn ich mit dir rede!«

Das war Terror! Wie sollte sich Jan verhalten? Augen geschlossen halten oder ihn ansehen? Er beschloss, das Spiel zu spielen, und öffnete seine Augen. Mit gequälter Stimme brachte er nur ein paar Wortfetzen hervor.

»Weder … noch!«

»Was bist du denn dann? Ein Held? Ha…! Das hättest du wohl gerne!« Mad schien dieses Spiel zu genießen.

»Ich bin kein Held, ich bin ein Mensch! Ich werde … euch … das … heim … zahlen!«

»Träum schön weiter! In deinem Zustand! Dein Vater hat recht. Du bist ein Nichtsnutz, ein kleiner verwöhnter Bastard, ohne Erziehung! Oh, ohne Vater kannst du ja auch nicht erzogen worden sein. Deine Mutter hat nicht das Zeug dazu. Kannst froh sein, dass Jack jetzt hier ist!«

»Du … du!«

»Sprich dich aus. Ich will meine ganze Wut an dir auslassen und ich habe eine gute Kondition!«

Er knallte Jans Kopf heftig gegen das Tischbein.

»Mad, Marlene kommt gleich nach Hause, sie sollte dich hier nicht sehen! Sie könnte dich wiedererkennen.«

»Stimmt, das könnte nur komische Fragen aufwerfen.« Mad wandte sich wieder zu Jan hinüber und packte ihn abermals am T-Shirt. »Du hast heute anscheinend Glück!« Dann holte er mit der Faust aus und schlug Jan mit voller Wucht ins Gesicht, sodass er das Bewusstsein verlor, mit dem Rücken auf den Boden aufschlug und dort liegen blieb. Er fasste er Jack an der Schulter. Diesem Menschen schien es Spaß zu machen andere zu quälen.

Nach kurzer Zeit kam Jans Mutter Marlene von der Arbeit zurück. Als sie ihren bewusstlosen Sohn am Boden liegen sah, beugte sie sich direkt über ihn und streichelte ihm durchs Haar.

»Warum hast du das getan?«, fragte sie Jack, der gerade an der Veranda stand und genüsslich eine Zigarre rauchte. Marlene wusste nicht, dass nicht Jack ihn so zugerichtet hatte, sondern Mad.

»Lass ihn da liegen und geh ins Bett. Dein Sohn hat es nicht anders verdient!«

Mit Tränen in den Augen und angsterfülltem Gesicht gehorchte sie ihrem Ehemann. Doch bevor sie ging, strich sie ihrem Sohn abermals durchs Haar und küsste seine eiskalte Stirn.

Es war bereits elf Uhr abends, als Jan wieder zu sich kam. Benebelt und mit üblen Kopf- und Bauchschmerzen lag er auf dem Boden. Vorsichtig drehte er sich auf den Rücken.

Ihm tat alles weh und es war zu anstrengend aufzustehen, daher blieb er noch einige Minuten auf dem Rücken liegen. Sein Kopf dröhnte.

Schließlich stand er auf und schwankte nach oben in sein Zimmer. Er schaffte es nicht einmal sich auszuziehen. Stattdessen ließ er sich mit schmerzverzerrtem Gesicht ins Bett sinken.

Wenn die Angst um seine Mutter nicht gewesen wäre, hätte er sich aus dem Staub gemacht. Jeder andere Mensch hätte ihm glaubhaft machen wollen, dass alles einfach wäre. Wenn sie an seiner Stelle wären, würden sie zur Polizei gehen. Aber es war eben alles andere als einfach. Irgendetwas band seine Mutter an ihren Mann, aber was es war, verstand Jan nicht.

Eine große Dummheit

Gegen acht Uhr öffnete Jan die Augen, beziehungsweise er versuchte es. Mit nur einem konnte er seine Umgebung erkennen, das andere schien geschwollen zu sein. Er hatte üble Bauchschmerzen und hatte das Gefühl, als müsse er sich jeden Augenblick übergeben.

Als er aufstehen wollte, wurde ihm so schwindelig, dass seine Beine unter ihm nachgaben und er auf den Boden sackte. In diesem Zustand konnte er unmöglich zur Schule gehen. Ohnehin war die erste Englisch-Doppelstunde bereits fast vorbei und es machte keinen Sinn mehr, sich jetzt noch zu beeilen. Die dritte und vierte Stunde hatte er Sport. Heute war Prüfung und es ging um die Eins. Natürlich hätte er die Prüfung auch nachholen können. Aber erstens war heute jemand von Jans zukünftiger Schule da, vorausgesetzt, er bekam das Stipendium, wofür er sich beworben hatte. Zweitens machte das Fehlen bei einer Sportprüfung wohl keinen sehr guten Eindruck. Vor allem deswegen nicht, da er vorhatte auf die Sporthochschule Köln zu gehen und dort zu studieren.

Was sollte er jetzt machen? Sport war das Einzige, was er wirklich gut konnte, ausgenommen von Mathe und Physik. Alle anderen Fächer bewegten sich ebenfalls im zweier Bereich. Letztes Jahr hatte er nur eine Drei auf dem Zeugnis und das war in Religion. Doch für all diese Fächer musste er, wie alle anderen auch, pauken. Anders als

Sport, Mathe und Physik, das flog ihm einfach zu.

Langsam raffte er sich auf und schwankte ins Badezimmer. Dort sah er sich im Spiegel an.

»Meine Fresse!« Mit seiner rechten Hand betastete er sein linkes Auge. Es war angeschwollen und dunkelblau umrandet. Es tat bei der kleinsten Berührung bereits fürchterlich weh.

Er stellte sich vor, wie ihn die Leute anstarren würden. Dann nahm er seine Zahnbürste und putzte sich die Zähne. Selbst dabei schmerzte sein Gesicht.

Was war das für ein Kerl gewesen? Bestimmt ein Boxer oder ein anderer Kampfsportler.

Wieder wurde ihm schwindelig und sein Blick verfärbte sich schwarz. Er stützte sich auf dem Waschbecken ab und atmete schwer, um die Kontrolle über seinen Körper wieder zu bekommen.

Sein Bauch pulsierte und die Kopfschmerzen ließen ihn die Augen zusammenkneifen. Nach einer Ewigkeit hörte es endlich wieder auf. Der nächste Gang war der zur Toilette. Als er davorstand, hatte er das Bedürfnis, seinen Kopf über die Kloschüssel zu halten und seine Innereien herauszuwürgen.

Er fühlte sich, als hätte er die ganze Nacht durch gesoffen, wäre dann die Treppe runter gefallen und zwischendurch noch zehn Mal von einem Bus überrollt worden. Langsam kündigte sein Magen an, dass er bald rückwärts essen würde. Um sicherzugehen, dass er nicht den ganzen Boden vollkotzte, hockte er sich vor die Toilette und wartete ab.

Erst stieß er mehrmals auf und hoffte, als es kurz aufhörte, dass es vorbei sein würde. Doch dann hob er seinen rechten Zeigefinger, als ob er sich selbst darauf hinweisen wollte, »Moment, da kommt noch was.« Und dieser Fall trat ein.

Ohne Vorwarnung stieg sein Mageninneres die Speiseröhre hinauf und landete in der Toilette. Wieder atmete Jan schwer und wieder kam ihm bei dem Geschmack im Mund die Kotze hoch. Er übergab sich einige Minuten lang, mit ein paar Pausen zwischendurch, in denen er atmete, oder es zumindest versuchte.

›Ich hätte gestern nicht so viel essen sollen. Wenigstens ist es jetzt raus.‹

Nachdem er sich übergeben hatte, putzte er sich noch einmal die Zähne. Dann gurgelte er mit Mundwasser. Endlich schien der Geschmack nach Erbrochenem nicht mehr in seinem Mund zu liegen.

Er fühlte sich um einiges besser und versuchte die Kopfschmerzen zu unterdrücken, die sich noch immer hinter seiner Stirn meldeten. Vielleicht schaffte er es noch, pünktlich zur Sportstunde in der Schule zu sein.

Um sicherzugehen, dass seine Schmerzen nicht wiederkamen, beziehungsweise weggingen, suchte er ein paar Schmerzmittel im Medizinschrank, fand aber keine. Er wusste aber, dass seine Mutter noch welche in der Schublade im Schlafzimmer hatte. Also suchte er diese Tabletten, indem er die gesamte Schublade durchwühlte.

Endlich fand er sie. Liso irgendwas. Hauptsache was gegen die Schmerzen. Er packte seine Sportsachen, steckte die Tabletten ebenfalls hinein, nahm seinen Rucksack und ging zur Schule. Unterwegs dachte er sich eine Ausrede aus, um nervenden Fragen seiner Lehrer aus dem Weg zu gehen.

Als er an der Schule ankam, rannte ihm direkt Sabine entgegen und fragte ihn sehr besorgt, woher er das Veilchen hatte. Jan log, ihm sei ein blödes Missgeschick passiert. Er habe seiner Mutter im Garten geholfen und hat sich dummerweise den Stiel der Schaufel ins Auge gehauen. Mehr erklärte er nicht. Er wollte nicht, dass einer wusste, was bei ihm zu Hause vor sich ging. Außerdem hätte er selbst über diese Geschichte gelacht, wenn ihm jemand so etwas erzählt hätte.

Auch Lea fiel das Veilchen auf und lief zu Jan hinüber. »Wie ist denn das passiert, Jan?«

»Ist egal. Lass mich einfach in Ruhe!«

»Du tust es schon wieder!«, rief sie sauer.

»Was tue ich?« Er schrie sie fast an.

»Mich so behandeln. Wollten wir nicht nett zueinander sein?«

»Wann habe wir denn das entschieden? Geh einfach, ich habe jetzt keine Zeit, um mich mit dir zu streiten.«

»Bitte Jan, ich will dir doch nur helfen.«

»Verpiss dich, okay?«

»Bist du schizophren, oder was?« Lea kamen die Tränen. »Früher hast du es mir immer erzählt, wenn dein Vater dich geschlagen hat!«

»Das war bevor, ach vergiss es! Lass mich einfach in Ruhe. Du weißt es doch! Warum fragst du?«

»Weil ich mir Sorgen mache!«

»Du verstehst gar nichts! Du machst dir Sorgen? Das ist mir scheißegal! Ich brauche das nicht!«

Jan sah sie an. Es tat ihm leid, dass er Lea angeschnauzt hatte, aber er musste seinen Frust rauslassen. Schließlich drehte er sich um und ging davon. Lea starrte ihm hinterher.

Später, als sie zum Sportunterricht gingen, beachtete Jan sie nicht. Doch Lea wusste, dass es sein Vater gewesen war, dass er ihn wieder geschlagen hatte. Solange Jan diese Tatsache für sich behielt, konnte Lea allerdings nicht zur Polizei gehen. Jan war neunzehn Jahre alt und ließ sich regelmäßig zu Hause schlagen. Warum nur tat er das?

In Sport teilte der Lehrer die Jungs und Mädchen auf. Die Jungs gingen nach draußen, während die Mädels in der Halle Volleyball spielen würden. Also konnte Lea nicht sehen, wie es Jan ging und das machte sie verrückt.

»Die Jungs spielen Fußball. Also, beeilt euch und macht, dass ihr aufs Feld kommt.« Kurze Zeit später rannten die männlichen Schüler nach draußen, während die weiblichen in der Halle blieben.

»Jan, was ist mit dir los? Du bist nicht so gut drauf wie sonst«, meinte Herr Bausch, der Sportlehrer. Jan taten die Rippen weh und er hatte so starke Kopfschmerzen, dass er sich kaum konzentrieren konnte.

»Herr Bausch, ich muss kurz auf die Toilette.«

»Okay, aber mach nicht so lange!«

Zum Glück hatte er die Schmerztabletten seiner Mutter mitgenommen. Er schluckte zwei, weil er hoffte, dass die Schmerzen dadurch schneller aufhörten. Nach ungefähr zehn Minuten wirkten die Tabletten und Jan ging zurück.

Er wollte seinem Lehrer und dem Vertreter der Sporthochschule beweisen, dass er die eins auf dem Zeugnis und das Stipendium verdient hatte. Also dribbelte er den Ball, so gut er konnte, um die Spieler herum. Doch es dauerte nur wenige Minuten, bis die Schmerzen wieder anfingen und diesmal waren sie stärker als zuvor.

»Herr Bausch, ich muss noch mal kurz auf die Toilette.«

»Schon wieder? Hast du was mit der Blase?«

Jan zuckte mit den Schultern und gab ihm so zu verstehen, dass er es selbst nicht wusste.

»Na schön, aber beeil dich. Steffen, du spielst für ihn weiter.«

Jan verließ den Platz. Doch er schlug nicht den Weg zu den Toiletten ein. Sein Ziel war wieder die Umkleidekabine, in der er in seiner Tasche nach den Tabletten wühlte. Er dachte kurz nach und kam zum Entschluss, alle Tablette zu nehmen. Vielleicht war er dann ein wenig aufgeputscht, um die Sportstunde hinter sich zu bringen.

Was sollte auch passieren? Wenn ihm schlecht wurde, würde er sich den Finger in den Hals stecken und sie wieder auskotzen. Da hatte er mittlerweile Übung drin.

Er holte alle aus der Verpackung, stopfte sie sich in den Mund und trank einen großen Schluck Wasser hinterher. Gleichzeitig kam ihm Gedanken, wie er das nur tun konnte.

Nun konnte er es aber nicht mehr rückgängig machen und er würde sich später mit den Konsequenzen befassen. Um die anderen nicht zulange warten zu lassen, ging er wieder zum Unterricht. Dieses Mal fühlte er sich besser. Steffen setzte sich wieder an den Spielfeldrand und Jan stürmte auf das Tor zu. Die restlichen Schüler jubelten. Das taten sie immer, wenn Jan in Ballbesitz war, egal was er machte. Es fiel ein Tor nach dem anderen und Jan dachte nicht mehr an seine Verletzungen.

»Kommt schon! Ich will nicht immer nur Jan mit dem Ball sehen, versucht ihm den Ball abzunehmen. Jan spiel, wenn möglich, öfter ab«, rief der Sportlehrer dazwischen.

Wieder hatte Jan den Ball. Er rannte auf das Tor zu, niemand konnte ihn aufhalten. Wie eine Walze überwand er jedes Hindernis.

Und plötzlich waren sie wieder da, die Schmerzen. Auch sein

Bauch blähte sich auf. Irgendetwas war nicht in Ordnung mit ihm. Die starken Kopfschmerzen kamen zurück und ihm wurde schwindelig. Doch er rannte weiter. Er würde dieses Tor schießen.

Bevor er jedoch in die Nähe seines Ziels kam, waren seine Beine wie Gummi. Beim Laufen knickten seine Beine ein und er knallte ungebremst zu Boden. Mit dem Kopf schlug er auf dem harten Gummi auf. Dies schien aber niemand mitbekommen zu haben. Der Ball rollte nämlich weiter in die Richtung des Tores und landete schließlich im Netz.

»Toooooooooooor.«

Wieder jubelten alle. Jans Teammitglieder rannten auf ihn zu, um einen Freudentanz zu machen, doch Jan lag auf dem Bauch und rankte nach Luft. Nun, da Jans Körper zur Ruhe kam, kamen auch seine Schmerzen zurück. Und zwar stärker als sie vorher waren. Sein Bauch schmerzte so stark, dass ihm die Tränen in den Augen standen.

»Jan, alles in Ordnung mit dir? Jan?«, erkundigte sich einer seiner Mitschüler.

Doch Jan reagierte nicht. Er lag nur da, hielt seinen Bauch und hatte das Gefühl kotzen zu müssen.

»Herr Bausch, irgendwas ist mit Jan nicht in Ordnung!«, rief einer der anderen Jungs.

Doch das alles lief an Jan wie ein Film vorbei. Er hörte die Worte, als kämen sie aus weiter Ferne. Alle rannten zu ihm und der Lehrer hatte Mühe, sich zu ihm durchzukämpfen.

»Jan, geht es dir gut?«, fragte der Sportlehrer, nachdem er ihn umgedreht hatte und seinen Oberkörper leicht angehoben hatte.

Doch Jan rührte sich nicht. Er war kreidebleich im Gesicht und seine Lippen waren blau angelaufen. Seine Augen waren geöffnet, doch sie schienen nichts wahrzunehmen.

»Ruft schnell den Rettungswagen!« Der Lehrer deutete mit dem Finger auf die Halle, in welcher sich das Nottelefon befand. »Hörst du mich? Jan!«

Er versuchte, sich zu konzentrieren, doch er war zu benommen, um nur ein Wort von sich zu geben oder sich zu bewegen.

»Bitte geht in die Umkleiden, euer Klassensprecher holt mir Frau Krainer!«

Herr Bausch fühlte Jans Puls. Er raste und Jan schien stark zu schwitzen und war vom Schweiß mittlerweile eiskalt. Frau Krainer stürmte in der nächsten Sekunde aus der Sporthalle hinaus und rannte zu ihnen hinüber.

»Was ist passiert?«, erkundigte sie sich.

»Ich weiß es nicht. Er ist einfach zusammengebrochen.«

»Ist er bei Bewusstsein?«

»So halb, ich versteh das nicht. Er war gut drauf und jetzt das.«

Jan fing nun an zu würgen. Er hatte jedoch den Mund zu und so glitt nur wenig Flüssigkeit heraus. Herr Bausch bemerkte, dass Jan sich übergeben musste, und legte ihn in die stabile Seitenlage. Immer mehr kam aus seinem Mund heraus. Er rang nach Luft, doch atmete dabei die Flüssigkeit ein. Langsam bekam er Panik. Er wusste sich nicht zu helfen, packte den Arm seines Lehrers und drückte ihn panisch zusammen.

»Wann kommt der Rettungswagen?« Frau Krainer wippte nun hin und her, von Minute zu Minute schien ihre Anspannung zu steigen.

Jans Körper fing an zu zittern. Er glaubte, er würde ersticken. Tränen kamen aus seinen Augen. Sein Lehrer steckte ihm den Finger in den Mund, um das Erbrochene hinaus zu bekommen. Doch durch die Panik in Jans Augen sah man, dass er immer noch keine Luft bekam.

Langsam hörte das Zittern auf, der panische Blick wurde sanfter, sein fester Griff lockerte sich und seine Augen fielen zu.

»Er atmet nicht mehr!« Herr Bausch erkannte die Not sofort, doch noch bevor er mit den nötigen Maßnahmen beginnen konnte, traf der Rettungswagen ein. Das Krankenhaus befand in der Nähe der Schule. Jedoch war der Fußweg deutlich kürzer als der Weg über die Straße. Denn der Rettungswagen musste einmal um ein Waldstück herum fahren, bis er an der Schule ankam.

»Er hat aufgehört zu atmen. Ich weiß nicht mehr, was ich tun soll!« Frau Krainer war schockiert und hilflos.

Sie fühlten Jan den Puls und versuchten ihn sofort zu beatmen. Die andere Helferin sah sich Jans Augen an.

»Er hat einen zu hohen Puls!« stellte der Rettungssanitäter fest.

»Wir sollten ein EKG kleben!«, bestätigte die Rettungsassistentin und schloss ihn an dieses an. Auch ein Notarzt war eingetroffen.

»Verdammt!« Die Werte schienen nicht gut zu sein, denn der Sanitäter begann nun zügiger zu arbeiten, legte ihm einen Zugang und die Assistentin saugte das Erbrochene ab. Auf diese Weise war es ihnen möglich, ihn besser beatmen zu können. Der Notarzt überprüfte währenddessen die Vitalwerte und spritzte ihm etwas in den Zugang hinein.

Es schien eine Ewigkeit zu dauern, bis Jan endlich anfing zu husten. Der erste Atemzug brannte in seinen Lungen. Er spürte, wie sein Herz raste und hatte das Gefühl, es würde explodieren.

»Wie ist sein Name?«, fragte einer der Sanitäter

»Jan … Jan Dawn«, stieß der Sportlehrer hervor.

Dadurch, dass sein Herz raste und er immer noch Panik hatte, atmete er zu schnell. Die Rettungskräfte führten einen schnellen Gesprächsaustausch durch. Doch vieles lief über Gestik und Mimik ab. Dieses Team schien eingespielt zu sein, denn sie verstanden ohne viele Worte, was zu tun war.

»Der Puls ist zu hoch.« Der Sanitäter deutete auf ein die Anzeige, während der Notarzt Jan etwas in die Kanüle spritzte.

»Seine Atmung ist unregelmäßig, er kollabiert!«

»Jan, Jan, hörst du uns?«

Jan reagierte nicht. Der Rettungssanitäter bemerkte das blaue Auge.

»Hat er eine Schlägerei gehabt?«, richtete sich nun der Notarzt an den Sportlehrer.

»Nicht das ich wüsste. Er meinte, er hätte sich an einem Ast gestoßen oder so.«

»Johann, zwei seiner Rippen scheinen gebrochen zu sein und er Bauch ist stark angeschwollen.«

»Vielleicht innere Blutungen. Er scheint Tabletten genommen zu haben. Wir müssen auch eine Überdosierung in Erwägung ziehen.« Sie nickten sich zu.

»Die sollen uns einen OP freihalten, eventuell den Magen auspumpen!«

Einer der Sanitäter gab etwas durch sein Funkgerät an das Krankenhaus weiter. Sie luden Jan vorsichtig auf die Trage. So schnell sie konnten eilten sie zum Rettungswagen, während sie weiterhin seine Atmung und den Puls überprüften.

Die Mädchen, die in der Halle Sport gehabt hatten, standen neugierig an der Tür.

Als Lea sah, wer da auf der Trage lag, traute sie ihren Augen nicht. Sie wollte dem Rettungswagen hinterherlaufen, doch ihre Lehrerin hielt sie am Handgelenk fest und hinderte sie so daran.

Sie blieb am Zaun stehen und sah ihm hinterher. Nachdem sich alles beruhigt hatte, hockte sich Lea auf den Boden und vergrub den Kopf in ihrem Schoß. Leise fing sie an zu weinen. Alle anderen waren wieder in der Umkleide und zogen sich um, worüber sie auch froh war. Lea wollte allein sein.

Es dauerte aber nicht lange, bis die Lehrerin auf sie zu kam.

»Jemand muss noch Jans Sachen zusammenräumen. Möchtest du mir dabei helfen?«

Lea hob ihr verheultes Gesicht ein Stück an und nickte. Langsam stand sie auf und ging mit Frau Krainer vor die Männerumkleide, wo sie warteten, bis der letzte fertig war.

»Was ist eigentlich passiert?«, fragte Lea, auch wenn sie sich nicht sicher war, ob sie es wirklich wissen wollte.

»In den siebzehn Jahren, die ich an dieser Schule unterrichte, habe ich so etwas noch nie gesehen.«

»Aber er ist doch zusammengebrochen, oder?«

»Er hat sich übergeben. Aber was genau los ist weiß ich nicht.«

Endlich verließ der Letzte die Umkleide und sie konnten hinein. Lea sammelte Jans Sachen zusammen, wobei ihr die Packung mit den Tabletten hinunterfiel. Sie sah hinein und bemerkte, dass die gesamte Packung leer war. Lea konnte nicht verstehen, warum Jan sie bei sich hatte.

»Was hast du? Stimmt etwas nicht?«

»Ich habe die in Jans Sachen gefunden. Aber die Packung ist leer. Ich habe mich nur gefragt, warum er sie bei sich hat.«

»Gib die mal bitte her.« Frau Krainer nahm die Packung und stutzte leicht. »Ich kann mir das nicht vorstellen, aber vielleicht …«

»Was vielleicht?«, wollte Lea wissen.

»Dein Freund hat sich mehrfach übergeben und die Ärzte sprachen von einer Überdosierung und einer Vergiftung.«

»Glauben Sie, Jan hat die genommen?«, fragte Lea besorgt.

»Ich weiß es nicht. Aber du solltest sie ins Krankenhaus bringen. Ich denke, es ist von Nutzen, wenn die Ärzte wissen, dass Jan vielleicht diese Tabletten genommen hat. Ich trage ins Klassenbuch ein, dass du zu Jan ins Krankenhaus gegangen bist. Meld' dich bitte und schildere den Stand der Dinge. Beeil dich, es könnte wichtig sein.«

»Mach ich Frau Krainer. Danke!«

Lea packte auch ihre Sachen zusammen und rannte, so schnell sie konnte, ins Krankenhaus. Sie hatte das Gefühl, sie müsse sich jeden Moment übergeben. Eine Welle aus Furcht überflutete sie. Was, wenn Jan starb? Was, wenn er nie mehr aus dem Krankenhaus kam?

Diese Fragen stellte sich Lea immer wieder. Auch wenn ihr Herz etwas anderes fühlte. Als sie endlich im Krankenhaus ankam, suchte sie eine Schwester auf, die gerade einer alten Frau in den Kiosk begleitete.

»Entschuldigen Sie bitte. Ein Freund von mir ist gerade eingeliefert worden. Er ist im Sportunterricht zusammengebrochen. Ich habe diese Tabletten in seiner Tasche gefunden.« Sie streckte die Hand aus und zeigte der Schwester die Tabletten.

»Wie heißt denn Ihr Freund?«

»Jan Dawn, er wurde vor ungefähr zwanzig Minuten eingeliefert.«

»Einen Moment, warten Sie bitte.« Die Schwester eilte in Richtung Notaufnahme und traf auf halben Weg einen Arzt. Sie zeigte ihm die Tabletten und deutete auf Lea. Der Arzt nickte, nahm die Verpackung an sich und lief zurück in die Notaufnahme. Wenige Minuten später kam die Schwester wieder zu Lea.

»Ich habe sie einem Arzt gegeben. Er gibt es sofort an den zuständigen Arzt weiter. Am besten Sie bleiben hier. Dr. Jansen hat die Eltern verständigt, sie werden gleich hier sein.«

»Auch den Vater?« Lea war entsetzt. Sie konnte es nicht fassen, dass Jans Stiefvater ins Krankenhaus kommen sollte, wo er an alldem schuld war. Aber bei weiterem Überlegen dachte Lea, dass niemand über die Familienverhältnisse Bescheid wusste. Es war die Pflicht der Ärzte, die Eltern zu benachrichtigen, obwohl Jan alt genug war.

Als die Schwester sich wieder verabschiedete, setzte sich Lea auf einen Stuhl in der Krankenhauskantine und wartete. Ungeduldig wippte sie hin und her. Eine Mitarbeiterin kam zu Lea und fragte sie, ob sie was essen oder trinken wollte. Doch Lea verneinte beides. Die nette Frau schien Leas Besorgnis zu spüren und setzte sich zu ihr.

»Du machst dir anscheinend große Sorgen um jemanden.«

»Woher wissen Sie das?«

»Ich bin selbst Mutter, da spürt man so etwas.«

»Mein Freund wurde gerade eingeliefert, er ist zusammengebrochen.«

»Etwas Ernstes?«

»Ich glaube ja. Er hat eine Vergiftung oder so. Warum dauert das denn so lange?« Wieder wippte sie hin und her.

»Möchtest du wirklich nichts haben? Geht aufs Haus.« Die Frau strahlte Lea an. »Wie wäre es mit einem heißen Kakao?«

»Ein Schnaps wäre mir lieber.« Sie presste ein Lächeln hervor.

»Wenn du möchtest, bringe ich dir auch einen Schnaps.«

»Nein, ich nehme gerne einen Kakao.«

»Wenn das so ist, ich bin gleich wieder da.«

Und wirklich, die nette Frau war bereits nach einigen Minuten mit einer heißen Tasse Kakao zurück und Lea bedankte sich freundlich für diese nette Geste.

Ungefähr eine viertel Stunde später kam Jans Mutter ins Krankenhaus gestürmt. Als sie Lea erkannte, lief sie zu ihr.

»Wie geht es Jan?«

»Ich weiß es nicht genau. Ich glaube, er hat von irgendwelchen

Tabletten zu viel genommen.«

»Was?« Jans Mutter erschrak. »Was denn für Tabletten? Ich kann mir nicht vorstellen, dass Jan Tabletten schluckt. Ich meine, doch nicht so viele, dass es gefährlich wird.«

»Es war sein Vater, richtig?«, fragte Lea und wagte sich damit einen Schritt nach vorne.

»Was?«

»Du weißt, wovon ich spreche! Warum glaubst du, hat er die Tabletten genommen?«

»Erzähl´ bitte nichts darüber. Er hat es nicht so gemeint.«

»Er hat Jan grün und blau geschlagen. Ich kenne euch schon zu lange, um wegzusehen. Jan und du, ihr habt doch Angst vor Jack. Er ist nicht der liebende Ehemann! Warum geht ihr nicht zur Polizei?« Lea verschränkte ihre Arme vor der Brust. Auf diese Weise gab sie seiner Mutter zu verstehen, dass sie ihr nicht entkommen konnte.

»Du weißt, dass das nicht geht. Ich bitte dich. Er hat gedroht Jan umzubringen.«

Lea kannte die Familie schon lange. Sie war schon mit Jan befreundet gewesen, als sein leiblicher Vater noch lebte. Damals wollten sie ins Dorf ziehen. Sein Vater hatte dort ein Haus gekauft und gemeinsam richteten alles ein, damit seine Mutter und seine Schwester nachkommen konnten. Lea hatte Jans Mutter jedoch erst kennen gelernt, als der Vater und seine Schwester bei einem Autounfall gestorben waren. Seit dem Tag an waren sie per du und gut befreundet.

Sie hasste Jack. Er war schuld, dass sich Jan und Lea zerstritten hatten. Jahrelang erzählte er Jan Lügen über Lea, bis das Band der Freundschaft riss. Jack wollte nicht, dass Jan und Lea sich zu nahekamen und so zerstörte er die Freundschaft, warum auch immer.

Jan hatte Jack lange Zeit geglaubt, bis er dahintergekommen war, dass Jack ihn all die Jahre angelogen hatte. Doch seitdem hatte sich Jan verändert. Er war nicht mehr so herzlich und lustig, wie er einmal gewesen ist. Oft wirkte er ernst und ablehnend. Er lachte nicht mehr so häufig wie früher und behielt seine Sorgen und Ängste für sich.

In diesem Moment kam auch Jack herein. Als Lea ihn bemerkte, verabschiedete sie sich schnell und verließ das Krankenhaus, um sich draußen hinzusetzten.

»Was hatte die hier verloren?«

»Sie hat Jans Sachen ins Krankenhaus gebracht. Jack, er ist deinetwegen hier!«

»Stör dich nicht an Sachen, die dich nichts angehen, Marlene! Dein Sohn hat es verdient, hier zu sein! Wenn er so ein Weichei ist, kann ich froh sein, dass er nicht mein Sohn ist.«

»Du bist so widerlich. Wenn ich könnte, würde ich dich sofort verlassen!«

»Warum tust du es denn nicht?«

»Weil du uns nicht gehen lässt!«

Marlene versuchte seinem Blick auszuweichen und sah von weitem einen Arzt auf sie zukommen. Sofort begab sie sich in dessen Richtung und fragte ihn nach Jan.

»Frau Dawn, ich muss Ihnen leider mitteilen, dass wir Ihren Sohn noch einige Tage zur Beobachtung hierbehalten müssen. Wissen Sie, woher Jan diese Tabletten hat?« Der Arzt zeigte ihr eine kleine Schachtel.

»Die hatte ich im Schrank.«

»Wieso haben Sie solch starke Schmerztabletten im Schrank? Ihr Sohn scheint eine Menge geschluckt zu haben! Die Nebenwirkungen können verheerende Auswirkungen auf die Organe haben. Dadurch, dass Ihr Sohn nicht zwei, wie die vom Arzt vorgeschriebene Höchstdosis ist, sondern vermutlich alle Tabletten zu sich genommen hat, hat der Körper mit einem Totalausfall reagiert. Wenn das Krankenhaus nicht in der Nähe der Schule gewesen wäre, hätten wir nichts mehr tun können. Es besteht die Möglichkeit, dass Ihr Sohn bleibende Schäden davonträgt. Noch dazu haben wir bei der Operation festgestellt, dass Jan zwei gebrochene Rippen hat und einige nicht unübersehbare Prellungen. Hat Ihr Sohn irgendwelche Probleme, Schlägereien? Ich nehme an, er hat die Tabletten genommen, da er sehr starke Schmerzen hatte.«

»Ich verstehe das alles nicht, wie konnte er so dumm sein?« Ihr Blick senkte sich zu Boden. Tränen füllten ihre Augen. Sie brauchte ein paar Sekunden, um sich wieder zu sammeln.

»Entschuldigen Sie bitte, Jan und ich haben den Tod meines Mannes nie so richtig verkraftet. Ich bin immer noch ganz aufgewühlt deswegen.«

»Wenn Sie möchten, können Sie Ihren Sohn besuchen, aber ich halte es für besser, wenn Sie allein hineingehen«, erklärte der Arzt mit einem Blick auf Jack.

Sofort begab sich Marlene auf die Intensivstation, um nach Jan zu sehen. Als sie ihren Sohn dort so verloren liegen sah, mit all den Geräten neben sich, senkte sie ihren Blick zu Boden und seufzte schwer. Langsam ging sie an das Krankenbett heran und nahm seine rechte Hand.

»Es tut mir so leid mein Schatz.« Nach einigen Minuten verließ sie den Raum und begab sich in die Eingangshalle, um einen Kaffee zu trinken und ihre Nerven zu beruhigen.

Nach einer Weile ging auch Lea wieder ins Krankenhaus. Sie hoffte, dass Jack gegangen war. Am Eingang saß Marlene. Sie starrte mit glasigen Augen an die Wand und registrierte Lea nicht. Nicht einmal, als Lea unmittelbar vor ihr stand.

»Was ist los?«, fragte sie. Endlich schien Jans Mutter aus ihrem tiefen Gedankenfluss hinauszufinden.

»Oh, hallo Lea.«

»Wie geht es Jan?«

»Er wurde operiert, sie haben ihm den Magen ausgepumpt. Du hattest recht, Lea, er hat diese Tabletten geschluckt. Sie gehörten seinem Vater. Du kannst dich doch noch an ihn erinnern, oder?« Ihr kamen die Tränen. »Er war so ein lieber Mensch. Jan kommt sehr nach ihm, seine Schwester war mehr wie ich. Ich vermisse beide so schrecklich. Wenn Jan was passiert, weiß ich nicht, was ich tun soll. Lea, ich bitte dich, sei für Jan da, egal was passiert.«

»Marlene, du redest so, als ob du dich von Jan trennen müsstest. Aber solange er im Krankenhaus ist, ist er vor Jack sicher und du auch.«

»Ich weiß, dass ich niemals von Jan getrennt leben könnte. Nur ich weiß, wie viel er dir bedeutet und wie viel du ihm bedeutest. Vielleicht wird bald alles anders.«

Lea sah Marlene ins Gesicht und merkte, dass sie es sich wünschte, aber nicht so wirklich daran zu glauben schien.

»Ich werde für Jan immer da sein, das weiß er auch. Wann kann ich eigentlich zu ihm?«

»Vielleicht darf er in ein paar Tagen wieder nach Hause. Er hat ein paar Rippenbrüche und Prellungen. Er hätte nicht so viele Tabletten nehmen dürfen. Sie gehen davon aus, dass Jan keine Drogenprobleme hat.«

»Ich glaube nicht, dass Jan Drogen nimmt. Dafür ist er nicht der Typ. Ich hoffe, er kommt bald wieder zur Schule. Na ja, ich geh´ jetzt wieder. Ich muss noch Hausaufgaben machen.«

Lea verabschiedete sich und verließ das Krankenhaus. Sie wollte Jan und seiner Mutter helfen, aber sie wusste, dass Jack überall seine Finger hatte, sogar bei der Polizei. Es war eine aussichtslose Situation.

Nach einer Woche kam Jan wieder in die Schule. Alle fragten ihn aus und wollten wissen, warum er zusammengebrochen war. Aber Jan erklärte nicht wirklich, was passiert war. Er speiste die Fragenden mit der Ausrede, er habe die Tabletten nicht vertragen und habe sich überanstrengt, ab.

Doch Lea wusste es besser. Jan redete nicht sehr viel mit ihr. Er tat so, als wären sie nur Bekannte. Es tat Lea sehr weh, doch das behielt sie für sich.

Alles ändert sich

Die Vergangenheit holt uns immer ein.
Die Vergangenheit ist wie ein Sog,
die Vergangenheit lässt sich nicht abschütteln.

Endlich war, nach einer Woche Schule, die verschobene Party an der Reihe. Matthias nutzte diese Gelegenheit, um seinen Geburtstag nach zu feiern. Deshalb lud er alle ein. Zu seinem Unglück kamen mehr Leute als geplant, aber dieses störte sonst niemanden.

Am Tisch unter der Treppe saßen die gleichen Leute, die ausgelassen Karten spielten. Der Rest war überall verteilt. Fast alle waren da, nur Jan noch nicht.

Lea, die Matthias bei der Vorbereitung geholfen hatte, machte sich Sorgen. Doch bevor sie noch einen Gedanken mehr an Jan verschwenden konnte, stand dieser in der Tür. Lea winkte ihm zu, doch Jan beachtete sie nicht.

»Na Jan, endlich aus dem Krankenhaus?«, rief Matthias ihm zu und Jan begab sich direkt zum Tisch, an dem sie Karten spielten. »Was hattest du eigentlich?«

»Ich … ich, ist egal. Wir wollen feiern.« Mit diesen Worten drückte sich Jan vor der Antwort.

Matthias, der nicht wusste, warum Jan im Krankenhaus war, da er wegen einer Prüfung nichts mitbekommen hatte, warf Jan beleidigte Blicke zu. Doch diesen schien das nicht zu stören. Heute wirkte Jan völlig anders als sonst, eher aufgekratzt. Er begrüßte alle auffallend laut und tänzelte herum, dann stürmte auf die Tanzfläche und fing an sich zu bewegen.

»Jan benimmt sich heute merkwürdig, findet ihr nicht? Er ist so aufgedreht«, flüsterte Sina in die Runde.

»Stimmt, irgendwas ist anders.« Svenja beäugte Jan misstrauisch.

»Vielleicht hat er schon vorher gesoffen, lasst ihn doch.« Matthias, der vom Kartentisch aufgestanden und zu den Mädels hinübergegangen war, hatte sich wieder beruhigt und freute sich über Jans gute Laune. Dann sprang er über die Sofalehne und setze sich zwischen Svenja und Sina. Kurz darauf sah Lea, die den Dreien gegenüber saß, wie Jan von allen angestarrt wurde.

»Warum starrt ihr Jan denn alle so an?«, wendete sie sich an Svenja.

»Bist du blind? Guck genau hin. Findest du nicht, dass Jan sich komisch benimmt?«

»Irgendwie ist er nicht mehr der Alte. Irgendwas ist mit ihm passiert«, fiel nun auch Sina auf.

Etwas unbeholfen ging Lea zu Jan auf die Tanzfläche und versuchte ihn dort hinunter zu bekommen. Die Freunde folgten ihren Schritten und beobachteten aufmerksam die Situation.

»Jan, komm mit. Du machst dich zum Affen! Wie viel hast du schon getrunken?«

»Oh Lea, wer sagt denn, dass ich was getrunken habe? Ich habe nur ein Bier gehabt. Also lass mich in Ruhe!«

»Du bist noch nicht wieder fit. Die Rippen heilen nicht in einer Woche und trinken sollst du gar nichts! Willst du wieder ins Krankenhaus?«

»Was geht dich das an? Lass mich doch einfach in Ruhe und misch dich nicht immer ein!«

»Du machst dich trotzdem zum Affen. Komm bitte und setz dich hin.« Lea zog ihn zu einem Sessel, der noch frei war, hinüber.

Widerwillig ließ sich Jan in diesen zurückfallen.

Als Matthias die Lampe neben dem Sofa einschaltete, erleuchtete das Licht Jans Gesicht. Lea sah ihn an und erschrak. Als sie ihn genauer betrachtete, fiel ihr auf, wie blass er war und glasige Augen er hatte.

»Jan, was ist mit dir?«

»Was soll schon sein? Mir geht es gut. Ich hatte eine anregende Unterhaltung mit meinem Vater!«

»Was hat er gemacht? Jan, das geht so nicht weiter.«

»Ach Lea, du bist nicht meine Mutter. Lass mich doch einfach in Ruhe.«

»Ich lasse dich nicht in Ruhe! Ich möchte nicht, dass etwas passiert. Bitte sag mir, was wieder los ist! Hast du gekifft?«

»So ein Quatsch! Ich habe keine Lust, bemitleidet zu werden und schon gar nicht von dir.«

»Schön, ich habe mir auch nur Sorgen gemacht. Wenn dir deine Freunde egal sind, tust du mir leid. Ich dachte, wir hätten uns wieder vertragen, aber da habe ich mich wohl geirrt. Du hast dich verändert. Ich wollte mit dir zusammen sein, du hast das nur nie gecheckt! Warum glaubst du, mache ich mir Sorgen um dich? Weil ich dich hasse?«

»Wahrscheinlich nicht. Aber was erwartest du von mir? Es geht nicht!«

»Vielleicht solltest du deine Gefühle für mich offen darlegen, damit ich weiß, was Sache ist. Immer, wenn wir unter Menschen sind, behandelst du mich wie ein Idiot, aber sobald wir allein sind, tröstest du mich, umarmst mich und wir vertragen uns!«

»Du verstehst das nicht!« Jan stand auf und entfernte sich einige Schritte. »Glaubst du, es macht mir Spaß, dich zu beleidigen? Du schnallst es nur nicht, dass wir nicht zusammen sein können, okay?«

»Ich liebe dich, Jan.«

»Bitte Lea, mach es nicht schwerer, als es ist!«

»Dann geh mit mir raus und erklär es mir, unter vier Augen!«

»Wenn ich dir zeige, was ich für dich empfinde, lässt du mich dann in Ruhe? Du musst einfach verstehen, dass es nicht geht!«

»Ja!«

Jan trat einen Schritt nach vorn und sah Lea in die Augen. Dann küsste er sie. Lea erwiderte seinen Kuss und sie umarmten sich.

Matthias und den anderen klappte die Kinnlade nach unten und sie starrten das Pärchen an. Eigentlich starrte jeder die beiden an und außer der Musik legte sich Stille über die Party. Dann hörte Jan auf, er streichelte ihr durchs Haar.

»Ich kann es dir nicht erklären, aber belassen wir es bei diesem Kuss. Das ist für uns beide das Beste.«

»Dann geh ich jetzt wohl besser. Ich will nicht, dass die anderen sehen, wie ich weine.«

»Lea.«

Jan wollte sie zurückhalten, doch sie hatte sich bereits umgedreht und war in Richtung Ausgang gerannt. Also setzte sich Jan in den Sessel und achtete nicht auf die anderen. Er wusste nicht mehr, was richtig wahr und wie er sich verhalten sollte. Es machte ihm nicht mal etwas aus, dass Svenja, Matthias und die anderen ihn verwirrt, oder auch wütend ansahen.

Basti schenkte Jan einen verachtenden Blick und folgte Lea ebenfalls nach draußen, um sie zu suchen. Nach einer Weile begab sich auch Jan nach draußen. Nicht aber um Lea zu suchen, sondern um sich draußen hinzusetzen. Immer wieder fielen ihm jedoch die Augen zu und langsam kippte er zur Seite. Warum er nach einer Flasche Bier so müde war, konnte er sich nicht erklären.

Plötzlich wurde er wachgerüttelt, von einer Person, die ihm nichts Gutes wollte.

»Steh auf du Arschloch. Kannst du mir erklären, warum du mit Leas Gefühlen so umspringst? Du bist echt das Letzte!«

Endlich öffnete Jan die Augen und sah vor sich ein wutverzerrtes Gesicht. Erst dachte er, Jack vor sich zu sehen, doch dann erkannte er, dass es Sebastian war, der sauer aussah. Sofort war Jan wieder hellwach und stand auf.

»Was bildest du dir ein? Wie kannst du jemanden so fertig machen?

Jemanden, der dich liebt!«

»Lasst mich doch alle in Ruhe. Du begreifst das nicht, das ist mir scheißegal!«, schrie Jan ihn an.

»Du brauchst echt mal Prügel!«

»Hatte ich schon. Aber los, schlag mich doch. Du traust dich doch eh nicht, du Feigling!« Jan schubste Basti nach hinten. Jan übertrug seinen Frust gegen Jack und Mad nun auf sein Gegenüber.

»Du glaubst, ich schlage dich nicht? Hör mal, du hast mich beleidigt, aber damit kann ich leben. Dass du Lea verarschst, das ist nicht in Ordnung und das lasse ich auch nicht durchgehen!«

Jetzt war es Sebastian, der Jan ebenfalls nach hinten stieß.

»Schön, jetzt hast du mich geschubst und jetzt? Soll ich heulen?«

»Ich kapier´ echt nicht, was Lea an dir findet. Ich glaube, sie hat nur Mitleid mit dir!«

»Wenn du meinst, dass das nur Mitleid ist, warum rennt sie mir hinterher?«

Im Inneren des Hauses bemerkten die anderen die lauter werdende Streiterei und stürmten nach draußen.

»Glaubst du, nur weil du Leas bester Freund bist, weißt du über alles Bescheid?«

»Glaub mir, ich weiß mehr, als du glaubst zu wissen!«, zischte Basti wütend.

»Natürlich! Du weißt alles.«

»Jan! Darum geht es doch gar nicht!«

»Kommt schon Jungs, hört doch mal auf zu streiten. Ihr versaut uns die Party! Schon wieder!« Sina war die erste, die das Wort ergriff.

Die beiden überhörten sie.

»Ich will nicht, dass Lea darunter leidet, was bei dir zu Hause vorfällt. Da hat sie nichts mit zu tun! Du tust so, als wärst du von allen am schlimmsten dran! Es gibt Menschen, die von deinem Stiefvater und seinem Anhang schon länger gequält werden als du, also jammere nicht herum und zieh Lea nicht mit rein! Manchmal sind bestimmte Sachen, ein wenig komplizierter, als du dir denken kannst.«

»Ich ziehe sie doch auch gar nicht mit rein! Ich versuche sie loszuwerden!«

»Na klar! Checkst du irgendwas? Wer hat denn Lea eben geküsst? Ich glaube, du warst es.« Sebastian baute sich vor ihm auf.

»Ja, und! Wenn sie dir so viel bedeutet, dann nimm du sie dir doch!« Jetzt schien Jan aufgebracht zu sein.

»Du weißt ganz genau, dass ich nichts von Lea will!«, konterte Sebastian.

»Natürlich nicht. Du bist nur ihr Beschützer! Und was war, bevor du Svenja kennen gelernt hast?«

Sebastian schwieg einen Moment und blickte Svenja kurz an, die ihn fragend und ein wenig traurig betrachtete. Dann ergriff er abermals das Wort.

»Erst machst du deine Beziehung kaputt und jetzt versuchst du es bei meiner! Verschwinde einfach und versau´ uns nicht das Leben!« Jan wandte sich mit verschränkten Armen ab.

»Du versaust dir dein Leben selbst! Da brauchst du mich nicht für! Ich muss durchaus anmerken, dass du meiner Frage mit Lea sehr gut ausgewichen bist!«

»Du hast überhaupt keine Ahnung, worum es hier geht, Jan!«

»Sag doch, was ich nicht weiß. Oder geht das nicht? Ich möchte gerne wissen, warum ich mit Lea nicht mehr zusammen bin!« Jan war aufgebracht, doch auch Sebastian steigerte sich immer mehr in Rage.

»Das hast du dir ganz allein zuzuschreiben!« Er brüllte fast.

»Timo, habe ich etwas nicht mitbekommen? War Jan mit Lea zusammen oder Sebastian? Worum geht es hier eigentlich?« Svenja schien sichtlich verwirrt zu sein. Timo zuckte mit den Schultern.

»Die zwei sind verrückt! Wo ist eigentlich Lea?« Wieder brachte sich Sina in das Gespräch ein.

»Keine Ahnung! Ich gehe sie suchen. Vielleicht kann sie das in Ordnung bringen.« Sabine sprintete los, um Lea zu suchen.

»Ich will nichts von Lea und wollte auch nie was von ihr! Wir sind nur Freunde!«, erklärte Sebastian genervt.

»Na klar Basti, ich habe mir das alles nur eingebildet!«

»Anscheinend! Du bekommst öfter was in den falschen Hals!«

»Behaupte doch, was du willst. Ich weiß, was ich gesehen habe!«

»Du willst mir doch nicht erzählen, weil du denkst, dass ich was von Lea will, verarschst du sie? Ey Jan, das glaubst du doch nicht selbst! Du liebst sie und hast Angst deine Gefühle zuzugeben. Warum auch immer!«

»Halt einfach deine Schnauze! Ich kann es nur wiederholen. Du hast keine Ahnung!«

»Also echt, so langsam wird mir das hier zu blöd! Ich verschwinde!« Sebastian wusste, dass er ausflippen würde, wenn er diese Unterhaltung länger, auf diesem Niveau, mit Jan führen würde.

»Ja, verschwinde! Geh deine Freundin poppen und denk dabei an Lea!« Basti packte die Wut, er zog Jan am Kragen zu sich und sah ihm hasserfüllt in die Augen.

»Hör mit der Scheiße auf, Jan! Ich warne dich! Ich hau dich weg!«

»Dann schlag mich! Komm schon, du willst es doch!« Basti schubste Jan von sich weg und ging wieder auf ihn zu.

»Hört auf! Warum müsst ihr euch immer sofort prügeln?«, schrie Svenja, so laut sie konnte, damit sie überhaupt von den Jungs wahrgenommen wurde.

»Das ist eine Sache zwischen Jan und mir. Halt dich daraus!«

»Ich bin deine Freundin und habe keine Lust, dich in Fetzen nach Hause zu bringen!«

Jan, der immer noch seine Bierflasche in der Hand hielt, trank einen großen Schluck daraus.

»Du sollst nicht saufen, du Idiot. Deswegen bist du doch erst auf den Gedanken gekommen, ich hätte was mit Lea gehabt!« Basti wendete sich wieder Jan zu, wobei er ihm die Bierflasche aus der Hand schlug, die auf dem Boden zerschmetterte. Die Scherben glitzerten mit den unzähligen anderen Scherben auf dem Boden.

»Spinnst du? Du hast sie ja wohl nicht mehr alle!« Auf diese Antwort schubste Basti ihn wieder und beide gingen aufeinander los. In diesem Moment kam Lea mit Sabine die Ecke herum und sah die beiden verärgert an.

»Seid ihr bescheuert? Was soll die Scheiße? Hört sofort auf damit!«

Jan und Basti sahen Lea an und hielten kurz inne. »Ich habe echt die Schnauze voll von euch beiden! Ihr benehmt euch wie Kleinkinder! Setzt euch an den Tisch und redet normal miteinander, aber kreischt nicht so. Und Jan, ich hatte nie was mit Sebastian! Geht das jetzt in deinen Schädel rein!«

»Meine Rede!«

»Ich verschwinde jetzt, mir ist das echt zu blöd! Vertragt euch, sonst rede ich mit keinem mehr von euch!«

Lea drehte sich um und lief davon.

»Also, ich fasse kurz zusammen. Jan denkt, Lea hätte was mit Sebastian gehabt, als Lea mit Jan zusammen war. Deshalb denkt Basti, dass Jan sich Lea gegenüber so verhält, weil er sie liebt, seine Gefühle aber nicht zugeben will. Jan denkt anscheinend, dass Basti sich an Lea ranschmeißt, obwohl er mit Svenja zusammen ist. Laut Jan geht es aber nicht darum, sondern um etwas, das zu Hause bei Jan vorgefallen ist. Lea findet, dass sich beide absolut kindisch verhalten, und will mit ihnen nicht mehr reden, bis sie sich wieder vertragen haben. Habe ich das richtig verstanden?«

»Äh, ja Sina, das trifft es auf den Punkt«, bestätigte Timo.

»Siehst du, was du getan hast? Jetzt redet Lea nicht mehr mit uns!« Sebastian schäumte vor Wut. Er hatte Mühe, seine Emotionen im Zaum zu halten.

»Wieso bin ich Schuld? Willst du mich verarschen? Du hast doch angefangen, als du mich wach gemacht hast!«

»Halt einfach die Schnauze.« Basti schubste ihn wieder, doch da Jan nicht damit gerechnet hatte, verlor er das Gleichgewicht und stolperte rückwärts. Als nächstes rutschte er auf den Scherben, die am Boden lagen, aus. Mit Schwung verließen seine Beine den Boden und er schlug mit dem Kopf auf. Dieser war erst gegen die Mauer, auf der Jan zuvor gelegen hatte, und dann auf den Boden geknallt. Es gab einen dumpfen Aufschlag.

Keiner rührte sich. Alle blickten gespannt auf Jan und Basti. Jan bewegte sich nicht. Er lag am Boden und gab keinen Ton von sich. Sekunden vergingen.

Endlich rannte Sabine zu Jan hinüber und beäugte ihn. Er gab kein Lebenszeichen von sich. Geistesgegenwärtig schrie sie, jemand solle einen Rettungswagen rufen. Sie sah Jan an. Blut floss den Bürgersteig hinunter.

»Wir müssen die Blutung stoppen.« Matthias zog sein Hemd aus und drückte es gegen Jans Kopf.

»Der hat mit Sicherheit eine Platzwunde! Sabine, geh und hol eine Decke, oben muss eine herum liegen«, übernahm nun Timo das Kommando.

Plötzlich rührte sich Jan. Er öffnete die Augen und versuchte aufzustehen, doch Matthias und Timo hielten ihn fest und hinderten ihn so daran. Timo versuchte Jan zu beruhigen. Dieser schien jedoch verwirrt zu sein.

»Du musst liegen bleiben. Du hast eine Platzwunde am Kopf. Wenn du aufstehst, wird es schlimmer.«

Jan war das anscheinend egal. Er versuchte sich krampfhaft, aufzurichten, sodass auch Daniel nun half, Jan am Boden zu halten. Basti starrte auf Jan. Er schien weggetreten zu sein. Nach wenigen Minuten hörten sie endlich den Notarzt.

Jan fing plötzlich an zu husten und zu würgen. Er versuchte sich zur Seite zu drehen und hustete kräftiger. Blut kam aus seinem Mund. Jetzt bemerkte Daniel, dass Jan auf mehrere große Scherben gefallen war, von denen eine in seinem Hals unmittelbar hinter der Hauptschlagader steckte.

»Matthias, beweg Jan nicht zu doll, er hat eine Scherbe, im Hals.« Er deutete darauf.

Es schienen Stunden vergangen zu sein, als endlich der Rettungswagen und Notarzt, gefolgt von einem Polizeifahrzeug, eintrafen. Damit die Rettungskräfte Platz hatten, ging die Menge hinein, doch Svenja, Sabine, Matthias und Timo blieben draußen. Sie schilderten den Beamten, was passiert war.

Einer der Polizisten erkundigte sich nach Sebastian. Timo kam das komisch vor, es kribbelte in ihm. Er wollte wissen, warum die Polizisten Fragen über Sebastian stellten. Doch als er mit der

Frage rausrückte, bekam er die Antwort, dass der Polizist laut dem Datenschutzgesetz von laufenden Ermittlungen nichts berichten dürfe. Währenddessen schoben Arzt und Sanitäter den blutenden Jan in den Krankenwagen.

Plötzlich war Lea wieder da. Nachdem sie die Jungs zur Vernunft gebeten hatte, wollte sie nach Hause gehen. Sie hatte sich aber abseits hingesetzt und erst, als sie den Notarzt und die Polizei hörte, war sie herbeigeeilt.

Sie stand aufgelöst an der Straße und blickte dem Rettungswagen hinterher, der mit Jan schon wieder ins Krankenhaus fuhr. Auf einmal tauchten noch einige Polizeifahrzeuge auf. Sie forderten alle auf, hinein zu gehen und sicherten die Unfallstelle.

Schließlich kamen zwei der Polizisten herein und befragten jeden, der annähernd etwas mitbekommen hatte. Einer von ihnen hatte eine dunkelbraune Jacke in der Hand.

»Wem gehört diese Jacke? Sie lag draußen.«

»Das ist doch Sebastians Jacke«, platzte es aus Thilo, einem von Matthias' neuen Freunden heraus, den die anderen eher flüchtig kannten.

»Wo befindet sich dieser Sebastian?«, fragte der Polizist in die Runde.

Doch jeder schüttelte den Kopf oder zuckte mit den Achseln. Als der Polizist sich gerade umwandte, um wieder hinaus zu gehen, stürmte ihm Sebastian direkt in die Arme.

»Wer sind Sie denn?«, fragte der Polizist.

»Wieso?« Basti schien genervt, jedoch auch angespannt, zu sein.

»Ist das Ihre Jacke?«, antwortete der Polizist mit einer Gegenfrage.

»Ist das neuerdings verboten, solch eine Jacke zu besitzen?«

»Ich muss Sie bitten, mit auf die Wache zu kommen. Sie werden uns einiges erklären müssen«, entgegnete der Polizist.

»Und was ist, wenn ich nicht mitkomme?«

»Darauf möchten Sie es nicht ankommen lassen.« Der Polizist winkte zwei weiteren Kollegen zu sich herüber. Als Sebastian begriff, dass er es ernst meinte, flüchtete er nach draußen. Die Polizisten folgten ihm.

»Warum soll ich mit zur Wache kommen?«, schrie er die Polizisten an.

»Wir haben etwas in Ihrer Jacke gefunden, das uns brennend interessiert«, erklärte einer der Polizisten und kam näher auf Basti zu.

»Und was soll das sein? Ein Messer, mit dem ich Jan versehentlich vorher schon verletzt habe? Oder was wollt ihr mir jetzt wieder anhängen?«

»Wir möchten uns nur unterhalten, Jordan!«

Sebastian starrte den Polizisten an. Doch er hatte keine Zeit, sich über den Namen zu wundern, denn von allen Seiten kamen zwei Polizisten auf ihn zu mit gezogener Waffe. Ohne weiter zu überlegen rammte Sebastian die Polizistin weg, die ihr Gleichgewicht verlor und auf den Boden stürzte, und stürmte davon.

»Stehen bleiben!!!«

Bastis Freunde hatten sich wieder nach draußen begeben, um das Geschehen zu verfolgen. Svenja atmete schwer, als sie ihren Freund vor der Polizei flüchten sah.

Keiner konnte glauben, was sich gerade abspielte. Alles war wie in einem schlechten Actionfilm. Irgendwann lief Sebastian Richtung Ortsausgang. Als Basti seinen Blick nach hinten warf, wurde er von einigen Polizisten überrumpelt und schließlich unsanft auf dem Boden festgehalten. Sie legten ihm Handschellen an.

Basti betrachtete den Polizisten nur geringschätzig und mit wutverzerrtem Gesicht an und stieg in den Polizeiwagen, oder vielmehr wurde er in das Auto gedrückt.

Als Svenja den Streifenwagen mit Sebastian vorbeifahren sah, brach sie in Tränen aus. Sofort nahm Timo sie in den Arm und versuchte sie zu trösten. Alle anderen blickten nur Kopf schüttelnd dem Auto hinterher.

»Okay Leute, ich denke, wir sollten die Party beenden. Ich schlage vor, dass zwei von euch zu Jan ins Krankenhaus fahren. Sabine, du rufst Jans Mutter an. Svenja und Matthias ihr fahrt zur Polizei und seht, was mit Basti ist. Alex, kümmere dich bitte um Lea«, regelte

Timo die Angelegenheit und drückte Svenja fester an sich. Alle, ohne Ausnahme, hörten auf Timo und machten sich auf den Weg. Die Übrigen halfen beim Aufräumen und gingen nach Hause.

Nachdem sich Lea ebenfalls beruhigt hatte, bat sie Timo, mit ihr ins Krankenhaus zu fahren. Leider hatte er bereits getrunken, aber er willigte ein, ein Taxi zu bestellen.

Es mussten ungefähr zehn Minuten vergangen sein, als das Taxi eintraf. Der Taxifahrer war ein Italiener, den Timo noch von der Schule kannte. Das Auto roch nach Zigaretten und Alkohol. Der Taxifahrer erklärte, dass er ein paar betrunkene Spinner als Fahrgäste hatte, die den Alkohol im Auto ausgegossen hatten.

Als Lea anfing, im Wagen auf und ab zu wippen, versuchte Timo, sie zu beruhigen.

»Lea, ich weiß nicht in was für einem Zustand sich Jan befindet. Auch, wenn es ihm dreckig geht, ich weiß, dass er wieder werden wird. Mach dir keine Sorgen.«

Allem Anschein nach klang Timo nicht ganz überzeugend, denn Lea fing nun an, laut zu schluchzen. Ohne, dass sie es aufhalten konnte, kullerten ihr die Tränen die Wange hinunter. Es dauerte ewig, bis sie endlich am Krankenhaus ankamen. Timo half Lea beim Aussteigen.

Er versuchte, ihr gut zu zureden. Doch egal, was er ausprobierte, ihre Tränen wurden mehr. Nun, da Lea völlig aufgelöst und laut schluchzend vor Timo stand, konnte er erkennen, wie viel ihr Jan tatsächlich bedeutete. Als sie sich endlich in der Vorhalle der Klinik eingefunden hatten, setzten sie sich zu den anderen Zweien, die vorgefahren waren und warteten.

Währenddessen mussten Svenja und Matthias, die auf der Polizeiwache nach Basti sehen wollten, feststellen, dass Sebastian ihnen entwischt war und die Polizisten allesamt in Aufruhr waren. Irgendwie hatte er die Sicherung geknackt und war während der Fahrt aus dem Auto gesprungen und davongerannt.

»Wie er das wohl hinbekommen hat?«, flüsterte Matthias Svenja zu.

»Sein Onkel hat einen Autoladen in Amerika gehabt. Es war wohl nichts Legales. Ich denke mal, dass er das daher kann«, flüsterte Svenja zurück.

»Sein Onkel? Ich dachte, er hat nur noch seine … ist ja auch egal. Am besten wir gehen nach Hause. Wir können eh nichts machen. Basti finden die so schnell nicht. Komm, wir gehen.«

Also verließen die zwei die Wache und fuhren mit Svenjas Mutter nach Hause. Auf dem Weg schilderten sie ihr alles.

Ihre Mutter hatte Matthias nach Hause gebracht. Sie und ihre Tochter saßen nun in der Küche und warteten auf irgendeine Nachricht von den anderen. Und während sich die erste Aufregung bei Svenja gelegt hatte, konnte Lea immer noch nicht abschalten.

»Ich will mich aber nicht beruhigen, Timo! Jans Stiefvater darf zu ihm rein, obwohl Jan ihn hasst, und ich muss draußen warten? Das ist doch nicht fair!«, schrie Lea Timo an.

»Ich kann nichts dafür. Ich finde das auch beschissen, aber was soll ich tun?«, entgegnete Timo, halb mitleidig, halb sauer.

Lea sah ihn an und sank zu Boden. Ihre Beine wollten sie nicht mehr tragen. Sie war schwach vom Weinen, sodass sie auf dem Boden hocken blieb und dort weiter schluchzte.

»Lea, steh auf. Der Boden ist viel zu kalt. Du erkältest dich noch«, eine beruhigende Frauenstimme hinter Lea brachte ihr Entspannung. Sofort erkannte sie ihre Mutter, die sie liebevoll in den Arm nahm und versuchte sie zu trösten. Timo hatte sie in seiner Verzweiflung angerufen.

»Mama, ihm darf nichts Schlimmes passieren. Ich will nicht, dass es ihm schlecht geht.« Die letzten Worte gingen in Leas erneuten Schluchzen unter.

Timo, der von weitem Jans Mutter ankommen sah, stand auf und tippte Lea an. Diese sprang sofort auf und rannte zu Marlene hinüber.

»Ist … Jan … okay?«, fragte sie langsam.

»Er wird gerade operiert. Ich weiß nicht, wie es ihm geht. Es könnte passieren, dass Jan in ein Koma versetzt wird. Seine Kopfverletzung ist schwer. Welche Nachwirkungen das haben wird, konnten sie mir noch nicht mitteilen. Du musst ihm helfen, Lea. Weißt du noch, wie wir uns es letzte Mal hier getroffen haben? Da hatten die Ärzte gefragt, ob Jan Drogen nehmen würde. Ich konnte mir das nicht vorstellen, aber sie haben in Jans Blut Kokainrückstände festgestellt.« Ihr kamen die Tränen. »Sag mir, ob du das wusstest.«

»Ich wusste davon nichts. Ich glaube nicht, dass er es genommen hat.« Eine kurze Pause trat ein, dann fiel Lea auf, dass Basti wegen irgendetwas in seiner Jacke mit zur Polizei kommen sollte. »Marlene, ich glaube nicht, dass Jan die Drogen freiwillig genommen hat. Vielleicht aus Versehen, also hoffe ich zumindest. Weißt du, sie wollten Sebastian mit aufs Revier nehmen, weil er irgendwas bei sich hatte. Aber ich kenne Basti. Er würde weder Jan Drogen unterjubeln, noch sie irgendwo verticken, zumindest nicht freiwillig. Ich glaube nicht, dass es Bastis Drogen waren.«

»Was meinst du damit?«

»Ich will damit andeuten, dass jemand versucht Basti für etwas verantwortlich zu machen, was er nicht getan haben kann. Außerdem war Basti mindestens drei Stunden vor Jan da und saß die ganze Zeit bei den anderen. Jan war schon so komisch, als er zur Fete kam. Basti hätte es ihm unmöglich geben können. Jeder hätte die Drogen in Bastis Jacke stecken können, schließlich lag sie draußen. Also ich gehe mal von Drogen aus, warum sollte sonst die Polizei hinter ihm her sein?«, schloss Lea ihre Aussage.

»Wenn du recht hast, Lea, würde mir nur einer einfallen, der so etwas herbeiführen würde.«

Sie musste ihren Gedanken abbrechen, da die Person, den Marlene meinte, gerade wutverzerrt ankam. Es war Jack, Jans Stiefvater, der mit Augen, zu Schlitzen verengt Lea ansah.

»Was hast du hier verloren, du dummes Gör? Mach, dass du verschwindest! Du bist schuld, dass Jan hier liegt. Er sollte woanders sein und nicht hier! Und dieser Sebastian konnte fliehen. Der gehört auch hinter Gittern, da wo er keinen mehr stören kann!«

»Das reicht jetzt. Wie können Sie so widerlich sein? Sie sind ein Mistkerl. Sebastian gehört nicht ins Gefängnis, sondern Sie! Sie schlagen Ihre Familie und haben mehr Dreck am stecken, als wir alle zusammen!«

Lea war so laut geworden vor Zorn, dass alle um sie herum Stehenden ihr zuhörten. Sie hätte ihren Mund besser nicht so weit aufgerissen, denn jetzt wusste Jack, dass auch Lea mehr wusste, als gut für sie war.

Doch statt zurück zubrüllen, ging Jack einen Schritt vor, so dass er Lea direkt ins Gesicht sah, und fing leise, jedoch bestimmend an zu sprechen.

»Ein Wort zu irgendjemandem und ich werde dir zeigen, was es heißt, sich uns in den Weg zu stellen!«

Lea, völlig eingeschüchtert, sah Marlene hilflos an und nickte nur still. Dann rauschte Jack davon und ließ sie und Marlene im Flur stehen.

»Wir müssen etwas tun. Wir können nicht einfach tatenlos zusehen, wie er Sebastian ins Gefängnis bringt und Jan ...«, beginnt sie, brach den Satz jedoch ab.

»Lea, wir können nichts tun. Du hast selbst gehört, was Jack dir angedroht hat. Wir können nur hoffen, dass Jan schnell wieder aufwacht und alles aufklärt.«

»Marlene, wir haben keine Zeit. Was ist, wenn Jan wirklich ins Koma fällt? Was, wenn er gar nicht mehr aufwacht?« Lea blickte sich Hilfe suchend um. Doch niemand schien für sie da zu sein. Sie dachte kurz über das Erlebte nach und stimmte dann Marlene zu.

»Ich gehe nach Hause. Hier kann ich nichts für Jan tun, ich komme morgen wieder.«

Sie umarmte Marlene zum Abschied und ging hinüber zu ihrer Mutter, die von nichts wusste.

»Ist alles in Ordnung, Lea?«, fragte sie ihre Tochter besorgt, als sie auf den Parkplatz gingen und ins Auto stiegen.

»Alles bestens, ich habe nur Angst um Jan. Ich verstehe nicht, warum ihm immer so was passiert! Das ist nicht normal!«

»Vielleicht siehst du das alles ein wenig zu dramatisch. Mit Jan, das ist wirklich schlimm, aber mach dir keine Sorgen. Schlaf erst einmal aus. Morgen, wenn auch der Alkohol verflogen ist, siehst du alles schon mit anderen Augen.« Sie lächelte ihre Tochter liebevoll und beruhigend an und tätschelte ihr mit der Hand die Schulter, um sie zu motivieren.

SEHNSUCHT

WAS IST NORMAL?
WAS IST EINBILDUNG?

Erst, als der Himmel bereits heller wurde, fielen Lea die Augen vor Müdigkeit zu. Leider konnte sie nicht lange schlafen, denn schon nach wenigen Stunden wachte sie wieder auf. In ihren Träumen wurde Lea von Sirenen der Polizei verfolgt, von Jacks Gesicht und von seiner Stimme. Doch vor allem von Sebastian. Wie sie sich kennen gelernt hatten, wann ihre Freundschaft enger wurde, dann wieder von Jan und von den Streitereien. Und immer wieder hörte sie diese Sirenen und das Blaulicht. Ihre Träume hatten keinen Sinn ergeben. Erinnerungsfetzen, nicht mehr. Ohne einen weiteren Gedanken an ihre wirren Träume zu verschwenden, zog sie sich an und frühstückte.

Normalerweise frühstückte Lea am Wochenende ausgiebig, doch an diesem Morgen konnte sie nichts hinunter bekommen.

»Mama?« Ihre Mutter hatte sie besorgt beobachtet.

»Würdest du mich gleich ins Krankenhaus fahren? Ich will unbedingt wissen, wie es Jan geht.«

»Das mache ich gerne, unter der Bedingung, dass du vorher etwas isst.«

Lea nickte und aß ein Toast mit Erdbeermarmelade und trank ein Glas Apfelsaft.

»Danke.« Es war das einzige Wort, was sie noch herauswürgen konnte.

Lea bestand darauf, vorher an einem Blumengeschäft vorbeizufahren. Als sie an dem Krankenhaus ankamen, rannte sie in die Vorhalle. Sie erkundigte sich an der Information nach Jans Zimmer, wo sie erfuhr, dass er bereits auf eine andere Station verlegt wurde. Vor seinem Zimmer wartete sie einen Augenblick und horchte, ob niemand außer Jan sich im Zimmer befand, dann trat sie ein.

Es ragten Schläuche aus Jan heraus und Geräte standen um ihn herum. Er befand sich in einem Koma der Stufe eins. Vor der OP hatte man im CT eine Hirnblutung festgestellt, danach wurde er operiert. Am nächsten Morgen, noch bevor Lea dort angekommen war, hatten sie ihn im MRT abermals kontrolliert.

Doch Lea hoffte, dass er sich erholen würde und wieder aufwachte.

»Es … tut… mir… leid«, flüsterte sie ihm tonlos zu und ging dabei an sein Bett.

Ihr Blick wandte sich von Jan ab und wanderte zu einem Stuhl, auf dem Marlene saß. Sie hatte die Arme auf dem Tisch verschränkt, ihren Kopf aufgelegt und schlief. Irgendwo muss noch eine Decke sein, dachte sich Lea und sah in dem einzigen Schrank des Zimmers nach. Es dauerte eine Weile, doch sie wurde fündig und zog eine aus dem Schrank. Liebevoll deckte sie damit Marlene zu und setzte sich auf einen Stuhl, neben Jans Bett.

Dort blieb sie lange sitzen, ohne jegliches Zeitgefühl und ohne den Blick von ihm abzuwenden. Es mussten mindestens zwei Stunden vergangen sein, bis Marlene sich in der Ecke rührte. Langsam öffnete sie die Augen und stöhnte leise. Sie fasste sich an ihre Schulter und verzog das Gesicht, so dass man ihr ansah, dass sie schlecht geschlafen hatte. Als sie Lea sah, erschrak sie, hatte sich aber schnell wieder im Griff.

»Bist du schon lange da?«

Lea, die jetzt erst merkte, dass Marlene wach war, drehte sich zu ihr um. Sie lächelte sie freundlich an.

»Ungefähr zwei Stunden. Ich wollte dich nicht wecken, du hast so fest geschlafen.«

»Danke, ich bin so froh, dass du für Jan da bist. Auch, wenn er öfters gemein zu dir war.«

»Ich habe Jan gern und deswegen Angst um ihn. Immer, wenn ich traurig bin, gibt er mir das Gefühl von Geborgenheit. Immer, wenn ich ihn sehe, ist es wie ein Feuer, das in mir aufsteigt und zuflüstert, dass er mich noch liebt. Das Feuer wärmt meinen Körper und ich habe das Gefühl zu schweben. Mein Herz macht einen Hopser, wie im Aufzug. Ich versuche mir immer einzureden, dass Jan gemein zu mir ist, weil es wichtige Gründe dafür gibt. Ich fühle, dass er etwas für mich empfindet. Weißt du, als wir auf dem Schulhof standen, an dem Tag, als ich die Arbeit in den Sand gesetzt habe, hat er es das erste Mal seit langem gezeigt. Er hat mich liebevoll in den Arm genommen. Ich war glücklich, ich habe gedacht, dass alles wieder so wird, wie es war. Aber das wurde es leider nicht.« Lea senkte den Kopf. »Seit der Geschichte mit den Tabletten war er anders zu mir, abweisend. Ich weiß nicht, was ich tun soll. Ich weiß nicht, ob Jan mich so liebt, wie ich ihn liebe. Gestern, auf der Party, hat er mich geküsst und gemeint, dass wir nicht zusammen sein können. Ich vermisse es mit ihm zu lachen. Es tut so weh.«

In ihren Augen bildeten sich Tränen, die sie nur schwer für sich behalten konnte.

»Lea, ich weiß nicht, ob es dir hilft, aber Jan hat ein Foto von dir auf seinem Nachttisch stehen und er redet jeden Tag von dir. Wenn du mich fragst, es liegt an Jack, dass Jan dich so behandelt. Mein Sohn will dich vor ihm beschützen. Er hat mir an dem Abend im Krankenhaus erzählt, dass du für ihn einer der wichtigsten Menschen bist und dass er dich beschützen wird. Er meinte, er würde sein Leben für dich aufs Spiel setzen. Wenn du mich fragst, Jan liebt dich noch mehr, als du dir vorstellen kannst.«

»Jack hat ihn an dem Tag verprügelt, oder?« Es war ihr egal, dass sie sich damit auf unsicheres Gebiet begab. Lea wollte endlich die

Wahrheit wissen.

»Bitte versprich mir, geh Jack aus dem Weg und geh nirgendwo allein hin. Versprich es!«

»Ich verspreche es, aber wenn es Jan wieder besser geht, müssen wir etwas dagegen unternehmen. Wofür gibt es Gesetze?«

»Wenn es so einfach wäre, hätte ich das schon längst gemacht. Du weißt zwar sehr viel, doch kennst du nur die halbe Wahrheit und das ist auch besser für dich. Nicht einmal Jan weiß, warum ich Jack geheiratet habe. Ich hatte keine andere Wahl. Du weißt bereits zu viel. Ich will dich nicht in Gefahr bringen, hörst du?«

Lea nickte nur stumm und ließ den Kopf hängen. Plötzlich stand sie auf. Lea sah erst Marlene an, dann Jan. Innerlich kochte sie vor Wut. Sie konnte nicht verstehen, wieso jemand sich so quälen ließ.

»Ich muss jetzt gehen.« Sie nahm ihre Sachen und ging zur Tür. Jetzt gerade brauchte sie ein wenig Abstand, um die aufgekommene Wut über Jack wieder abkühlen zu lassen, außerdem war es schon spät geworden.

»Lea, hör auf mich. Sei vorsichtig!« Mit einem Nicken und einem knappen Tschüss verabschiedete sie sich und ging hinaus. Zu ihrem großen Frust hatte sie den Bus verpasst und musste zwanzig Minuten warten.

Nach einer Stunde kam sie zu Hause an. Auf dem Herd standen zwei Töpfe und eine Pfanne mit einem Zettel dran:

Hallo Lea, wir sind bei Opa Hermann. Das Essen steht auf dem Herd. Mach es dir in der Mikrowelle warm. Vergiss den Deckel nicht. Sabine hat angerufen, ruf sie bitte zurück. Mama

Auch wenn Lea keinen Hunger hatte, zwang sie sich, etwas zu essen. Gegen neunzehn Uhr kam ihr Bruder Stephan durchnässt vom Fußballtraining heim, mit einer Laune, die Lea nicht ertragen konnte.

Ohne ihm ein Hallo entgegenzubringen, ging sie nach oben und setzte sich an ihren PC. Selbst wenn ihre Lieblingslieder sie nicht wirklich aufheitern konnten, legte sie die CD ein und genoss den Klang der Melodien.

Der Wecker klingelte und Lea schrak aus einem traumlosen Schlaf auf. Es war Montagmorgen und bereits halb sieben durch. Lea konnte es nicht fassen, dass sie war vor ihrem Computer eingeschlafen war.

»Lea, beeil dich! Du hast versprochen mich vor der Schule noch Vokabeln abzufragen!«, rief Stephan ihr zu.

»Ich komm ja schon. Ich habe es vergessen.«

»Ist ja typisch, du vergisst ständig etwas.«

»Stephan, das ist nicht fair gegenüber deiner Schwester. Sie hat dieses Wochenende genug durchgemacht«, mischte sich Leas Mutter ein.

»Ist ja schon gut.«

Stephan sah seine Mutter missmutig an und setzte sich an den Frühstückstisch. Er schmierte sich ein Brot mit Marmelade und trank ein großes Glas Orangensaft. Allerdings war nicht mehr genug Saft in der Packung, als Lea nach unten kam, sodass sie nur noch ein kleines Schlückchen in ihr Glas füllen konnte.

»Sehr witzig, Stephan. Kannst du eine neue Packung aus dem Keller holen?« Trotz ihres Alters ließ sich Lea nach wie vor von ihrem kleinen Bruder ärgern.

»War das eine Bitte oder eine Aufforderung?«

»Mama, kannst du was machen? Der nervt wieder.«

»Richtig.« Stephan musste grundsätzlich das letzte Wort haben.

»Stephan, geh und dann hört ihr auf zu streiten. Lea, lass dich nicht immer so reizen.« Dank des Machtwortes ihrer Mutter war der Streit schnell beendet. Lea fragte Stephan, ohne zu knurren, Vokabeln ab, bis sie selbst zur Schule musste.

Auf halben Weg traf sie Svenja, die ein bedrücktes Gesicht machte.

»Immer noch nichts Neues von Basti?«

»Er ist seit Samstagabend verschwunden.«

»Er wurde doch von der Polizei mitgenommen.«

»Schon, aber er ist geflohen. Vor unserem Haus war das ganze Wochenende lang eine Streife. Die fahren mir auch nach.«

»Woher weißt du das?«

»Genau kann ich es nicht behaupten. Ich finde es komisch, dass mich, egal wo ich hingehe, immer die gleichen Leute verfolgen. Ich komme mir wie ein Verbrecher vor!«

»Sei froh, dass dich nur die Polizei verfolgt«, gab Lea zurück

»Wie meinst du das?«

»Ach schon gut, ist nicht weiter wichtig. Ich muss jetzt auch gehen, sorry.«

Lea drehte sich um und ging die Gutenbergstraße hinunter, ohne Svenja noch einmal anzusehen. Allerdings sah Svenja ihr hinterher. Sie wusste, dass Lea ein Geheimnis hatte. Doch sie konnte nicht erahnen, was es war. Vielleicht war ja doch etwas an der Sache mit Lea und Sebastian dran.

Noch ahnte niemand, welche tiefen Abgründe sich auftun würden.

Schließlich beschloss sie, sich ebenfalls auf den Weg zur Schule zu machen.

Kurz vor dem Klingeln der Schulglocke kam Lea an und hetzte die Treppen hinauf in den zweiten Stock, wo sie Mathe hatten.

»Da hast du aber Glück gehabt. Frau Meier kommt später«, sagte eine ihrer Mitschülerinnen.

»Gott sei dank. Ich glaube, sie hätte mich umgebracht, wenn ich wieder zu spät gekommen wäre.« Kaum hatte sie ausgesprochen, erschien Frau Meier im Türrahmen.

»Ich habe die Arbeiten nachgesehen«, teilte sie der Klasse fröhlich mit. »Es gibt nicht so viele schlechte Noten, wie ich erwartet hatte. Wir haben einen Durchschnitt von zwei Komma drei.«

Sie schrieb den Notenspiegel an die Tafel. Alle in der Klasse saßen gespannt auf ihren Plätzen, nur nicht Lea. Schließlich wusste sie bereits, was sie für eine Note zu erwarten hatte.

»Erst machen wir die Berichtigung zusammen, dann teile ich die Arbeiten aus.«

»Ich bin dafür, dass wir es andersrum machen«, rief einer der

Jungs, die hinter Lea saßen.

»Erstens kann ich es nicht leiden, wenn du in die Klasse rufst, Mike! Und zweitens gestalte ich den Unterricht und nicht du! Ich hoffe, wir sind uns da einig!«

Mike nickte nur und hielt den Mund. Nachdem sie die Berichtigung fertig hatten, rief Frau Meier einen nach dem anderen auf.

Mike nahm Leas Arbeit mit und legte sie ihr auf den Tisch, wofür sie sich bedankte. Auch wenn sie wusste, beziehungsweise ahnte, welche Note sie hatte, blätterte sie ihr Arbeitsheft durch. Als sie bei der Arbeit angekommen war, traute sie ihren Augen nicht.

Eine große Zwei stand auf ihrem Blatt. Mehrmals schloss sie die Augen und öffnete sie wieder, um zu sehen, ob sie nicht träumte.

Sie sah ihren Namen und das Datum auf dem Blatt, war sich aber sicher, dass diese Schrift nicht ihre war. Lea hatte zwar auch eine Sauklaue, wie es der Deutschlehrer höflichst zu erwähnen pflegte, dennoch sah diese Schrift nicht so aus, wie die von Lea. Sofort sprang sie auf und eilte zum Lehrerpult.

»Frau Meier, was hat Jan in der Arbeit?«

»Das darf ich leider nicht weitergeben Lea, das weißt du doch.«

»Ich soll die Arbeit mitnehmen und sie Jans Mutter geben, weil er doch im Krankenhaus liegt.«

»Ich weiß, dass Jan im Krankenhaus ist. Deshalb sollte er die Arbeit noch nicht bekommen. Sie ist nämlich nicht so gut ausgefallen wie deine, Lea.«

»Das ist der Punkt, warum ich mit Ihnen sprechen will. Jan hat eine Fünf, stimmt das? Ich denke, dass er die Arbeiten vertauscht hat. Jan ist doch immer besser als ich.«

»Ich finde es gut, dass du versuchst, Jan besser dar stehen zu lassen. Aber er steht bei mir auf einer Zwei. Da wird dieser Ausrutscher nichts ändern. Es ist aber trotzdem nett von dir, dass du Jan helfen willst.«

Lea stand völlig verdutzt vor dem Pult und starrte ihre Lehrerin an. Entweder wollte diese nicht hören, dass Jan die Arbeiten vertauscht hatte, oder sie fand es so absurd, dass sie es nicht glauben konnte.

Dann ging Lea zurück an ihren Platz und ließ sich auf den Stuhl fallen. Am Ende der Stunde berichtete Frau Meier noch, dass Jan aus gesundheitlichen Gründen für längere Zeit aus der Schule bleiben würde. Sie teilte Lerngruppen ein und beauftragte Lea damit, die Hausaufgaben und Lerninhalte an Jan weiterzuleiten. Als es schellte, gingen alle hinaus, nur Lea nicht, die traurig an ihrem Platz verweilte und auf den leeren Sitz neben sich starrte.

»Willst du nicht rausgehen?« Lea erschrak, sah ihre Lehrerin an und senkte den Kopf wieder.

»Es ist meine Schuld, dass Jan im Krankenhaus ist. Er hat sich wegen mir mit Sebastian gestritten.« Leas Augen füllten sich mit Tränen.

»Es ist nicht deine Schuld, wenn jemandem etwas zustößt, es sei denn du hast es so gewollt.«

»Sie verstehen das nicht. Wenn ich mich nicht mit Jan gestritten hätte, hätte er sich später nicht mit Basti in der Wolle gehabt. Ich habe den Streit angefangen.«

»Zu einem Streit gehören immer mindestens zwei. Du kannst dir nicht die Schuld an etwas geben, was passiert ist, weil du etwas ins Rollen gebracht hast. Ich behaupte nicht, dass du unschuldig bist. Aber in erster Linie waren es Jan und dieser Sebastian, die sich geprügelt haben. Und was dann passiert ist, war ein Unfall, den keiner vorhersehen konnte und an dem ebenfalls keiner allein der Schuldige ist. Jeder hat ein bisschen dazu beigetragen.«

»Danke, dass Sie mich aufmuntern wollen. Im Moment dreht sich bei mir alles um Jan und Sebastian, Jan im Krankenhaus und Sebastian irgendwo auf der Flucht, vor der Polizei.«

»Warum flieht er, wenn er unschuldig ist?«

»Das ist eine zu lange Geschichte, um sie zu erklären. Ich weiß einfach, dass er unschuldig ist. Leider kann ich es nicht beweisen. Ich werde hinuntergehen und mir etwas zu trinken holen, bevor die Pause vorbei ist.«

»Tu das Lea. Wenn es etwas gibt, was dich bedrückt, kannst du mit mir darüber sprechen.«

»Danke.«

Lea verabschiedete sich und verschwand nach unten. Sie kaufte sich eine Flasche Cola light und begab sich wieder nach oben, um eine weitere Religionsstunde über sich ergehen zu lassen.

Nach der Schule ging sie ins Krankenhaus um dort ihre Hausaufgaben zu erledigen. Sie hoffte, dass Jan bald aufwachen würde und sie ihm erzählen könnte, was passiert war. Über eine Woche war es jeden Tag so. Lea ging erst zur Schule und dann ins Krankenhaus, um Hausaufgaben zu machen und bei ihm zu sein.

Erst nach eineinhalb Wochen, teilten die Ärzte Lea und Marlene mit, dass Jans EEG deutliche Aktivitäten zeigte und er auf dem Weg der Besserung sei. Die beiden sollten nicht aufhören, mit Jan zu sprechen. Das könnte den Heilungsprozess beschleunigen.

Lea freute sich so sehr, dass sie direkt zu Jan ins Zimmer stürzte, als die Ärzte ihr die gute Nachricht erzählt hatten. Im Zimmer angekommen plapperte Lea gleich los. Sie redete mit Jan so, als ob er ihr zuhören würde und sie verstehen könnte. Zumindest hörte er ihre Stimme und das konnte ihn zurückholen.

Noch eine weitere Woche verging und Leas Glücksgefühl, welches sie hatte, verschwand von Tag zu Tag. Als sie auch noch Jack begegnete, der sie lauthals anbrüllte und ihr verbot nochmals herzukommen, war sie am Boden zerstört und ging erst einmal mehrere Tage nicht ins Krankenhaus.

Erst ungefähr fünf Tage später begab sich Lea wieder auf den Weg dorthin, doch mit sehr mulmigem Gefühl im Magen. Immerhin hatte sie seit fünf Tagen nichts mehr von Jan gehört und auch Jack wollte sie nicht begegnen. Was war, wenn sich Jans Zustand wieder verschlimmert hatte? Tausend Fragen schossen ihr durch den Kopf, doch auf keine schien es eine Antwort zu geben.

Jan und Lea

Glück und Traurigkeit
liegen nah beieinander.

Als Lea sich auf den Weg zu Jan machte, tauchte bei Timo ein bekanntes Gesicht auf. Völlig ausgemergelt und schmutzig stolperte es in Timos Wohnung.

»Basti, bist du das?«, platze es aus Timo heraus. »Wo warst du? Wir haben uns Sorgen gemacht.«

»Wie geht es Jan?«

»Wieso fragst ausgerechnet du, wie es ihm geht? Du musst dich darum kümmern, dass das mit der Drogengeschichte aufgeklärt wird!«

»Ich will wissen, wie es Jan geht!«, schrie Basti und wurde rot im Gesicht, so dass Timo Angst vor ihm bekam.

»Scheiße geht es ihm. Er liegt im Koma und ist fast draufgegangen!«

»Jetzt weiß ich wenigstens, dass ich Scheiße gebaut habe. Hör mir zu, Timo. Pass bitte auf Lea auf. Ich kann sie leider nicht immer im Auge halten. Du musst mir versprechen, dass ihr nichts passiert! Und beruhige Svenja. Ich will nicht, dass sie sich Sorgen macht.«

»Am besten ist, wenn du das selbst machst. Sie ist oben und heult sich seit Tagen die Augen aus. Ihre Mutter fragt schon ständig nach.

Sie ist völlig fertig mit der Welt. Als ich eben von der Arbeit kam, saß sie vor der Tür. Bitte sprich mit ihr.«

»Wenn ich zu ihr gehe, bin ich gezwungen ihr zu erklären, was vorgefallen ist und das kann ich nicht. Zumindest jetzt noch nicht. Ich würde sie in Gefahr bringen.«

»Jetzt hör mal zu Basti. Ich weiß nicht, was da mal vorgefallen ist und in erster Linie ist mir das auch egal. Ich weiß nur eins: Oben sitzt ein Mensch, der vor Sorge um dich fast durchdreht und völlig fertig ist. Wenn du gehst, ohne dich bei ihr zu melden, würde sie es nicht verstehen. Sie ist siebzehn!«

»Timo, ich kann nicht!« Bastis Blick neigte sich zu Boden. »Wenn ich jetzt nicht abhaue, ist es zu spät. Bitte, du musst mich verstehen. Wenn ich das überlebe, erklär ich dir alles, versprochen. Sollte mir etwas zustoßen, versuch, Polizisten ausfindig zu machen, die nicht mit drin hängen und erwähn »*El Kontaro gibt es nicht nur in Amerika*«. Glaub mir, die wissen sofort Bescheid.«

Sebastian drehte sich um und wollte davonlaufen, als Timo Geld aus seinem Portemonnaie kramte und es ihm hinhielt.

»Nimm das und versteck dich, solange du musst. Sag niemandem, wo du bist. Lass nur ab und zu ein Lebenszeichen von dir hören.«

»Du bringst dich in Gefahr.«

»Ich weiß mir schon zu helfen und ich hoffe, dass ich Polizisten finde, die nicht drin hängen. Ich versteh zwar nicht, was los ist, aber ich werde es so machen, wie du es gesagt hast und hier nimm das. Geh jetzt!« Wieder hielt er ihm das Geld entgegen, welches Sebastian dankend entgegennahm.

»Sprich mit Lea!« Diesmal rannte Sebastian davon und bog in den Wald hinein.

Vom Fenster aus sah ihn Svenja. Sie konnte noch immer nicht fassen, dass Sebastian vor der Polizei floh. Oder vielmehr wollte sie es einfach nicht wahrhaben, dass Sebastian in irgendwelche Drogengeschäfte verwickelt war. Doch Timo schien zu wissen, worum es ging, sonst würde er ihm nicht helfen, obwohl es ihm seinen Job kosten könnte. Warum erzählte er ihr dann nicht, was vorgefallen war?

Als Timo ins Zimmer kam, wendete sie sich nicht vom Fenster ab, sondern blickte geradewegs in Richtung Wald. »Wieso erzählt er mir nicht alles? Ich will es nur verstehen.«

»Ich weiß es auch nicht, aber ich weiß, dass er dich über alles liebt. Er will dich nicht in Gefahr bringen.« Er nahm sie in den Arm.

»Können wir denn gar nichts tun?«

»Im Moment nicht. Aber mir fällt schon was ein, das verspreche ich dir.«

Von all dem bekam Lea nichts mit. Sie war zwischenzeitlich im Krankenhaus angekommen und ging gedankenversunken zu Jans Zimmer. Er schlief in seinem Bett und alles schien in Ordnung zu sein. Es standen weniger Geräte neben ihm, was hieß, dass es ihm besser gehen musste.

»Jan, ich weiß, dass es meine Schuld ist. Bitte, komm zurück zu mir. Ich halte es nicht mehr ohne dich aus.«

Sie nahm auf seinem Bett Platz und beobachtete ihn.

Jan bekam immer noch Sauerstoff, jedoch nicht mehr intubiert, sondern durch eine Sauerstoffbrille an der Nase. In der Armbeuge steckte eine Kanüle, worüber er gerade eine Infusion erhielt. An seinen Wangen hatte er kleine rötliche Flecken. Auf seinem Kopf konnte Lea kleine abrasierte Stellen erkennen. Diese schienen von der OP zu sein.

Da Lea nicht wusste, dass Jan bereits morgens aus seinem Koma erwacht war, gestand sie ihm alles, was sie für ihn empfand und erzählte ihre tiefsten Sehnsüchte. Noch ahnte Lea nicht, dass Jan nicht schlief. Er hielt nur die Augen geschlossen und genoss Leas Stimme. Nach einer Weile öffnete er sie jedoch.

»Jan?« Sie begann zu weinen. Jan sah ihr in die Augen und lächelte sie an, dann nickte er. »Was…?«

Er hielt seinen Zeigefinger auf Leas Mund und hinderte sie so am Sprechen. Sein Blick ruhte durchdringend auf ihr. Dann, ohne, dass es Lea geahnt hätte, ohne, dass auch nur ein Wort fiel, küsste er sie. Er fuhr ihr mit seinen Händen durch die Haare und über ihre rechte

Wange. Nur knapp war er dem Tod entgangen, nie mehr wollte er sich vorschreiben lassen, mit wem er zusammen sein konnte.

Lea schloss die Augen. Das erste Mal seit langer Zeit war sie wirklich glücklich. Es war nicht das Glücksgefühl, welches man hat, wenn man eine gute Note schreibt oder etwas geschenkt bekommt. Es war ein unbeschreiblich schönes Gefühl, dass man nicht mit Worten ausdrücken konnte. Jan nahm Lea in den Arm. Er drückte sie fest an sich, als wollte er sie nie wieder loslassen oder sogar vor irgendetwas beschützen.

Er küsste ihre Stirn, ihre Wangen und ihren Mund. Diesmal waren es keine traurigen Tränen, die aus Leas Augen flossen, es waren Glückstränen. In diesem Moment vergaß sie die Welt. Lea hatte nur noch Jan im Kopf. Sie erwiderte seine Küsse. Schließlich lächelten sich beide an, umarmten sich und setzten sich aufrecht hin, um zu erzählen.

Um genau zu sein berichtete nur Lea ihm von den letzten Tagen. Jan durfte etwa vierzehn Tage nicht sprechen, da er durch das Setzen des Tubus eine Kehlkopfverletzung erlitten hatte. Lea blieb nichts anderes übrig als Jan zu unterhalten. Schließlich kamen beide zum Entschluss, dass Jan seine Antworten aufschreiben könne. Sie besorgte im Schwesternzimmer einen Block und einen Stift und gab sie Jan, damit er seine Gedanken aufschreiben konnte.

An dem Samstag habe ich das nicht so gemeint. Ich war nur genervt, weil ich mich von keinem verkuppeln lassen will. Wir sind nicht mehr in der Grundschule. Wenn ich was erreichen will, dann mache ich das allein. Außerdem hatte ich meine Gründe! Ich weiß nicht, was in mich gefahren war, als ich versucht habe, Basti fertig zu machen.

Jan setzte kurz den Stift ab, da seine Hände schmerzten. Er lockerte die Finger ein wenig, bevor er weiter schrieb.

Ich war ein Idiot. Sag es aber nicht Basti.

Dann grinste er. Nach diesem Satz erschrak Lea. Jan wusste noch gar nichts davon, was passiert war, nachdem er vom Krankenwagen abgeholt wurde.

»Jan, seit du dich mit Basti geprügelt hast, ist er auf der Flucht vor der Polizei.«

Sie senkte ihren Kopf, doch in Jan stieg plötzlich Neugierde auf. Er forderte Lea mit einer ungeduldigen Handbewegung auf, dass sie weitererzählen sollte.

»Es war irgendwas mit Drogen, ich weiß auch nicht genau.«

Eine kurze Pause trat ein, in welcher sich Jan zum Fenster drehte und sich sein Gesicht schuldbewusst zeigte. Langsam liefen Tränen aus seinen Augen und über die Wangen, bis sie schließlich auf seinen Arm tropften. Er wischte sich durch die Augen und senkte seinen Blick.

»Es ist nicht deine Schuld. Wenn, ist es meine. Wenn ich dich nicht gedrängt hätte, dann hätten wir uns nicht geküsst und Basti hätte sich nicht eingemischt.«

Sie nahm seine Hand und lächelte ihn an, was Jan etwas zögerlich erwiderte.

»Warum hast du die Arbeiten getauscht?«, erkundigte sie sich als nächstes und wechselte so das Thema. Jan erschrak, da er diese Frage nicht erwartet hatte. Trotzdem sah er Lea in die Augen und schrieb, was er in diesem Moment dachte.

Als ich dich gesehen habe, bei der Arbeit, hast du mir leidgetan. Ich wusste nicht, wie ich dir anders zeigen konnte, dass ich dich immer noch gern habe. Später, als du weinend vor der Toilette saßt, wollte ich dir erklären, dass ich die Arbeiten getauscht habe. Aber noch mehr wollte ich dich in den Arm nehmen, alles andere war mir egal.

Wieder setzte Jan den Stift ab, um seine Hand zu entspannen. Er sah Lea an, die seinen Blick ebenfalls träumerisch erwiderte. Er winkte mit seiner Hand vor ihrem Gesicht, sodass Lea aus ihrem »Traum« wieder erwachte. Etwas verschämt grinste sie ihn an und Jan schrieb weiter.

Ich dachte, du wusstest, warum ich die Arbeiten getauscht habe. Was habe ich eigentlich?

»Meinst du die Arbeit, die du geschrieben hast oder die, wo dein Name draufsteht?«

Beide.

»Ich habe dank dir eine Zwei in der Arbeit. Du hast jetzt die fünf.«

Lea zuckte mit den Schultern und kräuselte die Lippen. Jan nahm ihren Kopf und klopfte seine Faust behutsam auf ihre Stirn, woraufhin Lea ihm vorsichtig ihre Faust gegen seinen Oberarm stieß. Zu gerne hätte Jan sich mit ihr gekabbelt, doch es ging noch nicht. Stattdessen streichelte er ihre Wange, so dass sich Lea an seiner Hand schmiegte und dabei die Augen schloss.

Dann klopfte es an der Tür und die Schwester kam herein.

»Ihnen scheint es schon besser zu gehen, Herr Dawn. Sehr schön. Nichtsdestotrotz brauchen Sie Ihre Thrombosespritze.«

»Soll ich solange draußen warten?«, fragte Lea an die Schwester gewandt.

Jan schüttelte energisch den Kopf, was ein klares *Nein* bedeuten sollte. Also setzte sie sich auf einen Stuhl am Fenster. Die Schwester holte die kleine Spritze aus der Verpackung und zog Jans Bettdecke ein wenig hinunter. Als sie die Nadel in seinen Oberschenkel drückte, quiekte Jan wie ein Meerschweinchen und Lea konnte sich kaum das Lachen verkneifen. Als die Schwester das Zimmer wieder verlassen hatte, konnte Jan sie nicht davon abbringen, ihn wegen seines Quiekens zu necken.

Schließlich legte sich Lea zu Jan ins Bett. Glücklich kuschelten beide miteinander und beobachteten den Sonnenuntergang durchs Fenster. Gegen achtzehn Uhr bekam Jan sein Abendessen und zu Leas Verwunderung war auch etwas für sie dabei. Beide bedankten sich bei der Schwester und aßen.

Lea hatte zwei Scheiben Brot mit Käse, Tomaten, Pfeffer und Salz. Jan bekam eine eklige Milchsuppe und eine Scheibe Stutenbrot. Schonkost nannten das die Ärzte. Eher war es Kost, für Leute, die eine schlechte Verdauung hatten.

»Nimm das doch nicht so ernst. Ich kann doch nichts dafür, dass du nichts richtiges Essen darfst«, entgegnete Lea, als er sie schmollend ansah. Schließlich nahm sie ihn in den Arm und versprach ihm etwas mitzubringen, wenn es Jan wieder besser gehen würde.

Nach einer Weile betrat die Schwester, die Jan die Spritze gegeben hatte, den Raum und zeigte Lea, dass die Besuchszeit zu Ende sei.

»Mach´s gut Jan, ich komme morgen wieder. Ach ne, geht nicht. Meine Mutter will, dass ich mich endlich in der Fahrschule anmelde. Dann komme ich eben übermorgen.«

Jan nickte und gab Lea einen Kuss.

»Ich hab dich lieb, Jan.«

Da er nicht sprechen durfte, formte er mit den Lippen, dass er sie ebenfalls lieb hatte und winkte ihr zum Abschied. Lächelnd fiel er zurück in sein Kopfkissen und schlug triumphierend seine Arme über den Kopf. Da er erst morgens aus dem Koma erwacht war, hatte ihn der Besuch geschafft, daher schlief er schnell ein.

Auf dem Weg nach Hause konnte Lea sich das Lächeln nicht verkneifen. Alle drei Schritte hüpfte sie und drehte sich schließlich solange im Kreis, bis ihr schwindelig wurde. Angekommen versuchte ihre neugierige Mutter alles über den Gefühlswandel heraus zu bekommen. Doch Lea tanzte hinauf in ihr Zimmer, und sah verträumt aus dem Fenster. Ihr war es nicht gelungen, Jan ein Ich liebe dich entgegen zu bringen. Obwohl sie ihn liebte, fühlte sie eine Zerrissenheit in sich, die sie vorher nicht kannte. Sebastian war auf der Flucht vor der Polizei und Jan lag wegen ihm im Krankenhaus.

Er war ihr bester Freund und der Streit war aufgrund der Situation zwischen Jan und ihr entfacht.

Neben Vorwürfen machte sie sich Sorgen um ihren besten Freund und konnte ihre Gefühle für Jan dementsprechend auch nicht zusammenfügen. Fröhlichkeit und Traurigkeit lagen so nah beieinander, dass sie weder das eine noch das andere fühlen wollte. Zumindest jetzt gerade nicht.

Es war dunkel und plötzlich verblasste ihr Gefühlschaos, denn sie erkannte ein Mädchen, auf der Straße gegenüber. Es war Svenja, die traurig und mit gesenktem Kopf die Straße entlang schlurfte.

»Svenja!«, rief sie und klopfte an die Scheibe.

Aus ihrem Traum gerissen sah sie sich um und bemerkte Lea am Fenster in der oberen Etage.

»Hi, wie geht es dir?«, versuchte Lea ein Gespräch zu beginnen.

»Nicht so berauschend«, schloss sie ihre Antwort kurz, als hätte sie keine Lust darüber zu sprechen.

»Warte, ich komme runter.«

Kurz darauf stand Lea neben Svenja auf der Straße.

»Sag schon, was ist los. Ist es wegen Basti?«

Svenja nickte. Sie betrachtete kurz ihre Umgebung, ob auch niemand zuhörte, dann flüsterte sie. »Basti war eben bei Timo, er war so komisch. Ich habe ihn vom Fenster aus draußen gesehen. Ich weiß nicht, warum er sich nicht der Polizei stellt. Er macht doch alles nur noch schlimmer.«

Lea ahnte, dass etwas an der Sache faul war. Normalerweise verhielt sich Sebastian nicht so. Wenn er nichts angestellt hätte, würde er zur Polizei gehen, da war sich Lea sicher. Aber sie konnte sich auch nicht vorstellen, dass Basti mit Drogen dealen würde, zumindest nicht mehr. Er hatte ihr anvertraut, dass er es unfreiwillig vor einigen Jahren getan hatte, aber es besser für sie wäre, wenn er den Rest für sich behalten würde.

Schließlich fand Lea, dass sie diese Tatsachen ebenfalls für sich behalten solle und setzte das Gespräch mit Svenja fort.

»Denkst du, dass Basti wirklich mit Drogen gedealt hat?«

»Ich glaube nicht. Mach dir nicht so viele Gedanken, Svenja. Jan schreibt, dass er nichts davon wüsste. Also hat Basti an dem Abend auch nicht mit Jan gedealt.«

»Ist Jan wieder aufgewacht?« Lea nickte mit einem hellen Strahlen im Gesicht. »Hast du mit ihm gesprochen?« Wieder nickte Lea, wobei sie sich ein Grinsen nicht verkneifen konnte. Sie freute sich so sehr darüber, dass sie für einen kurzen Augenblick vergaß, dass Svenja mit Basti zusammen war.

»Du verschweigst mir doch etwas!«

»Wenn du es niemandem erzählst, verrate ich es dir.«

»Ich schwöre.«

Leas Grinsen wurde breiter und sofort begriff Svenja, was sie sagen wollte.

»Seid ihr zusammen?« Lea nickte.

»Und, hast du ihn geküsst?«

Diesmal wurde sie rot, nickte jedoch zustimmend.

»Ja.«

»Ich bin froh, dass ihr ein Paar seid. Ich hatte schon gedacht, es würde nie funktionieren. Wenigstens eine gute Nachricht seit Tagen.«

»Es tut mir leid, was passiert ist, ehrlich. Ich wollte nur, dass Jan aufhört, zu spinnen. Hätte ich gewusst, dass ich dadurch Sebastian ins Gefängnis bringe und Jan wegen mir ins Koma fällt, hätte ich mich still verhalten oder wäre gar nicht erst gekommen.«

»Lea, du kannst nichts dafür. Ich mache dir keinen Vorwurf. Hätte ich Bastis Jacke nicht mitgenommen, hätte die Polizei die Drogen nicht gefunden. Er vergisst öfter seine Sachen bei mir. Er hat die Jacke bei mir liegen gelassen und meine Mutter hat sie gewaschen. Ich wollte sie ihm doch nur wiederbringen. Ich habe sie draußen hingelegt.«

»Woher solltest du wissen, dass Basti da…. Moment, du hast die Jacke mitgebracht? Und deine Mutter hat die vorher gewaschen?«

»Ja, warum?«

»Wenn deine Mutter die Jacke gewaschen hat und du sie mitgebracht hast, wie sind denn die Drogen reingekommen? Deine

Mutter hätte die doch beim Waschen gefunden. Zumindest wären die Tütchen aufgeweicht oder der Inhalt verfärbt oder so. Kommt dir das nicht komisch vor?«

»Das würde heißen, dass jemand die Drogen da rein getan hat. Wir müssen zur Polizei und das melden.«

»Ich glaube, es ist keine gute Idee.«

»Warum nicht?«

»Ich habe ein komisches Gefühl, als hätten die damit was zu tun. Das würde auch erklären, warum Basti vor denen wegläuft.«

»Hört sich ein bisschen komisch an, findest du nicht? Weit hergeholt eben. Aber wem sollen wir das sagen?«

»Behalte es für dich. Ich rede mit Jan darüber. Mal sehen, was er meint. Erzähl du das Timo. Ich will wissen, ob er irgendetwas weiß.«

»Okay. Ich gehe jetzt, meine Mutter macht sich sonst unnötige Gedanken, wo ich bleibe.«

»Mach dir keine Sorgen darüber. Wir sehen uns übermorgen. Ich muss morgen zur Fahrschule. Ich versuche, Jan trotzdem zu fragen.« Beide umarmten sich und Svenja machte sich auf den Weg nach Hause. Lea sah ihr noch eine Weile hinterher, ging ins Haus und legte sich ins Bett.

El Kontaro

Die Vergangenheit holt uns alle ein,
du kannst ihr nicht entfliehen.

Timo ließ sich auf sein Sofa sinken und schaltete den Fernseher an. Auf jedem Sender liefen Nachrichten und in allen wurde von Kriegen berichtet oder Stars, die schwanger waren oder sich getrennt hatten.

Timo dachte über die Geschehnisse, die sich auf der Welt zutrugen, nach. Infolgedessen juckte es ihn, etwas über dieses El Kontaro, was das auch immer sein mochte, herauszufinden. Er fuhr seinen PC hoch und begab sich ins Internet. In einer Suchmaschine gab er El Kontaro ein.

SUCHERGEBNISSE ZU »EL KONTARO« - 0 BEITRÄGE GEFUNDEN.

»Das gibt's doch nicht. Es muss etwas zu finden sein«, flüsterte er und starrte dabei die Internetseite an.

Diesmal versuchte er es mit *Amerika Drogen.*

»Verdammt, such schneller!«

SUCHERGEBNISSE ZU »AMERIKA DROGEN« – 14.956 BEITRÄGE GEFUNDEN.

»Na super, das wird eine lange Nacht.«

Timo stand auf, holte sich je eine Flasche Bier und Cola, ein wenig Knabberkram und setzte sich wieder vor seinen PC. Jede Seite klickte er an. Und wenn es nur darum ging, einen Hinweis zu El Kontaro zu finden. Nach gefühlten eintausend Seiten, entdeckte er auf einer privaten Homepage einen Bericht über eine Drogenbande, die einen angesehenen Ruf in der Drogenszene hatte. Der Name war El Kontaro.

In seinem Bericht beschrieb der Schüler, dem die Seite gehörte, dass es sich bei ihnen um skrupellose Drogendealer handelte, die jeden, der sich nicht unterordnete, erledigen ließ. Einige der Dealer wurden vor ungefähr drei Jahren festgenommen, aber wegen Mangels an Beweisen freigelassen. Diese setzten sich unter anderen Namen in die Ukraine, Tschechien und Deutschland ab. Aber hier schrieb der Schüler dazu, dass er Letzteres nicht hundertprozentig wusste. Er warnte aber jeden davor, mit ihnen in Kontakt zu treten.

»So ist das also.«

Timo las noch weiter. Der letzte Bericht, den er geschrieben hatte, lage Jahre zurück. In seinem Gästebuch stand auch nicht viel mehr, bis auf eine Kleinigkeit, welche Timo stutzig machte.

ICH WEIß, WER DU BIST! JASON BRINGST.

Dieser Eintrag war kurz nach dem Bericht über El Kontaro geschrieben worden. Timo war jetzt neugierig. Da er nun den Namen des Verfassers kannte, wollte er noch mehr über ihn herausfinden. Also gab er ihn in die Suchmaschine ein.

SUCHERGEBNISSE ZU JASON BRINGST AMERIKA – 215 BEITRÄGE GEFUNDEN.

Timo schnaubte: »Schon wieder so viel lesen.«

Müde fuhr er sich über das Gesicht. Aber schon nach dem ersten Beitrag, den er angeklickt hatte, war er wieder hellwach und bei der Sache. Obwohl Timo in Englisch nicht immer der Beste war, konnte er die Worte DEAD, MURDERER und DRUGS, ohne in seinem Wörterbuch zu suchen, übersetzten.

Timo erschrak über das Alter des Jungen, als er das Foto eines Siebzehn- oder Achtzehnjährigen sah. Dieser war offensichtlich ermordet worden. Timo las den Bericht darunter und übersetzte ihn in kurzen Sätzen:

Familie, Freunde und Mitschüler trauern um den Spitzenschüler und Schülerzeitungsvorsitzenden Jason Bringst, dessen Leiche gestern Nachmittag gefunden wurde. Die Polizei will sich zu diesem Vorfall noch nicht äußern. Da nicht bekannt war, ob Jason Drogen nahm, ist noch nicht geklärt, warum er an einer Überdosis Heroin starb. So viel wir aber wissen, gehen die Beamten von Mord aus.

Timo las es sich mehrmals durch. Der Bericht schien bereits vier Jahre alt zu sein. Doch außer diesem Artikel gab es nichts wirklich Verwertbares, was er sonst noch dazu im Internet gefunden hatte.

Warum hatten die Beamten nichts entdeckt? Diesen Bericht hätte jeder finden können, wenn die Polizei danach gesucht hätte. Es lag doch auf der Hand, dass es was mit El Kontaro zu tun hatte. Aber vielleicht wussten die Polizisten es und haben es vertuscht oder wollten die Infos nicht rausgeben. Wie auch immer, es war seltsam. Timo konnte auch nicht herausfinden, ob der Fall von Jason jemals aufgeklärt worden war.

Also suchte er nach weiteren Berichten und fand mehrere unerklärliche Todesfälle, von Reportern, Schülern und Studenten, sogar von Polizisten und Kindern. Langsam wurde ihm bewusst, was Basti meinte, als er erklärte, dass er einen Polizisten finden solle, der nicht drin hing.

Jetzt war ihm auch klar, warum er ein Auge auf Lea haben sollte. Wenn Sebastian dort mit drinsteckte, wusste Lea wahrscheinlich mehr, als gut für sie war. Er nahm sich vor, gleich nach dem Wochenende auf der Arbeit Nachforschungen anzustellen. Seinem befreundetem Ausbildungspartner, der an diesem Wochenende arbeiten musste, schickte er eine Nachricht übers Handy, dass er Timo auf dem Laufenden bezüglich Sebastian halten solle. Sein Kollege sendete einen Daumen hoch auf die Nachricht und Timo packte sein Handy weg.

Vom ganzen spekulieren wurde Timo müde. Bevor er sich ins Bett legte, nahm er sich vor, früh aufzustehen und die anderen zu warnen.

Er wusste nicht wie, denn wenn er ihnen alles erzählen würde, wären sie in Gefahr. Würde er es aber nicht tun, würden sie ihm unter Umständen nicht glauben. Doch auch sein Wissen basierte auf Vermutungen. Irgendwann schlief er mit dem Kopf auf seinem Schreibtisch ein.

»Was ist hier passiert? Es sieht aus wie in einem Schweinestall. Timo, hast du schon wieder die ganze Nacht vor dem PC gesessen?«

Verschlafen öffnete Timo seine Augen. Stöhnend richtete er sich auf und blinzelte, um zu erkennen, wer ihn da unsanft aus dem Bett warf oder viel mehr vom Schreibtischstuhl.

»Na, endlich wach. Du weißt doch, dass ich heute keine Schule habe. Wir wollten doch den Tag zusammen verbringen. Schon vergessen?«

»Ach Bine, du bist es. Wie spät ist es?«

»Halb neun.«

»Sorry, ich habe die ganze Nacht versucht etwas heraus zu finden. Ist aber nicht so wichtig. Lass uns frühstücken und im Bett schmusen.«

»Na gut, aber nur weil du so süß bist und Chips an der Backe kleben hast.«

Sabine grinste ihn an und gab ihm einen dicken Knutscher.

Währenddessen wachte Svenja auf, die in ihren Klamotten geschlafen hatte. Mit dunklen Rändern unter den Augen und einem steifen Nacken ging sie ins Badezimmer, welches sich direkt neben ihrem Zimmer befand, und erblickte sich im Spiegel. Sie sah sich ihre langen braunen Haare an, welche zerzaust waren. Nebenbei fand sie einen hässlichen roten Pickel, dumme Augenbrauen, eine unschöne Nase und viel zu schmale Lippen. Kurzum, sie hasste gerade einfach alles an sich.

Außerdem bemerkte Svenja, dass ihr etwas fehlte. Etwas oder jemand. Immer wenn sie traurig war, hatte sie jemanden gehabt, der für die da war. Der sie in den Arm nahm und ihr Mut zusprach. Doch wo war dieser Jemand jetzt?

Irgendwo im Ort, in der Stadt oder gar nicht mehr in der Nähe?

Svenja sah sich weiter an. Allein fühlte sie sich hilflos. Eine Träne begann in ihrem rechten Auge zu wachsen und floss langsam ihre Wange hinunter. Sie verfolgte die Träne und fing sie am Kinn auf. Nun, da die Träne auf ihrem Zeigefinger getropft war, sah sie sich diese an, einfach, um in Gedanken zu schwelgen, nichts weiter.

Ein Lächeln huschte über ihre Lippen. Ein Lächeln, welches sie an die schönen Tage mit Sebastian denken ließ. In Gedanken erinnerte sie sich, wie sie mit ihm immer Spaß gehabt hat. Es war eine schöne Zeit. Doch jetzt war alles anders. Sie war allein und machte sich Sorgen um ihn. Sorgen, die so unerträglich schienen, dass Svenja das Gefühl hatte verrückt zu werden. Alles war unrealistisch, seltsam eben.

Wieder sah sie in den Spiegel. Aber dieses Mal versuchte sie nicht über sich und ihren Kummer nachzudenken. Wie egoistisch sie war. Wenn sie Basti zugehört hätte und ihm ihre Hilfe angeboten hätte, wäre er jetzt vielleicht nicht in dieser beschissenen Lage.

Vielleicht brauchte Sebastian sie jetzt viel mehr. Vielleicht konnte sie ihm Hoffnung machen. Vielleicht gab es eine Möglichkeit ihm zu helfen.

Sie überlegte, wog die Möglichkeiten ab, die sie hatte, und rannte zu ihrer Mutter in die Küche.

»Mama, kannst du mich nach Köln fahren?«

»Warum willst du dorthin? Weißt du, wie früh es ist? Außerdem ist doch Sebastian immer noch nicht gefasst, oder?«

»Er ist mein Freund. Ich schwöre dir, er hat nichts ausgefressen. Er ist doch ein lieber Kerl. Bitte Mama, bring mich nach Köln. Ich muss was erledigen. Ich muss das einfach tun.«

»Natürlich, ein lieber Kerl. Du vergisst, dass einer deiner Freunde wegen ihm im Krankenhaus liegt und, dass er wegen Drogenbesitz gesucht wird. Solange das nicht geklärt ist, ist er für mich kein lieber Kerl, der für meine Tochter nicht gefährlich ist. Was musst du tun, was so unglaublich wichtig ist?«

»Ist doch egal. Ich bringe mich schon nicht um oder werde zum

Verbrecher. Mama, bitte vertrau mir. Ich fahre zu Markus. Er ist Polizist und ich wollte ihn fragen, ob er etwas gehört hat.«

»Ich kann dich nicht hinbringen. Dein Vater hat das Auto mitgenommen, ich weiß nicht, wann der wiederkommt.«

»Dann fahre ich mit dem Zug«, schlug sie vor.

»Alleine fährst du nicht mit der Bahn. Das kommt nicht in Frage.«

»Mama, ich bin kein Kind mehr. Ich bin siebzehn Jahre alt, fast volljährig!«

»Fast volljährig? Svenja, du bist erst vor einem Monat siebzehn geworden. Wir hatten das Thema schon mehrfach. Du hast oft mit dem Kreislauf zu tun. Ich möchte nicht, dass du irgendwo auf der Straße umkippst.«

»Du verstehst das nicht. Außerdem ist das schon länger nicht passiert. Ich frage Lea, ob sie mitkommt.«

»Kannst du nicht Timo fragen? Er ist erwachsen und seine Freundin kann er doch mitnehmen. Außerdem macht der eine Ausbildung bei der Polizei, oder nicht?«

»Von mir aus. Ich frage die beiden. Timo fährt mich bestimmt hin.« Sie verdrehte die Augen und ging aus der Küche ins Wohnzimmer.

Sofort rief Svenja Timo an. Natürlich ging Sabine ans Telefon. Sie freute sich riesig über den Anruf und fing fröhlich an zu erzählen, hauptsächlich Belangloses, was Svenja gerade überhaupt nicht interessierte.

»Ähm, Bine, ich habe eigentlich …«

»Und dann lag er heute Morgen am PC, voll süß sah das aus.«

»Bine, hör mir doch mal zu! Ich muss dringend nach …«

»Ja, ja, und weißt du was? Gestern habe ich ihm ein tolles Geschenk gekauft. Der wird Augen machen. Hallo, Svenja! Bist du noch dran?«

»Ja!«

»Ist was?«, fragte Sabine sichtlich irritiert.

»Ich versuche dir zu erklären, dass ich nach Köln muss und wollte euch fragen, ob ihr mitkommen könnt. Meine Mutter lässt mich nicht allein und ich muss unbedingt hin.«

»Eigentlich wollte ich mit Timo heute einen gemütlichen Tag

machen. Nur wir zwei, verstehst du? Was musst du denn machen?«

»Ich, ach ist egal. Ich will euch nicht stören. Wenigstens hast du jemanden, mit dem du kuscheln kannst und der dich warmhält.«

Svenja kamen die Tränen, die sie nicht unterdrücken konnte. Sie konnte ihre Gefühlslage nicht einmal für sich behalten.

»Svenja? Weinst du?«

»Nein.« Sie wischte sich die Tränen aus den Augen.

»Vielleicht können wir ja doch mitkommen. Ich frage gleich Timo und rufe dich zurück.«

»Danke Bine, du bist eine echte Freundin.«

»Verrätst du mir auch, was du vor hast?«

»Nicht jetzt, später.«

»Kann Lea auch mitkommen?«

»Klar, ich wollte sie sowieso noch anrufen.«

»Ich ruf gleich zurück, bis nachher.«

»Gut.«

Wenig später rief Svenja bei Lea an. Doch sie war nicht zu erreichen. Laut ihrer Mutter war sie bei Jan im Krankenhaus und anschließend in der Fahrschule, um sich anzumelden.

Ungefähr zwanzig Minuten später rief Sabine zurück und bestätigte, dass sie und Timo mitkommen würden. Also verabredeten sie sich für zehn Uhr. Sie wollten mit dem Auto zum Bahnhof fahren und von dort aus dann mit der Bahn nach Köln. Timo schlug vor, Svenja mit dem Auto abzuholen, doch sie lehnte ab. Svenja wollte lieber zu Timo nach Hause kommen, denn sie musste sich durch den Garten absetzen und einen kleinen Umweg nehmen, damit die Streife vor ihrem Haus ihr nicht folgen konnte. Schließlich war der Weg nicht weit und diesen war sie in den letzten Tagen fast täglich gegangen, um nicht allein zu sein. Timo war in der letzten Zeit ein großer Halt für Svenja gewesen.

Eine überraschende Wende

Ein wunderschönen guten Morgen meine Damen und Herren«, ertönte die Stimme des Nachrichtensprechers aus den Boxen. Jan hatte den Fernseher im Krankenzimmer eingeschaltet und damit einen Sender, auf dem Nachrichten liefen.

»Unsere Themen heute: Ein Mann ist vor den Zug gesprungen und hat Selbstmord begangen; Kind beinahe im Baggerloch ertrunken; Eltern der zwölfjährigen Charlyn stehen vor Gericht, sie werden beschuldigt, das Mädchen jahrelang misshandelt zu haben.«

›Gibt es keine guten Nachrichten mehr‹ Jan schnaubte und fuhr sich über das Gesicht.

»Sondermeldung: Gewalttätiger Zwanzigjähriger flüchtet immer noch vor Polizei.«

Ein Phantombild erschien und wurde wieder nach wenigen Sekunden ausgeblendet. Jan starrte den Fernseher mit offenem Mund an. Plötzlich sprang die Tür auf, sodass er erschrocken zusammenzuckte.

»Guten Morgen, hast du schon gefrühstückt?«

Als Lea von Jan keine Antwort bekam, beäugte sie ihn misstrauisch.

»Ist was?«

Doch Jan starrte wieder auf den Bildschirm und machte keine Anstalten, ihre Frage zu beantworten.

»Hallo, Jan, huhu.« Sie wedelte nun mit ihrer Hand vor seinem

Gesicht. Endlich reagierte er, drehte sich zu ihr und deutete dabei auf den Fernseher.

»Was war da?«

Hektisch kramte Jan in der Schublade seines Tisches und holte den Block und den Stift hervor.

»*Die bringen gleich einen Bericht über Sebastian im Fernsehen*«, schrieb er auf.

»Wieso?«

»*Wegen Drogen und sie sind der Meinung, er sei gewalttätig.*«

»Ist er aber nicht.« Sie stutzte und betrachtete Jan näher. Er hätte sterben können wegen dieses blöden Streits und für alle anderen, war es das, was zählte. Sebastian war Leas bester Freund und Jan ihre große Liebe. Doch sie glaubte fest an Basti und würde ihm immer den Rücken freihalten. Sebastian konnte aufbrausend sein, sich auch schon einmal vergessen, aber er war nicht gewalttätig. Eher verletzlich, gepeinigt durch seine Vergangenheit und auch liebenswert. Ehrlich und Treu. Jan bemerkte, dass Lea wieder in ihren Gedanken versank. Er deutete auf sein Geschriebenes.

»*Mach dir keine Sorgen. Wir wissen, dass es ein Unfall war. Und das müssen wir auch so weitergeben. Denn außer uns weiß das keiner, oder?*«, erkundigte sich Jan.

»Basti wird schlecht dargestellt. Wenn jeder auf ihn achtet, schnappen sie ihn bald.«

»*Ich weiß nicht, ob es nicht besser wäre, wenn sie ihn schnappen. Dann könnte er seine Unschuld besser beweisen.*« Jan zuckte mit den Schultern.

»Svenja hat mir gestern etwas erzählt, was du unbedingt wissen solltest. Sie hatte die Jacke von Basti mitgebracht, nachdem ihre Mutter sie gewaschen hat. Ihrer Mutter wären die Drogen doch aufgefallen, oder nicht?«

Jan nickte stumm, schien dabei aber über ihre Worte nachzudenken.

»Am besten, wir rufen Svenja an. Sie soll hier hinkommen. Ich komme gleich wieder. Ich habe mein Handy zu Hause liegen gelassen.«

Lea stürmte aus dem Zimmer und rannte zum Telefon in die Eingangshalle.

»Latke?«, meldete sie ihre Mutter wenige Sekunden später.
»Hallo, hier ist Lea. Ist Svenja da?«
»Tut mir leid. Sie ist eben aus dem Haus, um sich mit Timo und Sabine zu treffen und nach Köln zu fahren. Gemeinsam wollen sie dort jemanden besuchen. Eigentlich wollte sie, dass du mitkommst.«
»Wen will sie denn besuchen und warum?«
»Ach Lea, da fragst du was. Ich weiß nicht, was im Kopf von Svenja im Moment vor sich geht. Ich weiß nur, dass sie Markus besuchen möchte. Er ist ein Bekannter meines Mannes. Sie wollte irgendwas herausfinden, über ihren Freund.«
»Ist Markus nicht der Polizist?«
»Ja, warum?«
»Schon gut, tschüss, danke.«
Lea schmiss den Hörer in die Gabel und rannte auf die Etage, auf der Jan lag und stürmte ins Zimmer hinein.
»Svenja ist bei einem Polizisten, mit Timo und Sabine. Ich habe aber ihre Handynummer nicht.«
»Beruhige dich, ihr wird schon nichts passieren. Nicht, wenn Timo dabei ist.«
»Du hast Recht, aber wenn sie erzählt, was sie weiß und dieser Markus berichtet es seinen Kollegen, was dann?« Lea war sich nicht sicher, wie sie reagieren sollte.
»Hoffen wir, dass alles gut wird. Mach dir nicht so viele Gedanken. Der Bericht von Basti kommt gleich nach der Werbung. Du hast ihn nicht verpasst. Wenn Svenja zurückkommt, warnen wir sie. Jetzt ist es eh zu spät.«
»Okay«
Lea legte sich zu Jan aufs Bett und kuschelte sich in seinen Armen an ihn. Gemeinsam warteten sie auf das Ende der Werbung und auf den Nachrichtenbericht, welcher wenig später erschien.
Sondermeldung: Seit einigen Wochen flüchtet ein gewalttätiger zwanzigjähriger Mann vor der Polizei. Nach einer Schlägerei, bei der ein Gleichaltriger schwer verletzt wurde, wird er gesucht. Als Sebastian S. durch die Polizei mit einem Drogenfund konfrontiert wurde, verlor der Beschuldigte die Beherrschung und verletzte eine Polizistin. Dann floh der Täter vor der Polizei, die ihn bereits wegen Drogenmissbrauchs und Schlägereien kannte. Auf halben Weg wurde er von zwei

Polizisten überrumpelt und gestellt. Trotz Handschellen gelang es dem Täter, die Sicherung im Fahrzeug zu knacken und zu fliehen. Der Täter ist gewalttätig und befindet sich offenbar unter Drogeneinfluss, berichtete ein Pressesprecher der Polizei, der sich vor der Wohnung von Timo befand.

Auch Timo wurde kurz eingeblendet. Ein Reporter stellte ihm Fragen zum Vorfall am Samstag, doch Timo drückte die Kamera zur Seite und schrie den Reporter wütend an.

Sollten Sie Informationen haben, die zur Ergreifung des Täters führen können, bitte ich Sie, diese an die angegebene Polizeidienststelle zu übermitteln.

Wieder wurde ein Phantombild von Sebastian eingeblendet. Auf diesem hatte er kurze, zerzauste Haare, einen strengen, schon fast bösartigen starren Blick, wie ein Schwerverbrecher, der jeden Moment alle umbringen würde. Es sah klar aus wie Basti, nur eine böse Version von ihm.

Nachdem der Bericht geendet hatte, starrten Jan und Lea auf den Fernseher. Beide schienen nachzudenken. Plötzlich stand Lea ruckartig auf und drehte sich empört in Jans Richtung.

»Sind die eigentlich bescheuert? Basti ist doch nicht gewalttätig. Ich meine, es war doch keine Absicht. Er war doch auch angetrunken. Er wusste nicht, was er tat. Jan, du könntest doch das mit der Schlägerei klarstellen, er hat dich doch nicht absichtlich verletzt, oder?«

Jan hob die Schultern. Es war klar ein Unfall gewesen und diese Tatsache würde er sicherlich auch bestätigen. Doch ob Sebastian ihn wirklich nicht verletzten wollte, dessen war er sich nicht sicher, denn auch er hatte das Bedürfnis verspürt, Basti fertig zu machen. Warum er solche negativen Gefühle gegen ihn hegte, wusste er selbst nicht. Und diese Gedanken wollte er auch nicht mit Lea teilen, denn sie sorgte sich bereits genug.

»*Du hast doch alles gesehen oder nicht?*«, erkundigte er sich schriftlich.

»Nachdem ich euch die Meinung gesagt habe, bin ich weggegangen. Ich habe später gesehen, dass der Krankenwagen kam. Von der Schlägerei habe ich nichts mitbekommen.«

»*Basti hat mich, glaube ich, geschubst und ich bin hingeflogen. Mehr weiß ich dazu auch nicht. Nur noch verschwommen, dass mehrere Leute sich über mich gebeugt haben und mir war schlecht und ich hatte furchtbare Kopfschmerzen. Ich kann mich aber nicht mehr daran erinnern, was genau passiert ist.*«

Jan schluckte und hielt sich den Hals fest, er deutete Lea, ihr das Wasserglas zu reichen, welches auf dem Tischchen stand. Offenbar tat ihm der Hals immer noch weh. Gleichzeitig als er trank, fiel Lea die große Narbe an seinem Hals auf.

»Ich habe Angst. Was ist, wenn sie Basti fassen? Er hätte nicht weglaufen dürfen. Er macht doch alles nur noch schlimmer.«

Wieder weinte Lea. Ihre Augen schmerzten, trotzdem liefen ihr die Tränen an den Wangen hinunter und tropften auf ihr T-Shirt. Jan gab ihr das leere Glas zurück und schrieb wieder.

»*Ich weiß nicht, was richtig ist, Lea. Basti wird wissen, was er tut.*«

Lea sah ihn traurig an und erkannte das aufmunternde Lächeln in Jans Gesicht.

»Ich hoffe nur, dass er sich nicht sträubt, wenn sie ihn doch fassen. Glaubst du sie würden ihn erschießen?«

»*Lea, wir leben in Deutschland. Ich denke nicht, dass sie ihn erschießen würden.*«

Es folgte eine unangenehme Stille, in welcher nun auch Lea schwieg und beide sich darüber Gedanken machten, wie die Zukunft um Sebastian stehen würde.

Kurze Zeit später kamen Svenja, Timo und Sabine endlich in Köln an. Zielstrebig ging Svenja zu den U-Bahn-Fahrplänen. Was genau das Ziel war, wussten weder Sabine noch Timo und auch auf die Nachfrage, war Svenja bisher nicht eingegangen.

»Wir müssen zur Kupfergasse. Hier ist die richtige U – Bahn. Sie kommt in zehn Minuten. Wenn wir uns beeilen, kriegen wir die vielleicht noch.«

»Wo genau willst du eigentlich hin?«, wollte Timo wissen, der langsam ungeduldig wurde.

»Einen Bekannten besuchen. Er ist Polizist und ich wollte mal nachfragen, ob er weiß, wie wir Basti helfen können.«

»Wie lange kennst du den Polizisten schon?«

»Seit ich klein war. Er ist ein Freund von meinem Vater, die kennen sich schon seit mindestens zwanzig Jahren.«

»Ein Versuch ist es wert.« Timo stellte fest, dass Svenja ihm, ohne ihr Wissen, wahrscheinlich gerade zu einem Polizisten hinführen würde, der nicht in die Machenschaften von El Kontaro verwickelt war.

Gemeinsam rannten sie zur U-Bahn und erreichten diese gerade noch rechtzeitig, bevor sie wieder die Türen schloss und abfuhr. Während der Fahrt schwiegen sie. Sie hatten sich auf einen Viererplatz gesetzt und hingen ihren Gedanken nach.

Svenja bemerkte, dass alle ihren Blick mieden und dennoch war sie ihnen dankbar dafür, dass sie dabei waren. Wenigstens konnte sie noch über alles nachdenken. Sie sah aus dem Fenster und lächelte in sich hinein, als sie daran denken musste, wie sie sich Basti das erste Mal gesehen hatten. Er steckte in Problemen mit anderen Jungs und Svenja war dazwischen geraten. Sebastian wollte sie beschützen und hat selbst ein paar auf die Nase bekommen. Svenja half ihm die Wunden zu säubern und von dem Tag an verbrachten sie jede freie Minute miteinander und kamen sich näher.

Irgendwann hatten sie sich geküsst als sie mit ihren Eltern unterwegs waren. Sebastian und Svenja waren an diesem Tag zum Geburtstag von Markus Moll eingeladen. Bei dem Polizisten, zu dem sie jetzt unterwegs waren. Aus diesem Grund dachte sich Svenja, er könne ihnen helfen und er sei vertrauenswürdig.

»Svenja! Hey Sven!« Timo wedelte ihr mit seiner Hand vor den Augen. »Müssen wir hier aussteigen?«

»Was? Wie? Was ist los?« Svenja, die alles um sich herum vergessen hatte, sah Timo verwirrt an.

»Timo hat gefragt, ob wir raus müssen?«

»Äh.« Sie sah aus dem Fenster, kratzte sich am Kopf und nickte. Als die U-Bahn hielt, stiegen sie aus. Es war unheimlich. Hier unten schien außer ihnen niemand zu sein. Um nicht Wurzeln zu schlagen, wandten sie sich zügig dem Ausgang zu. Ein wenig später bogen sie um ein paar Ecken und gingen an einem Kiosk vorbei.

Es dauerte ein wenig, doch schließlich waren sie am Schild der Kupfergasse angelangt.

»Welche Hausnummer?«

»Ich weiß nur noch, wie das Haus aussieht. Es war direkt gegenüber von einem Café mit einem blauen Schild, und in dem Haus waren eckige Fenster.«

»Links geht es zum Appellhofplatz. Also können wir nur rechts lang.«

Nach ungefähr zwanzig Metern erinnerte sich Svenja an die Gasse, in der sie sich befanden. »Hier war ich schon. Da vorne ist das Café, da habe ich öfter Hüpfekästchen gespielt, wenn meine Eltern bei Markus waren.« Sie deutete auf eine Stelle vor dem Café. »Da wohnt er. Seht ihr das Haus mit den großen Fenstern und dem gelben Balkon?« Svenja war so aufgeregt, dass sie für einen winzigen Moment ihre Sorgen vergaß und breit grinsend über die Straße hüpfte. »Ich hoffe, er ist da.«

»Du hast vorher nicht angerufen?« Für Timo war es unerklärlich.

»Dafür hatte ich keine Zeit, außerdem wollte ich nicht, dass er mich abwimmelt. Jetzt sind wir aber da und wir klingeln einfach. Wenn er nicht da ist, warten wir eben.« Svenja hob den Finger an und setzte ihn auf die Klingel. Ding … Dong. »Mmmh, es macht keiner auf«, murmelte sie, nachdem sie die Klingel losgelassen hatte.

»Du hast doch gerade erst geklingelt!«

Doch Svenja hörte nicht auf Timo, der die Augen verdrehte. Ein weiteres Mal klingelte sie, worauf ebenfalls niemand reagierte.

»Svenja es reicht!« Timo war sichtlich genervt.

»Aber wenn er nicht aufmacht.«

»Vielleicht ist er nicht da!« Timo hatte sich etwas im Ton vergriffen, was er direkt bereute. Svenja drehte sich von ihm weg, stemmte ihre Fäuste in die Hüften und schmollte. Plötzlich ging die Tür auf.

»Hallo?« Die Tür sprang auf und Svenja stürzte, ohne sich abzufangen, zu Boden. Timo und Sabine konnten sich gerade noch das Lachen verkneifen, als ihnen auffiel, dass die Person, die die Tür geöffnet hatte, ein Mann um die vierzig war, der nur mit Boxershorts da stand und abwechselnd Timo, Sabine und wieder Svenja anstarrte. Dann beugte er sich hinunter zu Svenja und versuchte ihr aufzuhelfen.

»Svenja? Was machst du hier? Wissen deine Eltern, wo du bist?«

Kurz angebunden murmelte Svenja ein genervtes »Ja« und wandte sich dem Boden wieder zu.

»Wirklich? Nicht wie das letzte Mal, als du von zu Hause abgehauen bist und mich nur besuchen wolltest?«

»Markus, ich war sieben Jahre alt und ich wollte halt meinen Onkel besuchen!«

»Kommt rein. Ich ziehe mich schnell um. Du weißt ja, wo alles steht.« Nachdem er ausgesprochen hatte ging er nach oben und Svenja, Timo und Sabine betraten das Wohnzimmer.

»Ich wusste nicht, dass er dein Onkel ist«, warf Timo ein.

»Ist er auch eigentlich nicht. Aber ich habe ihn Onkel Markus genannt und so wurde er mein Nennonkel.«

»Um genau zu sein, war es Onkomar, weil sie Onkel Markus nicht aussprechen konnte.«

Markus war wieder in der Tür zum Wohnzimmer erschienen und lächelte allen zufrieden zu.

»Wenigstens hast du jetzt was an.«

»Ich hatte Nachtschicht. Aber setzt euch doch.« Er deutete auf die dunkelblauen Sofas und ging in Richtung Küche davon. »Wollt ihr was trinken?«

»Was hast du denn?«

»So ziemlich alles, was du magst. Wasser, Limo, Cola, Apfelschorle, Saft, Schnaps.... Natürlich bekommst du den nicht. Außer die anderen beiden vielleicht, aber so früh sollte selbst ein Erwachsener nichts Alkoholisches trinken. Also, wie steht's?«

»Apfelschorle?« Sabine antwortete vorsichtig für die beiden anderen mit, wurde jedoch durch ein Nicken bestätigt.

Nach wenigen Minuten kam Markus mit vier Gläsern aus der Küche zurück und setzte sich zu seinen Besuchern.

»Also, was führt euch hier her?«

»Du kennst doch meinen Freund und …«

»Du brauchst nicht weiter zu erzählen. Ich habe es schon mitbekommen. Was genau ist denn passiert? Dein Freund - Wie hieß er noch? Sebastian? - ist vielleicht ein wenig stur.«

»Er hat sich mit einem meiner Freunde geprügelt. Der lag deswegen im Koma. Ich habe versucht, ihn aufzuhalten, aber Basti war betrunken …«

Markus hörte genau zu und nickte ab und zu. Während Svenja sprach, sah sie die Bilder wieder vor ihren Augen. All diese Gedanken ließen zu, dass Svenja Tränen aus den Augen flossen und von ihren Wangen tropften. Sie wischte sich mit den Händen die Tränen aus dem Gesicht, doch es half nichts.

Svenja wollte nicht vor ihren Freunden weinen. Sie fand es furchtbar, dass Timo und Sabine sie anstarrten und hatte die Befürchtung, dass auch Markus es tat. Doch er tat es nicht. Stattdessen ging er zu ihr, setzte sich auf das Sofa und nahm sie in den Arm. Immer noch das Gesicht in den Händen vergraben ließ sie sich an ihren Onkels sinken und schluchzte weiter.

Mehrere Minuten vergingen, wenn nicht sogar eine Stunde, bis sich Svenja wieder beruhigt hatte. Mitleidig sah Markus ihr nun ins Gesicht und versuchte herauszufinden, warum Svenja zu ihm gekommen war. Doch er hatte bereits eine Ahnung.

»Svenja, vielleicht kann ich dir helfen, indem ich versuche herauszufinden, wie die Ermittlungen laufen. Mehr kann ich im Moment nicht tun, außer hoffen, dass alles wieder gut wird. Um Schlimmeres zu verhindern, denke ich, dass sich dein Freund der Polizei stellen sollte.«

»Das ist zumindest ein Anfang. Ich hoffe, falls er gefasst wird, dass du ihm helfen kannst. Denn er ist unschuldig, zumindest das, was mit den Drogen passiert ist. Das musst du mir glauben!«

»Ich glaube dir. Aber es zählt nicht, was ich glaube, nicht in so einem Fall. Außerdem ist das nicht mein Zuständigkeitsbereich. Du weißt doch, dass ich mit anderen Sachen zu tun habe.«

»Was denn zum Beispiel?«, wollte Timo wissen, der ein wenig neugierig geworden war.

»Das ist unwichtig«, gab Markus ausweichend zurück.

»Hauptsächlich arbeitet er an Fällen, die andere nicht bearbeiten wollen. Er angelt sich die großen Fische, verstehst du? Markus, Timo wird auch Polizist. Er ist noch in der Ausbildung«, erklärte jetzt Svenja, was Markus absolut nicht zu passen schien.

»Wenn ich also, theoretisch, eine Ahnung von einem ganz großen Fisch hätte, wenn ich etwas herausgefunden hätte, dass dieser große Fisch etwas mit Basti zu tun hat. Wäre es dann nicht Ihr Zuständigkeitsbereich?«, wandte sich Timo an Markus.

»Theoretisch ja.«

»Perfekt, dann können Sie uns mehr helfen, als ich gedacht hatte.«

»Worauf spielst du an?« Markus schien interessiert zu sein.

»Ich sage es Ihnen, aber nicht vor den beiden. Es wäre zu gefährlich. Basti hat mich davor gewarnt und ich bin da so rein gerutscht.«

»Na schön, dann gehen wir in die Küche.« Svenja und Sabine tauschten verwirrte und enttäuschte Blicke aus und ließen sich noch tiefer ins Sofa sinken, während Timo und Markus in die Küche gingen. Doch bevor die beiden einen erneuten Versuch starten konnten, schüttelte Markus langsam den Kopf und deutete ihnen so, nicht weiter nachzuhaken.

»Also, was wolltest du vor den Damen nicht erzählen?«

»Sebastian war vor ein paar Tagen bei mir. Er versuchte, mir etwas zu erklären, ohne viel Zeit zu verschwenden. Ich soll einen Polizisten finden, der nicht in der Sache mit drin hängt. Zuerst habe ich auch nicht verstanden, was er meinte, bis ich das gefunden habe.« Er zog einen kleinen Stapel Blätter aus seinem Rucksack und streckte sie Markus entgegen. »Das sind Ausdrucke von Internetseiten. Ich habe sie gestern Abend entdeckt, als ich nach der Gruppe gesucht habe, die mir Basti beschrieben hat.«

»El Kontaro?«

»Ist Ihnen die Gruppe bekannt?« Markus beäugte Timo misstrauisch.

»Das ist eine der größten ..., woher weißt du davon?«

»Also ich mache auch eine Ausbildung zum Polizisten und na ja, Basti hängt dort mit drin. Ich weiß, dass die Gruppe aus Amerika stammt, das wars aber auch schon.«

»Das ist wahr, aber es ist nicht gut, zu viel zu wissen. Menschen haben ihr Leben verloren, weil sie zu viel über Sachen wussten, die sie besser vergessen hätten.«

»Ich sollte etwas ausrichten, wenn ich einen Polizisten gefunden habe, der nicht in dieser Sache mit El Kontaro drinsteckt.«

»Irgendwie hänge ich da schon mit drin. Ich kümmere mich schon länger um den ein oder anderen Fall.«

»Dann wird es Sie vielleicht interessieren, dass es El Kontaro mittlerweile nicht nur in Amerika gibt.«

»Auch das ist mir bekannt. Es gibt jedoch Dinge, die gerade für einen jungen Polizisten in Ausbildung zu viel sind.«

»Aber Basti steckt da drin und er wird es aus erster Quelle erfahren haben. Er kommt gebürtig aus Amerika und ist zu seiner Tante. Noch was, ich musste ihm versprechen, dass ich auf Lea aufpasse, weil er das jetzt nicht kann.«

»Wer ist Lea?«

»Sie ist die beste Freundin von Basti und ich glaube, dass sie mehr weiß. Ich mache mir Sorgen, dass ihr etwas zustoßen könnte.«

»Wenn sie mehr weiß als du, könnte es tatsächlich gefährlich für sie werden. Du weißt schon zu viel.«

»Ich musste es herausfinden. Jetzt verstehe ich zumindest, warum Basti damals aus Amerika geflohen ist und zu seiner Tante kam. Er hatte immer Fetzen aus seiner Vergangenheit erzählt, woraus ich nie schlau geworden bin.«

»Ich frage mich, wie er unbemerkt mit der Reisegruppe zurück nach Deutschland gekommen ist.« Timo trat einen Schritt zurück.

Er hielt Markus fest im Blick, woher wusste er, wie Basti geflohen war? War er etwa doch einer von El Kontaro? Jetzt, da er sowieso schon alles verraten hatte, wollte er es darauf ankommen lassen.

»Woher wissen Sie, wie Basti geflohen ist?«

»Du hast das doch eben erwähnt.«

»Habe ich nicht. Bis jetzt wusste ich es selbst nicht.«

»Okay.« Markus schien hin und her gerissen, wieviel er von sich geben sollte. Er hatte sich bereits viel zu weit aus dem Fenster gelehnt. Daher machte es nun auch keinen Unterschied mehr. »Ich kenne Sebastian Schwalbach schon lange, zumindest seine Akte. Er ist einer meiner Fälle. Es gibt ein paar Unklarheiten, aber sein Leben ist uns bekannt. Falls deine nächste Frage sein sollte, wer ich bin, oder wofür ich arbeite, kann ich sie dir nicht beantworten. Du weißt, dass ich nicht zu El Kontaro gehöre und das genügt fürs erste. Tu mir einen Gefallen, schnapp´ dir deine Freundin und Svenja und fahr so schnell wie möglich nach Hause. Erzählt niemandem von diesem Treffen und kommt nicht wieder her, ich werde das nächste Mal woanders sein. Ich werde euch helfen und melde mich. Du brauchst mir deine Adresse und Nummer nicht geben, ich finde sie schon heraus. Am besten ist, ich rufe einen meiner Leute an, der euch nach Hause bringt. Sieh mich nicht so fragend an. Ich weiß, dass du viele Fragen hast, aber es ist nicht gut, wenn du zu viel weißt. Pass auf Svenja auf. Ich kenne sie, sie wird Nachforschungen anstellen, sie wird dich ausquetschen. Beschütze sie und Lea. Ich kenne sie noch nicht, aber vielleicht kann sie einige Sachen aufdecken, die im Untergrund geblieben sind. Hast du alles verstanden?«

Timo nickte und er hoffte, dass er tatsächlich dem Richtigen erzählt hatte, was er wusste.

»Gut. Ich weiß, dass sich Sebastian in Köln aufhält, aber ich weiß nicht wo. Er wird sich gut verstecken. Hindere Svenja daran, ihn zu suchen und erzähl ihr das auf keinem Fall.«

Kurz darauf gingen sie zurück ins Wohnzimmer, wo Svenja und Sabine bereits auf sie warteten.

»Wir gehen«, verkündete Timo

»Wieso gehen wir schon? Wir sind doch noch gar nicht so lange hier!« Sabine verstand nicht, warum sie so plötzlich aufbrechen sollten.

»Markus, ich will wissen, worüber ihr gesprochen habt!« Svenja war aufgesprungen und sah ihren Onkel durchdringend an.

»Das brauchst du diesmal nicht zu wissen. So leid es mir auch tut, ich kann es dir nicht erzählen.«

Svenja machte wieder eine Andeutung aufbrausend zu reagieren, doch die Stimme ihres Onkels war laut und über jede Diskussion erhaben.

»Ich habe nein gesagt, Svenja! Du kennst die Regeln und du weißt, dass ich darüber nicht sprechen kann! Und hör mir jetzt zu!« Er packte sie an beiden Armen und sah ihr eindringlich in die Augen. »Du hältst dich von dunklen Orten fern, du gehst nicht allein aus dem Haus, fahre mit niemandem mit, egal wer es ist außer deinen Eltern und diesem jungen Mann hier, der scheint in Ordnung zu sein. Ich werde wieder wegziehen. Du musst mir versprechen nicht mehr nach mir zu suchen, ist das klar?«

Völlig eingeschüchtert nickte Svenja.

»Aber …«

»Svenja, bitte, du bringst alle in Gefahr. Es ist besser, wenn du nichts weißt. Euch wird gleich ein Wagen abholen. Ihr steigt ein und fahrt ohne Umwege nach Hause.«

»Machen wir, kommt. Lasst uns an die Tür stellen.«

»Timo.« Markus fasste ihm an die Schulter. »Viel Glück. Gib das Sebastian, wenn du ihn siehst. Er wird wissen, dass du deinen Auftrag erfüllt hast und er soll es tragen.« Er streckte ihm eine kleine Dose entgegen, woraufhin Timo nickte und die Dose an sich nahm.

»Was ist da drin?«

»Nichts, was für euch wichtig sein könnte. Er wird es wissen.«

Schließlich verabschiedeten sie sich. Auch Svenja, die einsehen musste, dass es keinen Grund gab, sauer auf ihren Onkel zu sein, umarmte ihn. Auch, als Sabine Anstalten machte, noch einmal nachzufragen, war es nun Svenja, die sie davon abhielt. Zu gerne hätte sie es gewusst, doch Markus wurde nur dann so ernst, wenn es wirklich schlimm war, deswegen unterließ sie weitere Versuche.

Endlich kam der Wagen und die drei stiegen ein. Kaum hatten sie die Türen hinter sich geschlossen redeten Sabine und Svenja lautstark auf Timo ein.

»Ihr habt Markus Warnung gehört! Svenja, ich würde es dir erzählen, wenn ich davon überzeugt wäre, dass du nicht in Gefahr bist.«

»Timo, ich kann auf mich selbst aufpassen!«

»Ich möchte mich nicht mit dir streiten. Ich habe Sachen erfahren, die ich besser für mich behalten sollte. Bitte frag auch nicht mehr danach und ab jetzt sprechen wir auch nicht mehr darüber.«

Beide nickten zwar, doch Timo wusste, dass es nicht das letzte Mal war, dass sie sich darüber unterhielten. Er kannte Svenja. Davon abgesehen würden sie es aber wahrscheinlich noch früh genug erfahren.

Gelangweilt lehnte sich Svenja ans Fenster und sah hinaus. Die Bäume und Sträucher zogen rasch an ihnen vorbei. Als sie an der Ampel hielten, sah sie ein junges Paar im Auto neben sich und beobachtete es. Auf der Rückbank saß ein Kleinkind im Kindersitz und lächelte der Mutter zu, die sich nach hinten gebeugt hatte, um mit ihrem Kind zu spielen. Vorne saß der Vater am Steuer und lächelte im Rückspiegel zurück. Svenja brachte ein zittriges Lächeln hervor und träumte von einer Zukunft, die sie mit Sebastian vielleicht niemals haben würde. Es tat ihr weh, zu sehen, dass andere glücklich waren, während ein großes Unrecht geschah und doch wandte sie ihren Blick nicht ab.

Die Ampel wurde wieder grün und sie fuhren los. Dann vibrierte Svenjas Handy. Sie nahm es in die Hand. Eine Nachricht von Unbekannt.

Wir müssen uns treffen.

Stutzig zeigte sie Timo die Nachricht. Er antwortete für sie.

Wer ist da?

Die Antwort ließ nicht lange auf sich warten.

Ich vermisse dich.

Timo fand das seltsam. Klar, es könnte Sebastian sein, doch so dumm war er doch nicht.

Ich habe jemanden gefunden, der nicht mit drin steckt, schrieb Timo abermals.

Diesmal dauerte es länger, bis eine Antwort kam.

Timo?

Es musste Sebastian sein. Denn sonst wusste keiner von dem Gespräch.

Wo bist du?

Nicht mehr in eurer Nähe. Hat lange gedauert. Frag Svenja, ob sie noch weiß, wo wir uns damals getroffen haben.

»Weißt du noch, wo du Basti zum ersten Mal getroffen hast?« Svenja nickte.

»Das war hier in Köln. Nicht weit weg.«

Sie weiß es.

Ich kann heute Nachmittag dort sein, schrieb Sebastian zurück.

Wir sind in der Nähe.

»Svenja, wie weit ist es von hier?«

»Mmmmh, etwa zehn Minuten zu Fuß.«

Wir können in zehn Minuten da sein.

Das schaffe ich nicht. Aber ich werde kommen.

Das dunkelblaue Auto neben ihnen bog rechts ab und sie fuhren weiter geradeaus. Timo wandte sich nun an den Fahrer.

»Wir werden hier aussteigen.«

»Ich habe Anweisungen, Sie zu Hause abzusetzen«, erklärte der Fahrer, während er vor der nächsten roten Ampel hielt. Timo ergriff diese Möglichkeit und öffnete die Beifahrertür.

»Wir steigen aus!«

Verdutzt sahen die beiden auf der Rückbank Timo an. Reagierten jedoch und folgten ihm. Der Fahrer blieb zurück und informierte Markus, konnte die Drei jedoch nicht zurückhalten.

Timo erzählte auf dem Weg, dass sie sich gleich mit Sebastian treffen würden, während Svenja sie führte.

Endlich kamen sie an einem Park an, der wunderschön hergerichtet war. Er war beinahe menschenleer. Ihre Blicke blieben an einem kleinen Brunnen hängen, an dem zwei Kinder im Wasser spielten und sich gegenseitig nass spritzten. Einige Leute im Umkreis sahen die

Kinder missbilligend an, da sie ebenfalls nicht vom Wasser verschont blieben.

Sie setzten sich an den Brunnen und machten eine Pause, während sie sich weiter unauffällig umsahen. Nachdem sie bereits mehr als zwanzig Minuten dort warteten, bemerkten sie eine Person, die etwas abseits neben einem Busch stand und eine Kappe trug. Dieser hob den Kopf und ließ seinen Blick nach hinten, rechts und links wandern, als ob er sich verfolgt fühlen würde. Dann sah er geradeaus und erblickte seine Freunde.

Flucht vor der Polizei

Auch die Freunde bemerkten ihn. Sebastian deutete mit dem Kopf auf einen Punkt hinter sich und verschwand wieder. »Langsam Mädels, seid wie immer!« Gemeinsam folgten sie Sebastian. Basti blieb mit dem Rücken zu seinen Freunden stehen.

»Svenja!« Sie stürmte auf ihn zu und umarmte ihn. Sofort fing sie an zu weinen und presste ihren Kopf an seinen Rücken.

»Basti, wir müssen hier weg!«, schluchzte sie.

»Ich weiß.«

»Lasst uns in die U-Bahn gehen. Da sind um diese Zeit viele Menschen und wir fallen nicht auf.« Timo dachte kurz über den Vorschlag seiner Freundin nach. Dann nickte er zustimmend.

Sie gingen durch den Park zur nächsten U-Bahn-Station. Svenja sah Sebastian an. Ihre Augen waren rot und aufgequollen. Das waren sie in letzter Zeit sehr oft, da sie immerzu geweint hatte. Unsicher, was sie nun machen sollte, neigte sie ihren Kopf zu Boden.

»Basti, warum die Nachricht? Du musst dich verstecken!« Timo konnte nicht verstehen, warum Sebastian solch ein Risiko einging.

»Ich … ich brauchte einfach jemanden und ich habe einen Entschluss gefasst.« Basti senkte seinen Blick.

»Ich wusste nicht, dass ihr hier seid. Das war Glück. Sonst hätten wir uns morgen vielleicht gesehen.«

Svenja versuchte ihr Gesicht in ihren Händen zu vergraben, damit niemand mehr ihr verweintes Gesicht sah. Sebastian sah sie an und sein Herz brannte vor Schmerz. So gerne hätte er ihr alles erzählt, sie geknuddelt und geküsst, doch das konnte er nicht, wenn er sie von sich fernhalten wollte. Ihm kamen die Tränen, als er Svenja hilflos vor ihm stehen sah. Schließlich siegte die Liebe zu ihr über die Vernunft und er drückte sie fest an sich. Er schmiegte seinen Kopf an ihren und versuchte sie zu trösten.

»Es tut mir leid. Ich habe das nicht gewollt.«

»Das weiß ich.« Svenja sah nun auf. »Wenn das vorbei ist, erzählst du mir alles?«

»Du bist einer der wichtigsten Menschen in meinem Leben. Ich will dir nicht wehtun.« Er schob Svenja ein Stück von sich weg. »Vergiss mich bitte. Ich will, dass du glücklich bist.«

»Was meinst du damit?«

»Ich will, dass du mich vergisst! Hast du das verstanden?« Svenja starrte Basti entsetzt an.

»Du willst nicht mehr mit mir zusammen sein?«

Er versuchte, seinen Blick ausdruckslos wirken zu lassen, doch man konnte ihm den Schmerz ansehen, der diese Handlung ihm bereitete. Timo und Sabine standen daneben und hatten mit dieser Wendung nicht gerechnet.

»Ich will, dass du sicher bist. Wenn wir zusammen sind, ist es für dich zu gefährlich. Du kannst das nicht verstehen.«

»Dann erklär es mir! Ich kann auf mich aufpassen!«

»Das kannst du nicht! Irgendwann erfährst du alles. Aber nicht hier und nicht heute.«

»Die Leute, die hinter dir her sind«, sie machte eine kurze Pause, um die richtigen Worte zu finden. Mehrmals atmete sie tief durch. »Nicht die Polizei, sind die gefährlich? Ich meine, könnte es sein, dass wir uns nicht wiedersehen?«

Sie zitterte am ganzen Körper. Sebastian wusste nicht, was er darauf antworten sollte. Ihm war klar, wenn die Handlanger von El Kontaro ihn zu fassen kriegten, könnte es sich bewahrheiten, was er befürchtet hatte. Er selbst glaubte nicht daran, dass die Sache gut ausgehen würde, dennoch versuchte er, ein Lächeln aufzusetzen, um Svenja nicht zu beunruhigen.

»Irgendwann sehen wir uns wieder.«

»Du hast meine Frage nicht beantwortet!«

»Timo, ich bitte dich, pass auf sie auf. Und auf Jan und Lea. Ich kann euch nicht mehr beschützen.«

»Was ist, wenn du stirbst?«

»Svenja.« Basti sah sie traurig an.

»Warum tust du das? Warum verlässt du mich?!«

Sebastian zog sie an sich heran und gab ihr einen Kuss auf die Stirn.

»Damit du leben kannst.«

Sie sah ihn an. »Versprich mir, dass wir uns wiedersehen.«

Er zögerte einen Augenblick, bevor er weitersprach. »Wir sehen uns wieder. Ich muss jetzt gehen. Lass den Kopf nicht hängen und weine nicht den ganzen Tag. Ich möchte, dass du wieder lächelst.« Svenja lächelte ihn traurig an, nickte jedoch.

»Basti, ich habe noch was für dich. Ich weiß nicht, was drin ist, aber ich habe jemanden gefunden, der nicht mit drinsteckt, hoffe ich zumindest. Er meinte, du wirst wissen, was das bedeutet.«

Timo zog das Kästchen aus der Tasche und gab es Sebastian in die Hand, welcher es unverzüglich öffnete. Darin befand sich ein kleiner Anhänger mit den Initialen A.D. und eine Schleife auf der etwas geschrieben stand.

»Was bedeutet das?«

Basti lächelte Timo an und sah wieder auf den kleinen Anhänger.

»Das ist der Anhänger von Alina.«

»Wer ist Alina?«, erkundigte er sich.

»Sie ist ein kleines Mädchen, das ich in Amerika kennen gelernt habe.«

»Und wieso sollte ich dir das geben?«

»Ich habe immer gedacht, sie sei bei einem Autounfall ums Leben gekommen. Aber es sieht so aus, dass sie noch lebt.«

»Wer ist das?«

»Ihre Mutter hat sich eine Zeit lang um mich gekümmert, bevor ich geflohen bin. Als meine Tante sich vor der Adoption bei der Mutter bedanken wollte, erfuhr sie vom Tod von Alina und ihrem Vater.«

»Weißt du was damit anzufangen?«

»Wartet mal kurz ihr zwei. Ich muss mit Timo allein reden.«

»In Ordnung.« Sabine verdrehte die Augen, sagte aber sonst nichts weiter dazu.

Sie gingen ein paar Meter weiter und setzten sich auf eine Bank.

»Was gibt es noch? Warum sollen die beiden das nicht hören?«

»Du weißt, dass ich aus Amerika komme und du weißt auch, dass ich illegal eingewandert bin. Das wurde zwar im Nachhinein geklärt, aber na ja. Als meine Mutter gestorben ist, bin ich auf der Straße gelandet. Ich habe mich einer Gruppe angeschlossen, für mich war es die einzige Möglichkeit zu überleben. Ich habe gestohlen und mit Drogen gedealt. Ich schäme mich dafür, doch damals sah ich keinen anderen Weg. Als ich herausgefunden habe, was das für eine Gruppe ist, wollte ich aussteigen. Sie haben mich zusammengeschlagen und wollten mich umbringen. Alina hat mich gefunden und hat ihre Mutter geholt. Sie hat mich aufgepäppelt und für mich gesorgt. Sie erklärte mir, dass ihr Sohn und ihr Mann in Deutschland seien und sie mit ihrer Tochter nachfliegen würde, wenn ihr Mann alles geregelt hätte. Doch dann fand sie heraus, vor welcher Gruppe ich versuchte wegzulaufen und so schenkte sie mir wenig später ihr Flugticket. Sie erzählte ihrem Mann, es sei gestohlen worden und sie würde nachkommen. Daraufhin ist der Mann mit dem Sohn zurück nach Amerika gekommen und wollte sie abholen. Sie haben sich geeinigt, alle zusammen zu fliegen. Währenddessen bin ich in Deutschland gelandet. Mich hat natürlich sofort die Polizei geschnappt und ich bin nach langem hin und her, zu meiner Tante gekommen. Später habe ich erfahren, dass der Mann zusammen mit der Tochter tödlich verunglückt sei. Ich gab mir die Schuld dafür und machte mir Vorwürfe. Auch heute noch. Wenn ich ertrunken wäre, dann wäre das alles nicht passiert. Ich fühle mich schrecklich deswegen. Sie hat mir das Leben gerettet und ich habe ihres zerstört. Es hat mich immer belastet und auch noch heute träume ich davon.«

»Sind sie denn irgendwann nach Deutschland gekommen?«

»Drei Jahre später, als ich dreizehn wurde. Zwei Jahre vorher habe ich Lea kennen gelernt. Sie hatte eine Auseinandersetzung mit ein paar Jungs. Ich habe sie verdroschen, ähnlich wie bei Svenja. Wir haben uns angefreundet und ich habe ihr alles erzählt, sogar von El Kontaro. Sie weiß fast alles. Sie hat mir versprochen es niemandem zu erzählen. Ich wusste nicht, wie gefährlich die Gruppe war. Jedenfalls ist die Familie hierhergezogen. Ziemlich in meine Nähe. Die Frau hat neu geheiratet. Aber die Ehe war nicht so toll, wie sie es sich erhofft hatte. Der Mann schlug sie und seinen Stiefsohn. Sie ist nie von dem weggekommen. Das schlimmste für mich war, dass Lea sich in den Typen verliebt hat und ihn täglich traf. Die zwei passten wirklich gut zueinander. Aber der Stiefvater verbot ihm den Kontakt zu Lea, erzählte ihm Lügen und schlug ihn, bis er Lea nicht mehr sehen wollte. Der Junge war gemein zu ihr. Sie heulte sich bei mir aus, ich hasste den Typen dafür. Aber sie wusste nicht, was für ein Mensch sein Stiefvater war. Dann waren wir plötzlich in der gleichen Clique. Ich bin mit ihm immer wieder angeeckt, weil er Lea so fertig gemacht hat. Obwohl ich dafür verantwortlich war. Wäre ich nicht mit dem Flug gekommen, würde Jans Vater noch leben und seine Schwester auch und sie wären glücklich. Ich bin schuld. Ich habe Jans Leben zerstört und er weiß es nicht einmal.«

Für einen kurzen Moment fehlten Timo die Worte. Nach so einer Geschichte war das aber auch normal.

»Und Jans Stiefvater? Wer ist das?«

»Ich habe lange gebraucht, um zu verstehen, dass dieser Jack, der gleiche Jack ist, der versucht hat, mich zu töten. Er hat Marlene nur geheiratet, um nach Deutschland zu kommen. Ich habe sie gewarnt, aber es war zu spät. Ich wollte zur Polizei gehen, aber ich musste leider feststellen, dass El Kontaro mehr Anhänger hatte, als ich gedacht habe. Ich war noch jung, als ich mit ihnen zu tun hatte. Ich hatte keine Ahnung, wie mächtig diese Gruppe ist.«

»Du hast das alles für dich behalten?«

»Außer Lea und Marlene kennt niemand diese Geschichte, bis heute.«

»Hat dir Marlene Vorwürfe gemacht?«

»Für sie war ich wie ein Sohn. Sie ist stolz darauf gewesen, dass ich ein Zuhause gefunden habe und sie mir eine Zukunft ermöglicht hat. Aber zu welchem Preis?«

»Du musst ihr erzählen, dass ihre Tochter noch lebt. Weißt du, wo sie ist?«

»Ich hoffe nur, sie ist in Sicherheit. Timo, da gibt es noch etwas, was ich rausgefunden habe.«

»Was denn? Sag´ schon!«, forderte er seinen Freund auf.

»Meine Mutter war mit diesem Jack zusammen.«

»Und?«

»Sie war immer nur mit meinem Vater zusammen. Plötzlich ist sie mit mir verschwunden. Sie hat mir als Kind immer von ihm erzählt, auch, wenn ich ihn mir anders vorgestellt hätte.«

»Glaubst du, Jans Stiefvater könnte dein richtiger Vater sein?«

»Ich habe bei meiner Tante ein Foto von Jack gefunden, deswegen meine Vermutung, also ja.«

»In dem Fall wäre Jan dein Stiefbruder, also rein theoretisch.«

»Das weiß ich. Aber er weiß es nicht und das ist auch gut so. Ich wollte alle beschützen. Aber das war nur ein Traum. In welchem Leben hätte ich das können?«

»Wie kannst du das für dich behalten? Weiß denn Lea davon?«

»Das ist das Einzige, was sie nicht weiß.«

»Und wieso wollte dir die Polizei Drogen unterjubeln?«

»Ich habe keine Ahnung. Vielleicht können sie mich im Gefängnis besser kontrollieren oder bestechen einen Insassen, der sowieso lebenslänglich hat, mich umzubringen. Ich habe mir die letzten Tage so viele Gedanken gemacht. Aber ich stehe ganz allein da. Selbst ihr könnt mir nicht helfen. Ihr bringt euch nur selbst in Gefahr.«

»Glaubst du, ich kann noch tiefer drinstecken, als ich es jetzt tue? Ich weiß so ziemlich alles und das ist eine Menge.«

»Glaub mir, das Loch hat keinen Boden!«

»Basti!« Sebastian und Timo drehten sich ruckartig um, als Svenja Sebastian am Ärmel zupfte und seinen Namen flüsterte. Zwei Polizisten in Zivil kontrollierten die Gesichter Jugendlicher und junger Erwachsener, die sich ebenfalls in der U-Bahn-Station befanden. Sie waren nur noch wenige Meter entfernt, als sie auf Svenja und Sabine aufmerksam wurden. Svenja drehte sich von Sebastian weg und blickte den Zivilpolizisten an.

»Entschuldigt bitte die Störung, habt ihr diesen jungen Mann gesehen?« Sie zeigten ihnen ein Fahndungsfoto. Doch die beiden schüttelten den Kopf.

»Tut mir leid.«

Als nächstes gingen sie zu Timo und Sebastian hinüber. Sebastian wurde nervös, doch Timo hielt seine Schulter und nickte ihm beruhigend zu. Wieder zeigten die Polizisten das Foto. Sebastian, der immer noch die Kappe trug, versuchte, unauffällig sein Gesicht damit zu verbergen. Auch er schüttelte den Kopf. Als die beiden weitergingen, versuchte sich Sebastian vorsichtig abzusetzen, lief jedoch einer dritten Zivilstreife in die Arme. Dieser erkannte ihn sofort.

»Haben wir dich endlich! Ganz ruhig! Weglaufen bringt dich nicht weiter«, erklärte dieser mit einem hinterhältigen Grinsen im Gesicht.

Doch Sebastian dachte nicht daran, sich fassen zu lassen. Er stieß den Polizisten zur Seite. Dieser schien davon wenig beeindruckt zu sein, stieß Basti zu Boden, kniete sich auf seinen Rücken und versuchte ihm Handschellen anzulegen. Die Umherstehenden kamen neugierig näher, um besser sehen zu können, was sich dort abspielte. Der Beamte zog Sebastian hoch, so dass dieser in Handschellen auf dem Boden hockte. Er funkte einen Wagen an. Auch die beiden anderen Polizisten kamen nun herbei.

»Es ist alles in Ordnung. Bitte machen Sie Platz und lassen Sie uns durch.« Sie hatten Mühe, einen Durchgang durch die Meute zu finden. »Komm schon, Junge!«

Sebastian warf einen letzten Blick auf seine Freunde, die ihm besorgt hinterher sahen. Dann ging er davon. Als sie die oberste Stufe der Treppe erreicht hatten, ergriff Sebastian die Chance, die sich ihm bot, und konnte sich durch einen unachtsamen Moment lösen und lief, mit auf dem Rücken fixierten Armen, davon.

»Bleib stehen!«

Basti war jedoch davon gesprintet. Sobald die Polizisten außer Reichweite waren, gingen auch Timo, Svenja und Sabine schnellen Schrittes davon und hofften, dass alles gut werden würde. Hinter der Station blieben sie an einer Bushaltestelle stehen. Ein Aufgebot an Polizeiautos raste über die Straße. Svenja atmete schwer. Timo hielt beide in den Armen und blickte sich besorgt um.

»Wir waren unvorsichtig und hätten nicht solange reden sollen.«

»Das konnte niemand ahnen«, erklärte Sabine, nachdem sie sich etwas beruhigt hatte.

»Doch, wir hätten uns verstecken sollen. Kommt, lasst uns verschwinden. Wir werden uns im Gehen nach Sebastian umsehen.«

»Da ist er.« Sabine war die erste, die ihn entdeckte.

Sie deutete auf die große Wiese im Park. Sebastian rannte, so schnell er konnte, dicht gefolgt von vier oder fünf weiteren Polizisten.

»Stehen bleiben!«

»Warum gibt er nicht auf? Er glaubt doch nicht ernsthaft, dass er denen entkommen kann.« Sabine verstand die Situation nicht.

»Glaubst du, die werden auf ihn schießen?« Fragend sah Svenja zu Timo hinauf, der sie immer noch im Arm hielt.

»Nein! Basti soll sich stellen und dann kann er das doch alles erklären.«

»Sabine, es reicht. Er weiß nicht, was er machen soll. Er hat keine Wahl, als es zu versuchen. Sie haben ihn als gefährlich eingestuft. Ich weiß nicht, was er alles getan haben soll. Vielleicht dürfen sie auf ihn schießen.«

Sebastian stolperte und fiel zu Boden. Gespannt hielten die Freunde die Luft an. Doch bevor die Polizisten ihn erreichen konnten, rappelte er sich auf. Nicht einfach, in Handschellen und es kostete ihn eine Menge Kraft.

Es kamen auch Polizisten von vorne. Er wich ihnen aus, doch er wusste, dass er das nicht lange aushalten konnte. Die Straße wurde mittlerweile von Schaulustigen und Polizisten bevölkert, die ihm eine Flucht noch erschwerten. Basti rannte ungebremst in die Menge hinein, doch da diese fluchtartig auseinandersprang und so die Polizisten unbewusst wegdrängten, konnte er durch die Meute hindurch rennen.

Sebastian blieb eine Sekunde lang stehen, um sich umzudrehen und zu überprüfen, wie dicht sie ihm auf den Fersen waren. Lief jedoch schnell weiter.

Er rannte auf eine Kreuzung zu, die, wie er zu spät bemerkte, sehr stark befahren wurde. Er hoffte, dass die Ampel für ihn grün wurde, doch sie blieb rot. Dennoch rannte er hinüber.

»Bleib stehen!«, brüllte einer der Polizisten ihm hinterher.

Für einen Bruchteil einer Sekunde blieb er erschrocken stehen und ein Auto erfasste ihn. Er wurde zur Seite geschleudert. Unfähig sich abzufangen und den Sturz abzubremsen blieb er auf der Straße liegen.

Hinterhalt

Welche Wahl habe ich,
was kann ich tun, um das zu verhindern.
Nichts! Ich habe keine Wahl!

Der Fahrer des Wagens stieg aus und wollte sich um Sebastian kümmern.

»Wir machen das schon!«, warf ein Polizist ein.

»Ruft einen Rettungswagen!« Eine Polizistin schien um Sebastian besorgt zu sein.

»Der rührt sich noch, kontrolliere die Handschellen, bevor er wieder zu sich kommt!« Auffordernd baute sich einer der Polizisten vor der jungen Polizistin auf. Diese überprüfte seinen Puls und löste seine Handschellen, da er verletzt zu sein schien. Vorsichtig drehte sie ihn auf die Seite. Doch er öffnete seine Augen und riss sie zu Boden. Die Frau hatte keine Chance gegen ihn, noch dazu hatte sie damit nicht gerechnet.

Mit letzter Kraft zog er ihre Waffe aus dem Holster, entsicherte diese, drückte die Frau an sich und hielt ihr die Waffe an den Kopf. Jeder Knochen in seinem Körper schmerzte, doch er wollte nicht aufgeben.

»Mach keinen Quatsch, Junge! Nimm die Waffe runter!«

»Ihr Idioten! Wie könnt ihr denn den Kerl unbeaufsichtigt lassen?«

»Sie war doch bei ihm!«

Einer der Polizisten deutete auf seine Kollegin.

»Lasst mich gehen, ich erschieße sie sonst!«, brüllte Sebastian mit zittriger, wütender Stimme.

»Mensch Junge, mach keinen Unsinn. Du hast schon genug Ärger. Willst du auf deinem Konto auch noch einen Mord haben?«

Die Polizisten rückten näher mit gezogener Waffe zu Sebastian vor. Augenblicklich löste er die Waffe vom Kopf der Frau und gab einen Warnschuss ab.

»Ich erschieße sie, wenn ihr noch einen Schritt näher kommt! Ich werde nicht mitkommen! Ich habe nicht getan, weswegen ihr mich verfolgt!«

Er presste die Frau eng an sich und stolperte rückwärts. Sein Körper zitterte von dem Adrenalin, welches ihm durch die Adern schoss. Er hatte keine Ahnung, wie es soweit kommen konnte. Doch nun konnte er nur noch versuchen, aus dieser Situation zu verschwinden.

»Ich werde jetzt gehen. Wenn ihr mir folgt, ist sie tot!«

Basti floh zusammen mit der Polizistin in die U-Bahn.

»Sperren Sie sofort alle Ausgänge ab. Ihr dürft ihn nicht verlieren!«

Unmittelbar, nachdem Basti in der U-Bahn-Station ankam, hielt eine Bahn, in der er ohne zu warten einsteigen konnte.

»Warum tust du das?«, erkundigte sich die Polizistin völlig außer Atem.

»Was?« Das seine Geisel mit ihm plötzlich sprach, verunsicherte ihn.

»Das alles.«

»Ich werde Ihnen nichts tun. Ich bin doch kein Mörder!«

»Aber du hast mich als Geisel genommen und du trägst eine Waffe. Sie werden dich erschießen, sobald sie die Chance dazu haben.«

»Ich werde niemandem etwas tun. Wenn sie mich erschießen, bitte sehr, dann hat das hier alles ein Ende!«

»Wieso stellst du dich nicht? Du könntest mit einer geringeren

Strafe rechnen.«

»Wieso sollte ich für etwas bestraft werden, das ich nicht getan habe? Das ergibt keinen Sinn.«

»Du sagst, du bist unschuldig. Warum läufst du dann davon? Meine Kollegen würden dir helfen.«

»Weil mich bestimmte Leute wiedersehen wollen, am liebsten tot.«

»Du sprichst, als ob du aus einem schlechten Film entsprungen wärst. Von der Polizei will dich niemand tot sehen. Was glaubst du, wer wir sind?« Die Beamtin konnte nicht für sich behalten, dass sie keine Ahnung hatte, wovon er sprach.

»Sie haben zu wenig Ahnung, um das zu verstehen. Die würden auch Sie erschießen, wenn Sie im Weg wären.«

»Wer denn?«

»Woher soll ich wissen, dass Sie nicht dazu gehören? Sie könnten testen, was ich weiß.«

Sebastian versuchte, aus den Fenstern zu sehen und gleichzeitig die anderen Abteile im Blick zu halten. Die Polizistin betrachtete Basti mit einem mitleidigen Blick. Sie hatte selbst Kinder und sah vor sich nur einen ängstlichen Jungen, der zumindest davon überzeugt war, falsch verdächtigt zu werden.

»Ich kann dir leider nicht helfen. Ich kann dir nur raten, dich zu stellen. Ich bin Polizistin geworden, um das Unrecht zu bekämpfen und nicht, um das Unrecht zu unterstützen.«

»Ich würde Ihnen gerne glauben, aber ich wurde schon oft reingelegt.

»Hör zu, ich habe zwei kleine Kinder. Ich würde sie doch auch nicht absichtlich in Gefahr bringen.«

Sie fuhren durch einen dunklen Tunnel. Basti stand auf und ging umher. Schließlich blieb er stehen und wippte mit den Füßen auf und ab. Ihm ging es nicht gut.

Wieder kontrollierte er das andere Abteil, dann, ohne Vorwarnung spürte er einen harten Gegenstand auf dem Kopf und sackte zu Boden.

»Wer seid ihr!« Angespannt verlangte die Polizistin eine Antwort.

»Spare dir deine Fragen!« Ein recht kräftiger, dümmlich wirkender Mann wandte sich nun der Polizistin zu.

»Eine Frau als Beschützerin, dass ich nicht lache. Na ja, wenigstens sind die Behörden zu blöd, um uns zu kriegen. Wir hätten uns nicht so anstrengen müssen«, meldete sich nun der zweite, deutlich schmalere und jüngere Kerl zu Wort.

»Es gibt noch mehr, er ist nicht allein!« Geistesgegenwärtig hatte die Polizistin die Situation erfasst und ihre Kollegen informiert.

»Wen funkst du da an? Hey du Schlampe, ich rede mit dir.«

Der jüngere Mann riss ihr an den Haaren und zog sie zu sich hin.

»Das würdest du wohl gerne wissen«, gab sie als Antwort zurück.

»Bring sie einfach um. Wir brauchen nur den Typen«,

brachte der kräftige Mann hervor, der völlig außer Atem zu sein schien.

»Das war anders geplant. Niemand hat gesagt, dass wir ihm hinterherlaufen müssen! Und jetzt ist sie hier!« Wieder zog der Jüngere der Frau an den Haaren, während er sprach.

»Lasst die Finger von ihr!« Sebastian war wieder zu sich gekommen.

»Oooh, der Kleine ist aufgewacht«, bemerkte der dümmliche Kerl.

»Bleib da liegen und halt die Schnauze!«

Sebastian machte Anstalten aufzustehen. Doch der Mann, der bei weitem kräftiger war, als er, stand direkt hinter ihm und hielt ihn nun fest an sich gedrückt, dass er sich nicht mehr rühren konnte.

»Lasst sie in Ruhe. Sie hat damit nichts zu tun!«

Der kräftige Mann klemmte jetzt seinen Arm um Sebastians Hals, sodass dieser nach Luft ringen musste.

»Ty, bring ihn nicht um. Der Chef will ihn lebend. Es war so einfach dich zu kriegen. Wie kann man so blöd sein? Hier.«

Er hielt Sebastian eine Waffe hin, die er verwirrt entgegennahm. »Komm nicht auf die Idee, mich zu erschießen. Es würde dich teuer zu stehen kommen. Außerdem ist die Kugel für die da«, knurrte er und deutete auf die Polizistin.

Als Sebastian begriff, was sie von ihm erwarteten, senkte er die

Waffe wieder.

»Das werde ich niemals tun!«

Wenig beeindruckt von Sebastians Einwand, sprach er weiter. »Doch, das wirst du.«

Das grausame Grinsen der beiden Männer wurde breiter. Nun packte der andere Sebastians Arm und legte seine Hand um seine. Er wollte sich frei strampeln, irgendwie entkommen. Wild um sich schlagend starrte Sebastian die Polizistin vor sich an.

»Lass sie gehen. Ich kenne sie nicht! Bitte, sie kann doch nichts dafür. Du Schwein!«

Basti hatte keine Zeit zu überlegen, er hatte keine Wahl. Die Polizistin würde sterben. In diesem Punkt war er sich sicher.

»Warum?«

Der Griff um Bastis Hand wurde unfreiwillig fester. Basti starrte auf die Waffe. Am liebsten hätte er alle getötet, die ihn zwangen etwas zu tun, was er nicht wollte. Voller Angst starrte die Polizistin Sebastian und die beiden anderen an.

»Bitte nicht!« Ihr Körper schien ebenfalls zu flehen.

»Ach, halt's Maul«, schrie nun dieser junge Kerl, der Sebastians Hand umschloss.

Voller Angst schloss sie die Augen. Langsam breitete sich eine Kälte in Sebastian aus, die er auch schon früher in sich gespürt hatte. Dann drückte er ab.

Eine Träne entglitt seinem Auge. Er hatte einen Menschen getötet. *›Das wollte ich nicht! Warum habt ihr mich dazu gezwungen?‹* Schließlich löste sich sein Griff und die Waffe fiel zu Boden.

In der nächsten Sekunde spürte er, wie man ihm eine Nadel in die Haut steckte. Irgendetwas wurde ihm gespritzt, sodass er zusammensackte und das Bewusstsein verlor. Anscheinend hatte Ty ihn über die Schulter geworfen und mitgenommen.

Bevor die Polizisten am Tatort ankamen, waren sie verschwunden. Alles deutete darauf hin, dass Sebastian die Polizistin kaltblütig erschossen hatte und geflohen war. Niemand wusste, was zuvor geschehen war. Was feststand war, dass Sebastian Schwalbach ein

Mörder war, der noch gefährlicher war, als alle gedacht hätten.

Nachdem die eintreffenden Polizisten keinen Puls mehr an Sebastians Opfer spürten, stellte der Notarzt nur noch den Tod der Polizistin fest.

Svenja, Timo und Sabine standen, immer noch an der Bushaltestelle, geschockt, von dem, was angeblich passiert war. Die Nachricht verbreitete sich wie ein Lauffeuer.

»Was hat er getan?« Fassungslos starrte Svenja Timo an.

»Timo, glaubst du, dass es Sebastian war?« Auch Sabine schien unsicher zu sein.

»Ich kann es nicht glauben!« Timo schüttelte energisch den Kopf.

»Er war es nicht, er würde doch so etwas nicht tun. Das glaube ich nicht. Er ist so lieb, er kann das doch nicht … ich kann das nicht … er wollte doch nur … das darf doch nicht. War…um ha..t er d…das ge…macht?« Svenja konnte sich nicht mehr beruhigen. Die Tränen liefen ihr ungehindert über das Gesicht.

»Svenja?«

»Timo, was ist mit ihr?«

Svenja stand in Trance da und faselte irgendwelche unsinnigen Sätze vor sich hin. Er wollte sie in den Arm nehmen, doch als er sie anfasste, gaben ihre Beine nach, sodass sie nur noch in seinen Armen hing.

»Bine, hilf mir«, forderte er seine Freundin auf. Sabine hielt Svenja mit fest und sie legten sie auf eine Bank.

»Svenja, geht es dir gut?«

»Timo, du musst ihre Beine hochlegen.«

»Das weiß ich.«

Svenja war blass im Gesicht. Sie entschieden sich, ihre Mutter anzurufen, um sie abzuholen. Das alles war zu viel für sie gewesen. Etwa vierzig Minuten später erschien Svenjas Vater, da er noch das Auto hatte und holte alle ab.

Timos Schachzug

Wir sind Freunde.
Ich vertraue dir, ich halte zu dir,
auch, wenn alles gegen dich spricht.

Zu Hause angekommen machte sich Svenjas Mutter nicht nur Sorgen, sie ging sprichwörtlich die Wände hoch.

»Wie konnte das passieren? Hat dieser Sebastian damit zu tun?«

»Sebastian hat nicht direkt damit zu tun. Ich weiß nicht, was sie hat. Sie ist einfach umgekippt.« Timo schien ratlos zu sein.

»Bei Stress passiert das schonmal bei ihr. Sie hat die letzten Nächte kaum geschlafen. Ich halte das nicht mehr aus!«

Timo und Sabine saßen in Svenjas Küche. Ihre Mutter schritt aufgewühlt durch den Raum, während Svenja auf dem Sofa lag. Sie griff zum Telefon, wählte eine Nummer und wandte sich kurz wieder zu den beiden anderen.

»Ich hoffe, es hat jetzt ein Ende. Ich weiß, Svenja mag diesen Typen. Aber so geht das nicht weiter.« Sie wartete ungeduldig, bis jemand abnahm.

»Hallo? ... Ich bin`s, Simone. Svenja ist hier … Ich weiß, sie waren bei dir … Genau. Ich denke, ihr geht es gut … Ja … Nein, ich werde mit ihr wegfahren ... Genau ... Es reicht jetzt ... Wir sprechen später nochmal ... Okay ... Wenn es sein muss ... Bis später.« Timo tippte auf seinem Handy herum, während Sabine Svenjas Mutter beim Telefonat beobachtete.

»Ich ertrage die Fahrzeuge nicht mehr vor unserem Haus. Die Situation nimmt überhand. Ich muss Svenja jetzt beschützen.«

»Kommt Markus?«, wollte Timo wissen.

»Später«, gab sie kurz zur Antwort.

»Komm Biene, wir gehen. Ich bringe dich nach Hause. Ich muss noch was regeln.«

»Was denn?«

»Lass das meine Sorge sein, wir gehen jetzt.« Er steckte sein Handy zurück in die Tasche.

»Na gut.«

»Wenigstens hast du einen anständigen Freund.«

Sabine senkte ihren Blick. Es war ihr unangenehm darüber zu sprechen, wenn es ihrer Freundin schlecht ging.

»Ich mache mir Sorgen um Svenja. Mein Leben lang wollte ich sie beschützen und jetzt ist sie doch vom Weg abgekommen.«

»Das stimmt nicht. Svenja ist ein netter Mensch. Sie ist unsere Freundin. Sie hat mit all dem am wenigsten zu tun. Sie hat nur das Pech, dass ihr Freund für einen Verbrecher gehalten wird. Und ich weiß, dass viele Sachen, die er angeblich verbrochen hat, nicht stimmen. Die Sache zum Beispiel mit den Drogen auf der Party. Du hattest die Jacke gewaschen, Svenja hat sie ihm mitgebracht, sie hatte die Jacke draußen hingelegt. Wann also hätte Basti die Drogen rein legen sollen?«

»Aber warum sollte jemand so etwas tun? Ich meine, ihm Drogen unterjubeln.«

»Bine, komm, wir gehen. Ich hoffe nur, dass sich bald alles klarstellt. Ich will auch wissen, was vorgefallen ist. Ich glaube es nicht, was erzählt wurde!«

Auf dem Rückweg sprach keiner ein Wort. Es herrschte eine unangenehme Stille. Sabine hätte gerne mit Timo über den Vorfall gesprochen, doch ihr fiel kein geeigneter Anfang ein. Auch ihre Gedanken drehten sich um Sebastian, Svenja, Jan, Lea und Timo. Sie wusste, dass irgendetwas vorgefallen war und dass Basti, Lea, Jan und Timo Bescheid wussten und sie im Ungewissen ließen. Timo schien über Sabine verärgert zu sein. Er ignorierte sie und war auch nicht so herzlich zu ihr, wie sonst. Doch sie wusste nicht, was sie falsch gemacht haben sollte. Svenja hatte ebenfalls keine Ahnung, da war sie sich sicher. Sonst hätte sie bei ihrem Onkel anders verhalten. Stimmt, ihr Onkel wusste anscheinend auch Bescheid. Aber er war Polizist. Bine zerbrach sich den Kopf darüber, doch kam nicht zu einer Erklärung.

»Über was denkst du nach?«, brach Timo endlich das Schweigen.

»Ach, nichts«, seufzte sie und fuhr sich über den Nacken.

»Ich mache mir auch Sorgen.«

»Das weiß ich. Aber ich möchte wissen, um was es geht. Es wissen so viele Bescheid und dennoch will mir niemand die Wahrheit sagen.«

»Wovon sprichst du?«

»Ich finde es seltsam, dass immer, wenn was mit Sebastian ist, du mit Jan reden musst. Und wenn irgendetwas mit Lea ist, spricht Jan mit dir. Lea kommt mit ihren Problemen zu mir. Aber sobald es um Jan oder Basti geht, verschließt sie sich. Ich will wissen, warum alle ein Geheimnis haben und es so schwer ist, darüber zu reden! Und heute erschießt Sebastian eine Polizistin, das ist doch nicht mehr normal! Ich will wissen, was hier vor sich geht! Du kannst mir nicht immer alles verschweigen!«

»Manchmal ist es besser so!«

»Ist das jetzt dein Ernst? Dein scheiß Ernst! Sebastian und Jan können sich nicht leiden. Jan und Lea haben sich auch gehasst, die haben sich gestritten, jeden Tag. Und jetzt, eine Woche später, sind sie zusammen. Lea rennt jeden Tag ins Krankenhaus und erzählt mir nichts mehr. Ich habe von Svenja erfahren, dass sie jetzt ein Paar sind. Und ich versteh absolut nicht, was du mit der ganzen Sache zu tun hast!« Sie zuckte mit den Schultern und signalisierte so, dass sie diese Geschichte nicht verstand. Dabei warf sie Timo einen beinahe hilflosen, jedoch ebenso fordernden und wütenden Blick zu.

»Beruhig´ dich. Wir sind alle so verwirrt wie du. Reg dich nicht auf. Bitte, es klärt sich alles auf«, versuchte Timo seine Freundin zu beruhigen.

»Seit das angefangen hat, bekomme ich keine andere Aussage mehr!«

»Es reicht Sabine. Ich kann es dir nicht erklären! Akzeptiere es oder lass es. Ich muss jetzt los!«

Sabine blieb beleidigt stehen. Sie wollte nicht nachgeben und es verstehen. Warum waren sie hingefahren? Warum hatte sie sich von Svenja überreden lassen?

»Soll ich dich nach Hause bringen?«

»Ich gehe zu Fuß!« Sabine senkte den Kopf und wich ihm aus.

»Dann nicht.« Timo war zu aufgewühlt, um sich jetzt über Sabine Gedanken zu machen. Er war sauer, dass sie nicht selbst darüber nachdachte, wie gefährlich das alles war. Sebastian hatte jemanden erschossen, dass es hier nicht mehr um Unstimmigkeiten im Freundeskreis ging, musste ihr doch selbst bewusst sein. Wieder zog Timo sein Handy aus der Tasche und telefonierte mit seinem Kollegen, den er um Infos gebeten hatte, wenn es etwas Neues zum Fall Sebastian geben würde.

Am Nachmittag waren ein paar Polizisten bei Svenja zu Hause. Ihre Mutter regte sich darüber auf, als sie erfuhr, was genau passiert war. Die Polizisten unterhielten sich eine Weile mit Svenja und ihrer Mutter, bis sie alle Informationen hatten, die sie benötigten. Als sie mit der Befragung fertig waren, schlossen sie hinter sich die Tür und verschwanden wieder. Eine Streife blieb jedoch wieder vor dem Haus stehen.

»Ob sie wirklich glauben, dass Basti so blöd ist und mich besucht?«

Ihre Mutter nahm sie in den Arm und drückte sie fest an sich. Svenja fühlte sich für die Vorkommnisse der letzten Stunden verantwortlich. Wenn sie zu Hause geblieben wäre, wäre Sebastian nicht in diese Situation gekommen und hätte niemanden erschossen. Er, ihr Freund oder seit heute Exfreund, hatte jemanden umgebracht. Das konnte und wollte sie nicht glauben. Ihre Augen brannten und füllten sich mit Tränen. Schließlich konnte sie diese nicht mehr aufhalten.

Sie zitterte, ihre Nase lief, doch das störte sie nicht. Ein Schwall aus Trauer, Verzweiflung und Schuld überkam sie. Immer wieder zog sie die Nase hoch und versuchte die Tränen wegzuwischen, versuchte die Kontrolle wieder zu erlangen. Doch es half nichts.

Mittlerweile war ihr Gesicht aufgequollen, doch die Tränen flossen weiter aus ihren Augen.

Währenddessen hatte sich Sabine wieder auf den Weg zu Svenja gemacht. Sie wollte jetzt nicht allein sein und dachte, dass auch Svenja eine Freundin benötigen könnte.

Sie saß auf dem Sofa und weinte in ihr Kissen hinein, als Sabine das Wohnzimmer betrat. Ihre Mutter holte etwas zu trinken.

»Sven, alles in Ordnung?«, erkundigte sie sich.

Sie ging einen Schritt auf das Sofa zu, auf dem ihre Freundin saß.

»Wie blöd von mir. Natürlich ist nichts in Ordnung.« Sabine setzte sich ihr gegenüber, woraufhin diese noch heftiger schluchzte.

»Es ist meine Schuld.«

»Quatsch, nichts ist deine Schuld.«

»Wäre ich zu Hause geblieben, wie meine Mutter mir geraten hatte, oder wären wir im Auto sitzen geblieben, wäre nichts passiert und Basti ginge es jetzt gut. Er hätte niemanden … ich meine, mit der Frau und so.« Wieder brach sie in Tränen aus.

»Es ist nicht deine Schuld. Woher solltest du wissen, dass so was passiert? Du bist nur ein Mensch, kannst nicht hellsehen und wolltest Basti wiedersehen. Du hattest keine Ahnung. Du bist nur deinem Gefühl gefolgt. Ich hätte genauso gehandelt. Also mach dir keine Vorwürfe. Basti ist in eine schlimme Lage gedrängt worden. Du weißt nicht, warum er auf die Frau geschossen hat. Vielleicht war es ein Versehen oder er war es gar nicht. Wir haben bisher nur die Leute von der Presse gehört. Mach dir keine Sorgen, es wird sich alles aufklären.«

»Danke Bine, aber so einfach ist das nicht. Es wäre nicht so weit gekommen, wenn ich mit meinem Arsch zu Hause geblieben wäre.«

»Mach dich jetzt nicht selbst fertig. Das bringt nichts. Warte erst einmal ab.« Kaum hatte sie ausgesprochen sprang die Tür auf und Simone erschien.

»Mach den Fernseher an, Schatz. Da kommt was über den Vorfall.«

»So schnell?« Verwundert schaltete Svenja den Fernsehen ein.

Während der Werbung wurde im unteren Teil des Bildschirms ein Schriftzug eingeblendet, der auf die folgenden Nachrichten hinwies.

Sondermeldung: Verfolgungsjagd durch Köln. - - - - - Polizistin hingerichtet, bei Fluchtversuch - - - - - Sebastian S. immer noch auf freiem Fuß. - - - - - Ermittlungen laufen weiter.

»Das gibt's nicht. Überall auf der Welt gibt es irgendwelche Vergewaltiger und Mörder. Aber bei Sebastian veranstalten sie eine solche Hetzjagd. Ich verstehe nichts mehr.«

»Geht mir nicht anders, Sabine. Warum haben sie ein so großes Interesse an deinem Freund, wenn er unschuldig ist?«

»Mama, er ist unschuldig. Ich weiß nicht, warum alle hinter ihm her sind. Ich weiß überhaupt nichts, obwohl ich seine Freundin bin oder es war.« Wieder füllten sich ihre Augen mit Tränen.

»Frag doch Lea, Timo oder Jan, die wissen Bescheid. Denen hat Basti alles erzählt! Er behauptet mich beschützen zu wollen! Aber er vertraut mir nicht!«

»Reg dich nicht auf, Schatz. Sieh zu, dass du gesund wirst und dann sehen wir weiter.«

»Psst, die Nachrichten fangen an«, erklärte Sabine und zeigte auf den Bildschirm.

»Glaubst du, Jan sieht das auch?«, warf Svenja flüsternd ein.

»Bestimmt, psst!«

»Wir unterbrechen unser Programm für eine Sondersendung über die heutige Verfolgungsjagd in Köln. Zu Gast ist Marianne Sattich, von der psychischen Abteilung des Sankt Antonio

Krankenhauses und Herr Jakob Moskowitsch, von der Kripo Köln. Ebenfalls erwarten wir einen weiteren Gast, der bisher leider noch nicht anwesend ist. Herr Moskowitsch, eine wichtige Frage zuerst, die nicht nur uns, sondern auch die Menschen da draußen interessiert. Wie war es möglich, dass ein Zwanzigjähriger vor der Polizei, eine Polizistin als Geisel nimmt, diese kaltblütig erschießt und schließlich spurlos verschwindet!«

»Dieser junge Mann wurde von vielen unterschätzt. Wir haben nicht damit gerechnet, dass er dazu fähig ist und unauffindbar bleibt. Wir können jedoch mitteilen, dass wir die Verfolgung aufgenommen haben und auch eine neue Spur verfolgen.«

»Danke Herr Moskowitsch. Denken Sie, Sebastian würde einen weiteren Mordversuch unternehmen, wenn er noch einmal in die Ecke getrieben wird?«

»Es ist möglich. Wer einmal zu so einer Tat fähig ist, wird es eventuell wieder tun. Unsere Kollegen sind gerade dabei ein psychologisches Profil zu erstellen. Erst danach können wir solche Mutmaßungen anstellen.«

»Und was sagen Sie Frau Sattich? Wie sehen Sie diese Sache?«

»Aus psychologischer Sicht ist es möglich, dass er eine weitere Tat wie diese, nicht noch einmal begehen wird. Meiner Meinung nach ist dieser Junge kein Mörder, es war eher eine Kurzschlussreaktion. Niemand ist von Geburt an einen Mörder, Vergewaltiger oder sonst ein Verbrecher. In keinem Fall möchte ich diese Tat verharmlosen oder gar rechtfertigen, doch Fakt ist, dass niemand weiß, was genau in der U-Bahn vorgefallen ist. Und bisher steht auch nicht fest, dass Sebastian wirklich geschossen hat. Es gab wohl vorher einen Austausch per Funk mit dem Opfer.«

»Wir haben erfahren, dass seine Freundin vor Ort war. Doch aus noch unbekannter Ursache, stand sie bisher nicht für eine

Befragung zur Verfügung. Wissen Sie etwas darüber, Herr Moskowitsch?«

»Die Freundin war tatsächlich anwesend. Sie wurde heute Nachmittag von den Kollegen vernommen. Ich warte noch auf den Bericht. Da das Mädchen minderjährig ist, untersteht sie einem gesonderten Schutz.«

»Aus sicherer Quelle wissen wir, dass es zu einem Zusammenbruch des Mädchens kam. Wissen Sie etwas darüber?«

»Ich wiederhole mich gerne noch einmal. Das Mädchen ist minderjährig und ist nicht Thema dieser Sondersendung.« Herr Moskowitsch lächelte eindringlich. Ihm war es offensichtlich wichtig das »Mädchen« zu schützen.

Svenja stockte der Atem. Sie hatte den Polizisten nichts erzählt. Woher nahmen sie diese Informationen?

»Hast du etwas erzählt, Mama?«

»Nein und schon gar nicht der Presse!«

»Ich finde es scheiße, wie sie über mich reden. Die Freundin des Täters.«

»Reg dich nicht auf, Schatz. Wir klären das, wenn sich alles wieder gelegt hat.«

Die Sendung zog sich hin. Es wurden alle Möglichkeiten ausdiskutiert, was Sebastian noch tun und wie alles enden könnte. Nach einer Weile wurde es uninteressant. Erst, als eine weitere Person angekündigt wurde, verlegte sich die Aufmerksamkeit von Svenja, ihrer Mutter und Sabine wieder auf den Fernseher.

»Wie ich gerade höre, ist der verspätete Gast eingetroffen. Bitte begrüßen Sie mit mir jemanden, der in die Geschichte etwas mehr Licht bringen kann. Hier ist er, Timo Mouries.«

Svenja und Sabine starrten mit offenen Mündern den Fernseher an. Sie konnten nicht glauben, was sie gerade gehört hatten. Doch jetzt erschien Timo im Bild, schüttelte der Moderatorin, dem Polizisten und der Psychologin die Hand und setzte sich dazu. Timo hatte durch seinen Kollegen relativ früh von dieser geplanten Diskussionsrunde erfahren und sich bei der Presse gemeldet. Durch seine Arbeit bei der Polizei, kannte er die einen oder anderen Journalisten bereits von früheren Einsätzen.

»Herr Mouris, Sie sind ein sehr guter Freund von Sebastian und Sie sind zurzeit in der Polizeiausbildung, ist das richtig?«, begann der Moderator die Unterhaltung mit ihm.

»Das ist vollkommen richtig. Sie machen aus ihm ein Monster, was er aber nicht ist.«

»Es ist natürlich klar, dass Sie ihn als Freund beschützen möchten. Doch Sie können nicht leugnen, was heute passiert ist, oder?«, hakte der Moderator nun weiter nach.

»Natürlich kann ich das nicht. Doch ich habe ihn heute gesehen und ich weiß, dass er keinen Menschen töten würde, ohne, dass es dafür einen triftigen Grund gibt.«

»Interessant, Sie waren heute vor Ort?«, brachte sich nun die Psychologin ein.

»Richtig.«

»Obwohl Sie wussten, dass er gesucht wurde?«, fragte nun wieder die Psychologin.

»Sebastian wurde in die Enge getrieben.

»Sie haben meine Frage nicht beantwortet!«, bedrängte die Psychologin Timo.

»Das ist ebenfalls richtig. Es ist mir wichtig meine Freunde zu schützen und das Richtige zu tun.«

»Herr Mouries, die Getötete wurde mit ihrer eigenen Waffe ermordet. Es sind, neben ihren Abdrücken, nur die Ihres Freundes auf der Waffe.«

Timo sah ratlos aus. Im nächsten Augenblick fing er jedoch an zu erzählen, wie Sebastian war. Er sprach von seiner Vergangenheit und von der Zeit in einer Drogengruppierung, welche versucht hatte, ihn als zehnjährigen umzubringen und wie er schließlich nach Deutschland geflohen ist. Zuletzt versicherte er ihnen, dass er niemals gesehen hat, dass Basti Drogen nahm oder diese bei sich hatte. Schließlich berichtete

er von der Feier.

»Sebastian wurde reingelegt! Die Jacke, in der sich angeblich diverse Drogen befanden, wurde von seiner damaligen Freundin, nach dem Waschen durch ihre Mutter, mitgebracht. Als ich mit Sebastian heute sprach, hatte er Angst! Er sah krank aus, nicht so stark, wie er sonst ist, eher angreifbar. Er hätte niemals einen Menschen erschossen! NIEMALS!« Timo war unbeabsichtigt lauter geworden.

»Ich verstehe noch nicht, wer hinter ihm her ist! Und was lässt Sie da so sicher sein?« Der Moderator schien ebenfalls ungeduldig zu werden, wie die Psychologin bereits vor ihm.

»Meine Freundschaft zu ihm. Ich weiß, dass er zu so etwas nicht fähig ist. Es sei denn, er müsste sich wehren oder wurde gezwungen. Ich weiß nicht, wie er in diese Lage gekommen ist, aber ich denke, dass er uns jetzt braucht. Er braucht Unterstützung, Menschen, die an ihn glauben und keine Polizei und Presse, die ihn von Beginn an für schuldig erklärt!«

»Sie glauben also wirklich an die Unschuld Ihres Freundes, obwohl alle Indizien gegen ihn sprechen?«

»Ich bin vollkommen überzeugt, dass er unschuldig ist. Von was für Indizien sprechen Sie? Fast alles wurde von der Presse zurecht gesponnen. Zurzeit sind es nur Vermutungen, nichts weiter. Beweise liegen nicht vor und bis dahin ist er unschuldig! Jeder Angeklagte gilt bis zum rechtsförmlich erbrachten Beweis seiner Schuld als unschuldig! Sebastian wurde jedoch bereits nach der Party, wegen eines angeblich kleinen Drogendeliktes wie ein rechtmäßig Verurteilter auf der Flucht gesucht! Das ist nicht normal! Da müssen Sie mir zustimmen, Herr Moskowitsch.«

Der Kommissar schien Timos Argumentation zu teilen, indem er ihm nickend zustimmte, sich jedoch vorerst nicht dazu äußerte, sondern der Unterhaltung weiter folgte und sich in den Sitz mit gefalteten Händen zurücklehnte.

»Manchmal ist es auch ein Irrglaube, dass man denkt,

man würde jemanden kennen«, erklärte der Moderator streng. Er schien verärgert zu sein, dass man ihn aus dem Gespräch ausschloss.

»Sie sind also von seiner Unschuld überzeugt? Das haben Sie nun verständlich gemacht. Sie erzählten gerade von der damaligen Freundin. Sind die beiden denn nicht mehr zusammen?«

»Bereits vor der besagten Feier haben sie sich getrennt.« Timo trank einen Schluck Wasser.

»Was erzählt Timo da? Das stimmt doch gar nicht!« Sabine schien es jedoch begriffen zu haben.

»Timo macht sich zum Ziel! Er sorgt dafür, dass du in Ruhe gelassen wirst und sicher bist.«

Svenja und auch Simone starrten Sabine an.

»Es ist doch gelogen. Hört einfach weiter zu!« Für Sabine schien der Fall nun klarer zu sein.

»Gibt es außerdem noch Dinge, die Sie wissen und der Polizei verschweigen?« Nun hatte die Psychologin ihre Stimme wohl wiedergefunden.

»Ich wüsste nicht was? Worauf spielen Sie an?« Timo stellte sich unwissend.

»Sie erwähnten eben, er sei in der Vergangenheit in einer Drogengruppierung gewesen. Wie nannte sie sich?«

Das Gespräch wurde wieder interessant, denn die Zuschauer und auch der Moderator starrten Timo gespannt an. Außerdem wurde auch der Kommissar hellhörig. Er hatte sich aufgesetzt und seinen Oberkörper nach vorne gebeugt und folgte nun Timos Worten gebannter als zuvor. Langsam hatte Timo jedoch Zweifel, ob es eine gute Idee gewesen war, seinem Freund öffentlich beizustehen. Wenn er die Wahrheit preisgab, wüsste El Kontaro, dass er zu viel wusste. Und dennoch konnte er so von Svenja und Lea ablenken und auch von Jan und seiner Mutter. Natürlich hatte er Angst, denn er machte sich zum Ziel.

»Sie haben so viel über Basti herausgefunden. Ich bin sicher,

dass Sie den Namen bereits kennen.«

»Ich muss zugeben, er ist uns nicht bekannt. Ich hatte eigentlich gedacht, Sie wüssten über Ihren Freund Bescheid!«

Timo war hin und her gerissen. Er wusste nicht, ob er es verraten sollte. Er würde nur sich in Gefahr bringen, aber gleichzeitig alle anderen warnen können.

»Es handelt sich nicht einfach um eine normale Drogengruppierung! Es gibt diese Gruppe schon Jahrzehnte lang und bisher konnte sie keiner aufhalten. Ganz im Gegenteil. Sie sind von Amerika nach Deutschland gekommen und einige von ihnen leben unter uns.«

»Aber wenn sie unter uns leben, könnte Ihr Freund immer noch mit drinstecken, oder?« Die Psychologin war nun wieder an der Reihe mit ihren Fragen.

»Wenn er dazu gehören würde, würde er wohl kaum so einen Mist bauen und schon gar nicht so ungeschickt sein!«

»Da könnten Sie Recht haben. Aber es zählen nur Fakten und keine Vermutungen. Fakt ist, dass Ihr Freund vor der Polizei flieht. Wenn er unschuldig ist, warum stellt er sich nicht?« Nun brachte sich auch Herr Moskowitsch wieder mit ein.

»Sind Sie verrückt? Wenn sich Sebastian stellt, kann er sich gleich eine Kugel geben.«

»Was meinen Sie damit?«, fragte der Kommissar.

»Denken Sie im Ernst, diese Gruppe hätte nicht überall ihre Finger mit drin?«

»Sie behaupten also, dass Mitarbeiter unserer Polizei in Drogendelikte verstrickt sind? Haben Sie dafür Beweise?« Wieder war es Herr Moskowitsch, der die Fragen stellte.

»Das haben Sie gesagt. Und natürlich habe ich keine Beweise. Wenn es die gäbe, wäre alles bereits aufgeflogen, oder nicht? Außerdem wäre es wohl kaum vernünftig darüber im Fernsehen zu sprechen, oder?«

»Dieser Meinung bin ich allerdings auch. Wir sollten dieses Gespräch nicht soweit ausufern lassen, da haben Sie recht.

Aber ich bitte Sie, mir das nach der Sendung ausführlich zu erklären«, schloss der Kommissar die Unterhaltung

»Und woher weiß ich, dass Sie nichts damit zu tun haben? Schließlich sind Sie hier, um der Welt zu erklären, wie gefährlich mein Freund ist.«

»Ich bin Polizist geworden, um anderen Menschen zu helfen und nicht um ihnen zu schaden. Also mit dem gleichen Wunsch, den Sie wahrscheinlich haben. Es wird Ihnen nichts anderes übrigbleiben, als mir zu vertrauen.«

»Gut, aber ich möchte einige Personen zu meiner Sicherheit mitnehmen, die ich bestimmen werde.« Timo sah den Kommissar eindringlich an.

»Sie sind nicht dumm.« Ein beeindrucktes Lächeln huschte über das Gesicht des Kommissars.

»Wäre ich dumm, würde ich wohl kaum zur Polizei gehen können, oder?« Wieder übernahm Timo das Gespräch.

»Nehmen wir an, ich würde zu einer solchen Gruppe gehören. Würde ich mich hinsetzen und mit Ihnen darüber sprechen?«

»Tun Sie ja nicht, Herr Moskowitsch!«

»Natürlich spreche ich mit Ihnen darüber.«

»Nein, sonst hätten Sie gewollt, dass ich weiterspreche und alles sage, was ich weiß.« Timo wirkte jetzt fast ein wenig überheblich, doch es schien Wirkung zu tragen.

»Nun gut, meine Damen und Herren, mir scheint, wir sitzen gerade in einer endlosen Diskussionsschleife. An dieser Stelle folgt nun eine kurze Werbeunterbrechung und wir sehen uns gleich wieder, bleiben Sie dran.«

Es wurde Werbung eingespielt und Timo stand auf.

»Wohin gehen Sie?« Der Moderator starrte Timo entsetzt an.

»Ich denke, ich habe alles preisgegeben, was ich wusste.« Timo wandte sich um und verließ den Raum.

»Herr Mouris, warten Sie bitte.« Der Kommissar war aufgesprungen und hastete nun auf Timo zu.

»Ich habe Ihnen alles weitergegeben.«

»Ich möchte wissen, wie diese Gruppierung heißt!«

Timo fixierte sein Gegenüber. Sein Verstand riet ihm, er solle es besser nicht verraten, doch sein Herz glaubte nicht, dass dieser Mann zu El Kontaro gehörte.

»Herr Mouries, Sie haben sich zum Ziel gemacht! Wenn es stimmt, sind Sie in Gefahr. Ist Ihnen das bewusst?«

»Ich werde Polizist. Mich in Gefahr zu begeben, um andere zu schützen, ist mein Job.«

»Das ist mutig und dumm zugleich.«

»Sebastians Mutter wurde umgebracht und sein Bruder liegt im Krankenhaus. Das war zwar ein Unfall, aber es passiert zu viel!«

»Herr Schwalbach hat einen Bruder?«

»Ich muss jetzt gehen!«

»Dieser Jan Dawn, von der Schlägerei. Meinen Sie den?«

»Und wenn es so ist? Werden Sie ihn ausquetschen?«

»Wir müssten ihm nur ein paar Fragen stellen.«

»Das ist natürlich nicht das Gleiche!«

Herr Moskowitsch bemerkte Timos sarkastischen Unterton.

»Wie meinten Sie das, als Sie erwähnten Jan sei der Bruder?«

»Ich meinte es so, wie ich es gesagt habe! Sie müssten doch wissen, wie es in Sebastians Familie aussieht, oder?« Es war Timo unbegreiflich, warum die Polizei diese Dinge nicht in Erfahrung gebracht hatten.

»Wann sollten wir diese Informationen zusammengetragen haben? Bitte teilen Sie mir alles mit. Es könnte nicht nur für Ihren Freund überlebenswichtig sein, sondern auch für Sie und Ihre Freunde. Wenn es ihn retten kann und wir dadurch herausfinden, dass er unschuldig ist, dann ist es das wert.« Nun war es der Kommissar, der Timo eindringlich musterte.

»Die Gruppe nennt sich El Kontaro. Alles Weitere werden Sie wohl selbst herausfinden. Ich habe es auch geschafft. Ich hoffe, dass ich keinen Fehler gemacht habe und dass Sie der Mensch sind, für den ich Sie halte.«

»Herr Mouries, passen Sie auf sich auf!«

Timo nickte, drehte sich um und verließ den Raum. Der Polizist blickte ihm hinterher und nickte ihm zu. Dann ging er zurück in den Raum, in welchem die Live – Sendung übertragen wurde und setzte sich auf seinen Platz.

»Ich kann nicht länger in dieser Sendung bleiben. Ich muss Nachforschungen anstellen.«

»Was meinen Sie damit, Sie können nicht länger hierbleiben? Dies ist eine Live - Sendung und wir haben nur eine kurze Werbeunterbrechung.« Der Moderator war perplex. Dass zwei seiner Gäste eine Livesendung verließen, war ihm bisher noch nie passiert.

»Das ist nicht mein Problem. Meine Arbeit geht vor. Sagen Sie dem Publikum wir hätten neue Ermittlungsansätze, denen ich dringend nachgehen muss!« Herr Moskowitsch drehte sich um und stürmte davon.

Endlich war die Werbeunterbrechung vorbei. Svenja und Sabine schauten gespannt auf den Fernseher.

»Schön, dass Sie wieder eingeschaltet haben! Vor der Werbeunterbrechung wurde ausgiebig über den Fall Sebastian Schwalbach diskutiert. Leider müssen wir Ihnen mitteilen, dass zwei unserer Gäste uns vorzeitig verlassen mussten.«

»Sind die bescheuert?«

»Svenja! Eben hast du dich darüber aufgeregt, dass sie über ihn und auch dich berichtet haben«, erinnerte ihre Mutter sie.

»Aber Mama, ich hätte die Wahrheit erfahren können.«

»Welche Wahrheit?«

»Vielleicht was wirklich los ist. Was wirklich passiert ist.«

»Sven, fängst du schon wieder damit an?«

»Bine, du verstehst das nicht.«

»Was glaubst du denn, wie ich mich fühle? Meine beste Freundin verschweigt mir viel, obwohl sie mir früher immer alles erzählt hat! Mache ich deshalb so einen Aufstand? Wenn Timo es nicht erzählen will, wird er seine Gründe haben. Hast du daran gedacht, dass sie uns nicht in Gefahr bringen wollen?«

»Nein!«

»Ich auch nicht. Aber das ist der einzige Grund, für ihr Verhalten.«

Sowohl Sabine, als auch Svenja senkten schuldbewusst ihre Köpfe.

»Schatz, ich denke, Sabine hat Recht. Du weißt, dass ich nicht das Beste von deinem Freund halte. Aber gerade bei Timo bin ich mir sicher, dass er weiß, was er tut. Vertrau deinen Freunden!«

»Vielleicht habt ihr Recht. Aber ich wollte nicht ausgeschlossen werden.« Für Svenja war es nicht einfach, dass alles zu verstehen, ohne irgendwelche Hintergründe zu kennen, doch ihre Mutter versuchte es ihr nun begreiflicher zu machen.

»Hier geht es um mehr, als nur ausgeschlossen zu werden. Es geht um Menschenleben und ob es nun stimmt oder nicht, deinem Freund wird nun mal vorgeworfen, dass er eine Frau erschossen hat.«

»Ist die Frau tot?«

»Svenja, hast du eben nicht zugehört?« Ihre Mutter küsste Svenja auf die Stirn.

»Ich habe Angst um dich. Du weißt, dass ich nur das Beste für dich will.«

Sie nahm ihre Tochter in den Arm und drückte sie fest an sich. Danach begab Simone sich nach oben und kramte etwas zusammen. Dann klingelte es an der Tür, woraufhin sie diese öffnete und sich mit jemanden unterhielt.

»Ich habe einen Wagen organisiert, der euch heute Abend noch wegbringt«, brachte eine bekannte Männerstimme hervor.

»Das wird ihr nicht gefallen, aber es ist besser so. Hast du die Sendung gesehen?« Simone schien besorgt zu sein.

»Das habe ich! Ich erkläre Svenja die Situation«, beruhigte er sie.

Beide gingen ins Wohnzimmer hinüber. Svenja starrte ihren Onkel verwirrt an.

»Warum bist du hier?«

Er setzte sich neben sie und bat Sabine aus dem Raum zu gehen. Er machte ihr begreiflich, warum es besser war wegzufahren.

»Ich weiß nicht, wie lange es sein wird und ich weiß nicht, wie das alles ausgehen wird. Aber ich lasse nicht zu, dass du in Gefahr bist.

Ich stelle dich und deine Eltern unter Personenschutz.«

Svenja nickte zustimmend, ging zu Sabine und berichtete ihr davon. Dann umarmte sie ihre Freundin, als würde sie sich nicht wiedersehen. Simone hatte Taschen gepackt und bereits alle Fenster und Türen verschlossen.

Nachdem Sabine gegangen war, begaben auch sie sich in den Wagen, den Markus für sie vorgesehen hatte. Die Polizeistreife stand nicht mehr vor der Tür. Auch darum hatte sich Markus gekümmert.

»Dein Mann steigt gleich dazu.«

Simone gab Markus einen Kuss auf die Wange. »Danke.«

Svenja sah ihn nun eindringlich an.

»Wir kommen nicht zurück, oder?«

Langsam schüttelte Markus den Kopf. Dann umarmte sie ihn und weinte. Als sie wegfuhren, blickte sie ein letztes Mal auf ihr Haus und auf Markus, der ihr zuwinkte. Sie war sich sicher, dass sie Sebastian nie wiedersehen würde. Sebastian hatte sich von ihr getrennt, weil er sie liebte. Um sie zu beschützen, und damit sie glücklich werden konnte. Und sie wusste, dass Markus sich um Sebastian kümmern würde, egal, wie die Sache ausging. Das hatte er ihr versprochen.

Die Wahrheit über Jack

Mein Gefühl hat mich nicht getrübt, doch ich wünschte, es wäre so.

Leise Schritte kündigten jemanden an, doch Basti konnte in der Dunkelheit, die ihn umgab, nichts erkennen. Seine Hände waren auf den Rücken gebunden, sein rechtes Bein schmerzte und über seinen Augen schien ein Klebestreifen zu heften, so dass er nicht sah, wo er sich befand und er konnte sich auch nicht erinnern, wie er an diese Stelle gekommen war.

Langsam kehrten Bruchstücke seiner Erinnerungen wieder und mit jeder wäre er am liebsten gestorben. Doch eingebrannt hatte sich der Schuss und dieser ließ ihn nicht mehr los. Und nun wachte er auf in diesem … wo war er überhaupt?

Er versuchte aufzustehen, doch ein stechender Schmerz hinderte ihn daran und ließ ihn einen Schrei ausstoßen. Seine Beine trugen ihn nicht und er fiel zurück auf den Boden. Es mussten Stunden vergangen sein. Wie lange lag er wohl schon dort und was war seitdem alles geschehen?

»Ich habe schon gedacht, du würdest nicht mehr aufwachen«, ergriff eine weibliche Stimme das Wort.

»Wer ist da?« Wollte Sebastian wissen.

»Das ist nicht wichtig. Iss das.«

Die Person streckte ihm ein Stück Brot entgegen und gab ihm Wasser zu trinken.

»Warum habe ich die Augen verbunden?«

»Damit du nicht siehst, wer hier ein und aus geht.«

»Wo bin ich?«

»Ich weiß es nicht. Immer, wenn wir in eine neue Unterkunft kommen, werden uns die Augen verbunden. Solange wir hier sind, dürfen wir auch nicht raus.«

»Du kommst aus Amerika, oder?«

»Wieso fragst du?«, erkundigte sich seine Gesprächspartnerin.

»Ich höre es an deinem Akzent.«

»Mmmh.«

»Was ist?«, wollte Sebastian wissen.

»Hey! Wieso treibst du dich solange herum? Du solltest dem nur Essen geben!« Wie aus dem Nichts war ein weiterer Jugendlicher erschienen und kam auf Basti und das Mädchen zu.

»Du solltest doch nicht mit ihm reden!«

»Ich wollte wissen, warum er hier ist,« erwiderte sie.

»Was kümmert es dich? Wenn die erfahren, dass ich dir das Essen gegeben habe, gibt's wieder Schläge! Sei lieber dankbar, dass sie dich hierbehalten.«

»Wieso sollte ich dankbar sein? Wo soll ich denn hin?«, hörte Sebastian wieder die weibliche Stimme.

»Du hättest nicht überlebt, wenn sie nicht gewesen wären«, entgegnete der Jugendliche.

»Ziehen die diese Show immer noch ab?«, mischte sich nun Sebastian dazwischen.

»Was meinst du damit?« Offenbar erwartete das Mädchen Antworten von ihm.

»Wir müssen jetzt gehen!«, drängte sie wieder der Jugendliche.

»Sie haben meine Mutter umgebracht. Mich wollten sie auch töten, als ich es herausgefunden habe«, erklärte Sebastian.

»Komm, wir gehen. Hör nicht hin!« Anscheinend wollte der

Jugendliche sie unbedingt von Sebastian fernhalten.

»Warum wollt ihr die Wahrheit nicht hören?«

»Sei still!« Und wieder wurde Basti durch den Jungen aufgefordert, nicht weiterzusprechen. Beide gingen in die Nähe einer Tür und flüsterten jetzt miteinander.

»Bist du verrückt? Wenn er verschwindet, weiß er, wer wir sind. Er kann uns an der Stimme identifizieren!«

»Wie soll er ausbrechen, Mike? Sie haben ihn verprügelt. Und hast du dir mal das Bein angeguckt? Das ist bestimmt gebrochen. Wir können ihn nicht seinem Schicksal überlassen.«

»Sie werden schon ihre Gründe haben!«, wurde Mike nun wieder lauter.

»Dann nimm ihm wenigstens die Augenbinde ab.« Jetzt flehte sie ihn fast an, Sebastian zu helfen.

»Das kann ich nicht! Du weißt, wie sie sind!«

»Dann tu ich es!« Offenbar war sie fest entschlossen.

»Die werden dich verprügeln.«

Das Mädchen blickte Mike hoffnungsvoll ins Gesicht, doch der Junge widersprach ihr abermals.

»Ich kann es nicht, sieh mich nicht so an. Sie haben die Augen mit Paketband umwickelt. Ich würde ihm die Haare und Augenbrauen raus reißen.«

»Das haben die extra gemacht.«

»Was machen wir jetzt?« Traurig blickte sie zu Sebastian hinüber.

»Keine Ahnung, aber du machst erst mal nichts, du dürftest gar nicht hier unten sein.«

»Wieso nicht?« Auch ihre Stimme wurden nun deutlich lauter. »Haben die Angst, dass ich ihn befreien könnte? Oder warum sperren sie mich da oben ein? Seit wir hier sind, höre ich nichts anderes mehr, als tu dies nicht, bleib in deinem Zimmer, räum das weg, geh bloß nicht in die Nähe von diesem Typen da. Warum? Warum kann ich nicht ein normales Leben führen!«

Basti bekam das Gespräch mit. Je mehr er auf die Stimme des Mädchens hörte desto mehr kam ihm ihre Stimme bekannt vor. Aber das konnte nicht sein. Es war unrealistisch, dass sie hier war. Oder war es Absicht?

»Ali…na?«

Das Mädchen drehte sich ruckartig in seine Richtung um und starrte Sebastian an.

»Woher kennst du meinen Namen?«

»Ich habe ihn mit Sicherheit eben erwähnt!«, erklärte der Jugendliche.

»Mike! Das hast du nicht. Sag schon, woher kennst du meinen Namen.«

»Willst du es wirklich wissen?« Eine düstere, wütende Stimme hatte sich nun mit ins Gespräch eingebracht.

»Mad, es tut mir leid, ich … ich.« Vor sich hin stammelnd versuchte sich Mike irgendwie herauszureden.

»Ach, halt's Maul!«, knurrte Mad.

Mad, der Mann, der damals Max umgebracht hatte, war aufgetaucht. Er schubste Alina so fest, dass sie gegen die Steinwand prallte und sich anscheinend wehtat. Mike stürmte direkt zu ihr und half ihr auf.

»Warum ist sie nicht in ihrem Zimmer? Warum ist sie hier? Ich hatte ausdrücklich befohlen, dass ihr sie bewacht. Nun ist es aber zu spät. Willst du sehen, wer das ist? Willst du sehen, woher er deinen Namen kennt?«

Alina nickte stumm. Mad stampfte wütend zu Basti hinüber, der das Geschehene mit den Ohren verfolgt hatte.

»So sieht man sich wieder.«

»Aaaaaaaaaaah!« Mad trat Sebastian absichtlich auf das vermeidlich gebrochene Bein.

»Oh, entschuldige. Da habe ich wohl vergessen, dass du ein kleines Handicap hast. Ist es so besser?«

Mit einem hässlichen und fiesen Grinsen im Gesicht trat er noch einmal auf das Bein. Erneut stöhnte Sebastian und atmete sehr stark. Mad nahm das Ende des Klebebands und zog es langsam von seinen Augen. Er schien jedes schmerzhafte Zucken von Basti zu genießen.

»Hör auf, bitte, hör auf!« Alina schrie Mad verzweifelt an.

»Ich habe noch nie gezögert kleine Kinder zu erschießen. Warum sollte ich dann aufhören gerade ihn zu quälen?«

Er zog das Band jetzt über seine Augenbrauen und Basti fing wieder an zu wimmern. Alina weinte nun, doch Mad schien es zu genießen. Er trat noch einmal auf dem verletzten Bein herum und riss das Band schließlich ab. Schwer atmend lag Basti am Boden. Seine Augen waren blind, da er versuchte, den Schmerz zu bewältigen. Gleichzeitig spürte er, wie ihm Blut über die Stirn lief.

»Du bist damals deinem Schicksal entkommen, aber dieses Mal wirst du mir nicht weglaufen!«

Unfähig sich zu bewegen lag Basti immer noch am Boden. Er konnte nicht mehr denken. Er hatte so starke Schmerzen, dass sein Kopf benebelt war. Mit zugekniffenen Augen lag er auf dem Boden, bereit zu sterben. Er vergaß, wo er war und warum er dort war. Ihm tropfte Blut auf das geschlossene Auge, doch er konnte es nicht wegwischen.

Die Zeit schien keine Rolle zu spielen. Bevor er vollständig zu sich kam, wurde ihm wieder auf den Kopf geschlagen. Sein Herz pochte schnell und schien aus der Brust zu kommen, dann wurde es ruhiger. Es schlug gleichmäßiger, er hatte das Gefühl zu schweben. Sebastian nahm die Gespräche nur unterbewusst wahr. Er hatte das Gefühl, immer wieder in einen Sekundenschlaf hinein zu schwinden, um wieder hochzuschrecken.

»Was hat er dir getan?«, schluchzte Alina.

»Kümmere dich um deinen Scheiß! Du wirst ihn nicht anfassen und ihn auch nicht mehr sehen! Hast du das verstanden?«

»Warum? Bitte, bitte lass ihn gehen!« Verzweifelt und flehend hockte Alina nun vor Mad. »Wie kann man nur so grausam sein?«

»Verschwinde! Oder du endest genauso!«

Alina tat, was ihr befohlen wurde. Sie machte sich starke Vorwürfe, denn es war ihre Schuld, dass Sebastian nun zusammengekrümmt und verletzt auf dem Boden lag. Ihr Gewissen konnte es nicht ertragen, ihn dort zu lassen. Außerdem wollte sie herausfinden, wer dieser

Fremde war, der ihren Namen kannte.

Sie saß auf einem Feldbett und starrte an die Decke. Die Tür ging einen Spalt weit auf und Mike lugte hindurch.

»Komm ruhig rein«, forderte sie ihn auf.

»Willst du, dass sie dich verletzen oder sogar töten?«

»Ist doch egal, wenn das stimmt, was der Typ angedeutet hat. Die werden mich niemals gehen lassen und auch dich nicht! Ich werde für den Rest meines Lebens hier sein und Drogen vorbereiten!«

»Wenn sie dich hören könnten. Bitte, mach nichts Unüberlegtes!«

»Warum nicht? Ob sie mich jetzt töten oder später, das spielt keine Rolle!«

»Hör auf damit!« Er schüttelte Alina heftig. »Lass es bleiben! Du gehst nicht mehr zu diesem Kerl runter und du tust, was dir befohlen wird.«

»Ich will hier raus, ich kann nicht mehr.« Tränen liefen ungehindert über ihre Wangen. »Bitte, ich will hier weg. Es gibt nichts, was noch schlimmer ist!«

»Halt durch, bitte!« Er nahm Alina sanft in den Arm. »Gib nicht auf. Irgendwann wird es besser, das verspreche ich dir.« Er streichelte ihr über das Haar. »Ich werde nicht zulassen, dass sie dir etwas tun.«

»Du bist der Einzige, der nicht so ist wie die anderen.«

»So übel sind sie nicht.«

»Willst du mich verarschen?« Alina stieß ihn schwungvoll weg von sich. »Was glaubst du, warum ich hier bin? Was glaubst du, wofür ein Mädchen, wie ich, da ist oder sein wird?«

Sie weinte nun heftiger. Mike zuckte die Achseln und schüttelte verwirrt den Kopf. Er schien wirklich keine Ahnung zu haben.

»Du weißt nichts, oder? In was für einer Fantasiewelt lebst du? Hast du nie mitgekriegt, dass hier wildfremde Männer durchlaufen? Was glaubst du, in welche Zimmer die gehen? Immer, wenn ihr die Drogen vertickt, kommen die Kerle zu den Mädchen!«

Mike schien sprachlos. Er versuchte, die richtigen Worte zu finden, doch sie fielen ihm nicht ein, dann nahm er sie wieder in den Arm und drückte sie fest an sich.

»Es tut mir leid. Ich hatte keine Ahnung.«

»Alle haben weggesehen. Auch, als ich noch jünger war.«

»Warum hast du dich mir nicht anvertraut?«

»Glaubst du, das hätte es besser gemacht?«

»Vielleicht nicht, aber ich hätte aber für dich da sein können.«

»Ich glaube nicht, dass du dich da eingemischt hättest. Zum Glück war länger niemand mehr da.«

»Musstest du mit den Männern schlafen?«

»Mad wollte erst ... Ich kann nicht mehr, ich will nicht mehr, bitte hilf mir, abzuhauen.«

»Ich versuche, dir zu helfen. Aber ich weiß nicht wie.«

»Er kann uns helfen«, murmelte sie und deutete nach unten.

»Du weißt, dass du nicht mehr zu ihm darfst.«

»Ich nicht, aber du. Er soll dir alles erzählen, was er weiß und woher er mich kennt.«

»Ich versuche es, aber sie werden öfter runterkommen. Aber ich mach es, wenn du mir versprichst nicht gegen die Regeln zu verstoßen zu tun.«

Lächelnd und deutlich besser gelaunt beugte sich Alina ein wenig nach vorne und gab Mike einen Kuss auf die Wange. »Danke.« Er lächelte sie an und verließ das Zimmer.

Währenddessen kochte Mad vor Wut. Er hatte seine Aggressionen nicht vollständig abgebaut, denn er verhöhnte alle, die ihm in die Quere kamen. Doch als Jack das Haus betrat, beruhigte er sich rasch wieder.

»Ist er hier?«, erkundigte sich dieser.

»Ich musste ihm eine Lektion erteilen.«

»Ich hoffe, er lebt noch.«

»Glaubst du, ich würde ihn so schnell töten? Ich werde meine Chance bekommen. Vorher will ich ihm aber noch einbläuen, was es heißt, sich mit uns anzulegen.«

»Was hast du vor?«

»Das wirst du noch früh genug erfahren.« Wieder huschte das grausame Grinsen über Mads Lippen.

»Ich werde ihn mir ansehen!«

»Es könnte sein, dass er noch ohnmächtig ist.«

»Ich sorge schon dafür, dass der wach wird!«

»Falls ich es vergesse! Die Kleine hat Fragen gestellt. Er hat sie erkannt.«

»Sie dürfen sich auf keinen Fall noch einmal begegnen.«

»Und wie soll ich das anstellen, damit sie es begreift? Ich kann sie nicht verprügeln lassen, dann wollen unsere Kunden die nicht mehr.«

»Du weißt, wie du sie gefügig machst, oder?« Das widerliche breite Grinsen breitete sich nun auf beiden Gesichtern aus. Ohne ein weiteres Wort, ging Jack davon.

»Ist er wach?«, erkundigte sich Jack bei Mike, als er bei Basti ankam.

»Der hat sich, seit Mad ihn verprügelt hat, nicht mehr gerührt.«

»Mad!« Jack ballte wütend seine rechte Faust zusammen.

Er betrachtete Basti, doch er schien nicht so boshaft zu sein, wie Mad. Sein Blick wirkte weicher, streng und fest, dennoch seltsam besorgt. Er schien sich jedoch schnell wieder zu sammeln.

»Weißt du Mike? Du musst noch eine Menge lernen. Was hatte Alina hier verloren?« Unentschlossen zwischen Wahrheit und Lüge wippte Mike hin und her.

»Sag es mir!«

Doch Jacks drohender Blick ließ ihn schneller antworten, als er sich eine Lüge ausgedacht hatte.

»Sie wollte ihm das Essen bringen. Ich meine, sie war erst bei mir und dann hat sie ihn durch Zufall entdeckt.«

Jack packte Mike an der Gurgel und drückte ihn kraftvoll gegen die Wand. Auf diese Weise gab er ihm zu verstehen, dass er der Stärkere war.

»Lüg mich nicht an! Ich habe dich für klüger gehalten. Du weißt, bei uns gibt es keine Freunde, für die man lügen muss! Schon gar nicht, wenn du mich anlügst«, schrie er ihn an. Jegliche freundliche Züge waren plötzlich verschwunden, wie abgeschaltet.

»Es … Es tut mir leid, ich wollte es nicht. Ich, äh, habe doch nur, ich wollte doch nur …« Jack lockerte seinen Griff.

»Ich denke, einen Tag in der Obhut von Ty wird dir guttun. Um deine Freundin wird sich Mad kümmern.« Mikes Blick verfinsterte sich und er blickte Jack wütend an.

»Es ist schon traurig, dass du sie nicht bekommen hast, nicht wahr? Du würdest mich jetzt gerne töten, oder?«

»Du Schwein! Wenn du ihr was tust, bringe ich dich um.«

»Vielleicht sind auch zwei Tage bei Ty nicht schlecht! Schwächling! Ty! Komm her!«

Wenig später erschien Ty in der Tür. Es war der Kerl aus der U-Bahn, welcher Sebastian über die Schulter geworfen hatte, als dieser bewusstlos war. Sein stämmiges Äußeres war durchaus angsteinflößend.

»Er gehört dir! Hilf ihm zu lernen, wie man mich zu behandeln hat. Ich werde mich solange um den da kümmern«, erklärte Jack mit gehässiger Stimme und deutete auf Sebastian. »Worauf wartest du noch? Nimm ihn mit, er stört mich!«

»Das Mädchen wollte den Namen von …«

»Ich weiß. Sie wird ihn noch erfahren. Momentan hat sie aber andere Probleme. Ich habe Mad auf sie losgelassen. Er hatte schon lange keine Frau mehr, wenn du verstehst, was ich meine!« Mit ausdruckslosem, starrem Gesicht nickte Jack zu Ty hinüber und deutete ihm so, dass er zu verschwinden hatte.

»Wenn du ihr was tust, bring ich dich um!« Sebastian hatte nicht viel verstanden, doch als es um Alina ging, wurde er sofort hellhörig.

»Schön, dass du aufgewacht bist. Du weißt also, wer sie ist!«

»Wie kannst du ihr so etwas antun?«

»Mich wundert es, dass ich dir anscheinend keinen meiner Gene vererbt habe!«

Dieser Satz, den Jack so trocken hervorbrachte, brannte sich in Bastis Herz hinein. Sein Magen zog sich schmerzhaft zusammen und er hätte am liebsten laut los gebrüllt um seine Wut, seinen Frust, seine Angst und all seine Sorgen loszuwerden. Jack war also sein Vater, seine Gedanken hatten ihn nicht in die Irre geführt. Doch wahrhaben wollte er es nicht. In ihm kämpfte ein Krieg, während er Jack ohne jegliche emotionale Regung seines Gesichts, beobachtete.

»Ich hatte gehofft, dass ich falsch liege!«, brachte er trocken hervor.

»Du weißt es also! Und du stellst dich trotzdem gegen mich?«

»Du wolltest mich töten. Warum sollte ich mich nicht gegen dich stellen?«

»Es gibt tausende Gründe, zum Beispiel deine kleine Freundin.«

»Wen meinst du?«, erkundigte sich Sebastian.

»Stell dich nicht dumm! Es gibt nur ein Mädchen, für die dein Bruder und du sterben würdet. Sieh mich nicht so erstaunt an! Ich hatte gehofft, sie würde das Interesse an Jan und dir verlieren. Aber je mehr ich mich anstrengte, desto mehr wuchs eure Freundschaft. Diese Lea weiß zu viel. Sie wird ein wunderbares Druckmittel sein und dann leider sterben müssen, schade.«

Er setzte eine Unschuldsmiene auf. Dabei kam er ein paar Schritte näher, um die Verletzungen besser begutachten zu können. Hätte Basti sich regen können, wäre er auf Jack losgegangen. Nur seine Fesseln hinderten ihn daran, seiner Wut freien Lauf zu lassen.

»Du dreckiges Schwein. Wenn du ihr was tust, mach ich dich kalt!«

»In deiner Position würde ich eher hoffen, dass du das überlebst! Keine Sorge, mein Sohn. Ich werde dir die Möglichkeit geben, uns entweder zu folgen oder dir selbst eine Kugel in den Kopf zu jagen. Wie findest du das, Jordan? Ach nein, du heißt ja Sebastian.«

Er hielt seine Arme etwas über sein Gesicht gestreckt und zog seine Hände auseinander, als würde er einen Reklamebanner präsentieren.

»Sebastian Schwalbach tötet seine Freunde und begeht Selbstmord. Klingt doch gut, so dramatisch, nicht wahr?«

»Wenn ich könnte, würde ich dich umbringen!« Basti zitterte am ganzen Körper.

»Wenn du könntest! Aber du kannst nicht! Dein Leben und das deiner Freunde, liegt in meinen Händen. Du wirst hier nie mehr lebend rauskommen, das verspreche ich dir!«, drohte ihm sein Vater.

»Warum tust du das?«, wollte Sebastian wissen. Er konnte nicht verstehen, wie jemand oder vor allem sein Vater so grausam sein konnte.

»Du willst wissen warum? Es macht mir einfach Spaß!«

»Und wieso hast du nicht den Mut mich zu töten?«

»Ich würde dich jederzeit töten. Aber es macht mehr Freude, dich leiden zu sehen!«

»Es macht dir Freude, deinen eigenen Sohn leiden zu sehen?« Basti sah Jack in die Augen, er schüttelte langsam den Kopf. Es schien so unglaublich, dass dieser furchtbare, grausame Mann, der da vor ihm stand und hämisch grinste, sein Vater war. Als Kind hatte er sich seinen Vater immer liebevoll und fürsorglich vorgestellt. Er hat davon geträumt, wie sie bei gemeinsamen Ausflügen sind und Spaß haben. An sowas hat er nicht einmal gewagt zu denken.

»Du warst nicht gewollt!«

»Und warum hast du mich nicht meinem Schicksal überlassen? Warum hast du mich in eure Gruppe geholt?«

»Ich hatte gehofft, dass du so werden würdest wie ich. Doch ich habe mich geirrt.«

»Stimmt, ich bin nicht so wie du. Ich will niemals werden wie du. Lieber sterbe ich.«

»Dann soll es so sein! Du wirst sterben, zusammen mit deinen Freunden! Ich denke, Mad wird mit deiner Schwester anfangen. Alina ist genauso wie Jan und du! Sie hat niemals zu uns gehört!«

Traurig wandte Basti seinen Blick dem Boden zu und überlegte, was nun zu tun war. Hatte er überhaupt eine echte Wahl? Wohl eher nicht.

»Wenn ich zu euch komme, lässt du sie gehen?«

»Ich dachte, du stirbst lieber?« Wieder breitete sich das breite und seltsame Lächeln auf Jacks Gesicht aus.

»Du würdest dich selbst verraten, um deine Freunde zu retten?«

»Ja!«, antwortete Basti energisch.

»Ich werde es mir überlegen.«

»Aber eins verstehe ich nicht!«, fuhr er fort. Es gab eine Frage, die Sebastian auf der Seele brannte und auf die er dringend eine Antwort haben wollte.

»Und das wäre?«

»Warum reist du um die halbe Welt, um mich dazu zu bringen, bei El Kontaro einzusteigen? Was macht mich so interessant für euch?«

»Ich weiß es nicht!«

Lange trafen sich Jacks und Sebastians Blicke. Tatsächlich blickte Sebastian in seine Augen, denn er hatte Jacks Augen. Er konnte nicht begreifen, warum sein Vater so war.

Basti wurde auch schnell laut und hatte öfter eine Schlägerei, aber er war nicht wie sein Vater. Es war unverzeihlich, was er Jan und Marlene all die Jahre angetan hatte. Er hasste ihn und dennoch war er sein Vater.

Sein Herz klopfte. Basti wusste nicht, was als nächstes geschehen würde. Doch er würde bereit sein.

Plötzlich drehte sich Jack um und ging, ohne ein weiteres Wort, davon.

Völlig verwirrt über dieses Verhalten versuchte Sebastian Entschuldigungen dafür zu finden, warum sein Vater so war, wie er war. Sein Kopf schmerzte und er fühlte sich allein. So allein, wie er war, bevor er in die Gruppe aufgenommen wurde und später Freunde in Deutschland fand. Ihm war kalt, seine Beine spürte er nicht mehr und sein Gesicht brannte, da Schmutz sich in seine offenen Wunden gelegt hatte.

›*Lass mich doch bitte einschlafen und sterben. Ich habe keine Lust mehr, ich will nicht mehr. Bitte mach meinem Leben ein Ende.*‹

Jack wollte seinen Tod, wenn er nicht zu ihnen käme. Oder wollte jemand anderes seinen Tod und sein Vater wollte ihn beschützen?

›*Ach quatsch, Basti, was denkst du da wieder? Schlaf jetzt endlich.* ‹

Vielleicht war sein Vater ja gar nicht schlecht oder er war so grausam, dass er nun mit seinen Gefühlen spielte.

›*Hör auf nachzudenken. Du verstehst es eh nicht.* ‹

Was war, wenn er einschlief und jemand ihn im Schlaf tötete? Würde das jemand tun? Vielleicht überlebte er und rettete Alina, ihren Freund und alle seine Freunde.

›*Hör auf zu denken! Du hast Schmerzen und bist übermüdet. Schlaf jetzt!*‹

Was sollte er machen? Sein Kopf schien verrückt zu spielen. Immer wieder schossen ihm Gedanken durch den Kopf und ermahnte sich selbst zur Ruhe. Seine Augen waren geschlossen, doch er fiel nur in einen leichten Schlaf, der von Alpträumen heimgesucht wurde.

Schweißgebadet wachte Sebastian auf. Seine Arme schmerzten bei jeder Bewegung, sodass er steif auf dem kalten Steinboden liegen blieb und sich nicht rührte.

»Warum sollen wir den woanders hinbringen?«, beschwerte sich eine unbekannte, männliche Stimme. »Erst verprügeln sie ihn, jetzt soll er es plötzlich besser haben. Ich kapier das nicht.«

»Tu was von dir verlangt wird, Sean, und nerv´ nicht!« Ein weiterer Mann hockte sich nun neben Sebastian, packte ihn unsanft an der Schulter und drehte ihn um. »Gib mir das Messer!«, forderte dieser von dem anderen.

Sie schnitten die Seile durch, mit welchen Sebastians Arme auf den Rücken gebunden waren. Endlich konnte er sie bewegen und öffnete die Augen, um zu erkennen, wer ihn befreite. Vor ihm hockte ein kleiner dicklicher junger Mann, nicht älter als Sebastian, neben ihm ein relativ gutaussehender, normalgewachsener Jugendlicher.

»Warum tut ihr das?« Die Angesprochenen schwiegen. »Seid ihr taub?«

»Halt's Maul!«

»Entschuldige, ich konnte nicht ahnen, dass du schlechte Laune hast!«

»Du sollst die Schnauze halten!«

Der ältere der beiden sah Basti zornig an. Basti erwiderte seinen Blick ebenso zornig. Plötzlich starrte Sean ihn entsetzt an und wich ein Stück zurück, was Sebastian irritierte. Der andere hatte mittlerweile das Seil der Beine durchtrennt und drehte sich nun ebenfalls ein wenig verwirrt zu Sean um. Dieser wirkte in seiner Bewegung eingefroren.

»Ist irgendwas? Hallo, Sean! Ich rede mit dir!« Er fuchtelte mit den Händen vor dem Gesicht seines Freundes herum.

»Dieser Blick! An wen erinnert dich dieser Typ?«, brachte Sean nun endlich hervor, doch der andere zuckte nur mit den Schultern.

»Keine Ahnung, ist mir auch egal! Ich will was essen und nicht rumstehen!« Doch Sean ließ nicht locker.

»Guck dir sein Gesicht an!«

»Wenn du dann still bist.« Er sah in Bastis Gesicht. »Und? Was soll ich jetzt sehen?«

»Wenn er ernst guckt, sieht der genauso aus wie …«

»Wie wer sieht er aus?« Plötzlich stand Jack in der Tür.

»Jack, du bist es! Wir haben die Seile abgemacht.«

»Schön, dann packt eure Sachen ein und verpisst euch!«

Ohne jedes weitere Wort verschwanden die beiden und ließen Jack und Sebastian allein. Doch Basti ergriff sofort das Wort.

»Wieso habt ihr die abgemacht?«

»Ich dachte mir, nachdem du dich entschlossen hast, wieder zurückzukommen, müssen wir dich nicht weiter wie ein Tier halten.«

»Bleibt mir eine Wahl?«

»Eigentlich nicht!«

»Du hast anscheinend keinem erzählt, dass du mein Vater bist.«

»Das hat niemanden zu interessieren!«, erwiderte Jack gleichgültig.

»Ich verstehe nicht, warum ich hier bin! Warum lässt du uns nicht einfach in Ruhe? Glaubst du, ich wäre jemals zur Polizei gegangen oder würde irgendeine Gefahr für euch darstellen? Ich wollte nur ein normales Leben führen!«

»Wenn es nach mir gegangen wäre, hättest du hier verrecken können. Aber es war nicht meine Entscheidung. Sie waren der Meinung, du könntest uns gefährlich werden!«

»Was geschieht mit Alina?«

»Du meinst, ob Mad schon bei ihr war?«

»Ja!«

»Er wird die Finger von ihr lassen, zumindest solange du nichts tust, was mir missfällt.«

»Und Lea und die anderen?«

»Da gilt das Gleiche. Ach ja, damit ich es nicht vergesse, deine Freundin, Svenja, heißt sie glaube ich, die ist weg. Ich habe keinen Einfluss darauf. Ein Zurück gibt es für dich nicht mehr. Für die

Außenwelt bist du ein Mörder. Erinnerst du dich? Du hast die Frau getötet!«

»Ihr habt mir keine Wahl gelassen! Ich konnte nicht loslassen!«

»Du bist ein Mörder und das wirst du für alle bleiben. Du siehst also, du hast keine andere Wahl, als bei uns zu bleiben.«

»Warst du schon immer so?« Basti empfand seinen Vater als abstoßend und konnte sich nicht vorstellen, dass seine Mutter ihn jemals geliebt haben könnte.

»Das geht dich nichts an!«

»Also nein!«, stellte Sebastian fest.

Jack sah ihn missmutig an, drehte sich um und machte wieder Anstalten zu gehen.

»Läufst du immer davon? Wenn ich schon hierbleiben soll, kannst du mir auch erzählen, was Sache ist und worauf ich mich einlasse!«

Eine kurze Pause trat ein. Jack stand mit dem Rücken zu Sebastian und starrte gegen die Wand.

»Heute ist der zweite September.« Jack atmete einmal tief ein und ging ohne ein weiteres Wort davon.

Sauer wippte Basti hin und her. Er wollte wissen, wo er war und wer sein Vater einmal gewesen ist. Er hatte das Recht, es zu erfahren. Dann wurde ihm schlagartig bewusst, dass sein Vater sich an seinen Geburtstag erinnert hatte. Doch warum hatte er ihm das erzählt? Lag ihm doch etwas an seinem Sohn? War er ihm doch nicht egal?

Stöhnend vor Schmerzen versuchte er aufzustehen, doch sein kaputtes Bein wollte ihn noch nicht tragen. Wäre auch zu schön gewesen. Aber warum auch? Wenn sein Leben schon scheiße war, konnte er auch noch Schmerzen vertragen.

Jack kam tagelang nicht wieder hinunter. Durch die Isolation war Basti seinen eigenen Gedankengängen hilflos ausgeliefert. Der kalte, harte Steinboden ließ ihn nachts keine Ruhe finden. So war er gezwungen, an der Wand lehnend darauf zu warten, bis sein Körper den Schlaf einforderte und er schließlich weg sackte. Seine Gliedmaßen schmerzten und er fragte sich, wie lange er diese Folter noch erdulden konnte. Wäre Mike nicht gewesen, der ihm das Bein geschient und seine Wunden täglich gesäubert hatte, wäre er bereits zusammengebrochen.

Als Mike von Ty zurückkam, zierten Unmengen an blauen Flecken seinen Körper und er blutete aus der Nase und anderen kleineren Wunden. Er wurde genauso festgehalten wie Alina und Sebastian auch. Täglich wurde er gezwungen sich um irgendwelche Idioten zu kümmern, sie mit neuen Drogen auszurüsten und ihnen neue Kunden zu nennen. Mike schien keineswegs ein mieser Kerl zu sein, ganz im Gegenteil. Er gab Basti sogar mehr Essen und Trinken, als er ihm eigentlich hätte geben dürfen.

Über zwei Monate waren bereits vergangen, die er nun bei El Kontaro verbrachte und sein Bein war fast verheilt. Er humpelte in seinem »Gefängnis« umher und überlegte sich, wie er dort hinauskommen könnte. Doch bevor er sein Ziel zu fliehen weiterverfolgte, wollte er mehr über El Kontaro und die Menschen, die sich dahinter befanden, herausfinden.

Überwachung

Sabine und Lea hatten gemeinsam mit ihren Eltern einen Antrag gestellt um von der Schule beurlaubt zu werden, damit sie nicht von den Reportern oder anderen Neugierigen belästigt wurden. Doch allmählich kam der Alltag zurück und sie mussten wieder zurück auf die Schulbank.

Der Presserummel hatte sich gelegt, da sie nichts Neues erfuhren, und so wurde Sebastian uninteressant. Jan sollte bald aus dem Krankenhaus kommen und Lea schien überglücklich über diese Nachricht zu sein. Sie hatte Basti nicht vergessen, doch ihre Freude über Jan ließ sie für einen Moment die Traurigkeit vergessen. Sabine hatte Lea erzählt, dass Svenja und ihre Eltern von ihrem Onkel weggebracht worden waren, damit sie in Sicherheit waren.

Eilenden Schrittes gingen sie weiter, dicht gefolgt von einem Bodyguard, der sie nicht aus den Augen ließ.

»Lea, warte doch mal!«

»Beeil dich Bine, wir kommen zu spät!«

»Warum rennst du denn so? Ich muss dir was sagen!«

»Na los, sonst verpassen wir den Bus«, drängelte Lea.

»Du scheinst heute übrigens fröhlicher zu sein, als noch vor ein paar Tagen.«

»Timo hat endlich mit mir geredet. Ich weiß, dass mein Verhalten dumm war. Ich hoffe, dass sich alles aufklärt. Ich denke, wenn wir zeigen, dass wir von Bastis Unschuld überzeugt sind, schaffen wir es auch, alle anderen davon zu überzeugen.«

Lea nahm Sabine in den Arm. »Du zerdrückst mich!«, erklärte diese.

»Oh, sorry.« Lea ließ Sabine los und grinste sie an, dann schreckte sie wieder hoch. »Wir kommen zu spät!«

»Kommen wir nicht! Der da …« Sabine zeigte auf den Mann hinter sich. »Der da bringt uns zur Schule und nimmt uns wieder mit. Das hat Timo organisiert. Außerdem passt er auf uns auf und sorgt dafür, dass uns keiner blöd anquatscht.«

Sie stiegen ins Auto, was am Straßenrand stand, und fuhren zur Schule. Auf dem Weg redeten sie wild durcheinander, während der Fahrer deutlich die Augen verdrehte.

Als sie einen Fuß auf den Schulhof setzten, starrten alle Schüler zu ihnen hinüber. Natürlich mussten sie für Aufsehen sorgen, schließlich wurden sie von Männern begleitet, die aussahen, als würden sie mit der bloßen Hand ein Haus einreißen. Wer bis jetzt noch nicht wusste, dass sie mit Sebastian befreundet waren, der hatte es spätestens jetzt begriffen. Denn das Getuschel einiger Schüler war nicht zu überhören. Schweigend betraten Sabine und Lea das Schulgebäude. Den langen Weg bis dorthin wurden sie von den Augen der Schüler ver- folgt. Lea hingegen schien die gesamte Situation zu nerven.

»Ich glaub´, ich geh wieder nach Hause. Ich habe jetzt schon keinen Bock mehr.«

»Och Lea! Es wird schon nicht so schlimm werden.«

Es klingelte und alle Schüler verschwanden in ihren Klassen.

»Ätzend, ich hätte jetzt gerne Kunst. Dann müsste ich nicht bis in den vierten Stock latschen!«

»Du faule Socke!« Grinsend drehte sich Sabine um und nahm Leas Hand in ihre. »Komm ich zieh dich. Aber ab morgen läufst du selbst.«

Endlich waren sie im vierten Stock angelangt und natürlich zu spät. Sie klopften an die Tür und betraten den Klassenraum.

»Entschuldigung, dass wir zu spät sind, aber …«

»Ist schon in Ordnung.« Die Lehrerin starrte die männlichen

Begleiter an, als würde sie nicht wissen, wie sie damit umgehen sollte. »Wollen Sie sich nicht setzen?«, erkundigte sie sich als nächstes an die Männer gewandt.

»Wir werden uns in die Ecke setzen um Ihren Unterricht nicht stören.«

»Vielen Dank! So, wo war ich stehen geblieben? Ach ja, Aufbau und Funktion von Neuronen.« Sie zeichnete eine Skizze an die Tafel. »Wer kann mir die Grundlagen der evolutiven Veränderung nennen?«

Sabine riss die Hand nach oben, sobald die Lehrerin ihre Frage beendet hatte.

»Kaum da und schon musst du wieder übertreiben.« Lea vergrub ihren Kopf in ihren Armen.

»Weißt du eigentlich, was wir die letzte Zeit so alles verpasst haben?«

»Sabine.«

Da Sabine immer noch aufzeigte, wurde sie auch drangenommen.

»Äh, Moment. Wie war ihre Frage noch mal?« Einige aus der Klasse lachten. »Ach ja, ich habe gerade den Faden verloren.«

Sabine erklärte die Grundlagen und fügte noch etliche weitere Dinge hinzu. Mit einem deutlichen Fragezeichen auf der Stirn starrten alle Sabine an, was Lea Antwort genug war.

Anscheinend hatte keiner ein Wort von dem verstanden, was sie gerade von sich gegeben hatte. Klar, hatten sie das mal gelesen. Aber wer sollte das alles behalten?

»Das war sehr gut Sabine. Mir scheint, dass keiner, außer dir, im Buch nachgelesen hat, sonst wären zumindest die Begriffe nicht völlig fremd. Sei doch so lieb und erklär es noch kurz an der Tafel und zeichne an.«

»Gerne.«

Sabine stand auf und ging nach vorne. Sie erklärte es sehr gut. Sogar Lea verstand es, ohne überlegen zu müssen.

Sie war nicht ganz so gut in Biologie, obwohl es eines ihrer Lieblingsfächer war. Na schön, sie war in diesem Fach grottenschlecht. Sie hatte es gewählt, weil sie nicht wusste, was sie nach der Schule machen wollte und ist blöderweise in den Leistungskurs gerutscht.

Nach endlosen zwei Stunden gingen sie auf den Schulhof. Die Freundinnen wurden von allen angesehen und es wurde hinter vorgehaltener Hand getuschelt.

Die Männer mussten überall dabei sein. Natürlich waren Sabine und Lea froh, dass sie beschützt wurden, dennoch war es nervig. Selbst eine private Unterhaltung war nicht möglich, so war Lea gezwungen, andere Maßnahmen zu ergreifen.

»Hey Bine, glaubst du, die kommen auch mit aufs Klo?«

»Keine Ahnung, wir können es ja ausprobieren.«

Sie gingen in Richtung Toilette und machten die Tür auf.

»Einen Moment.« Einer der Männer ging hinein und vergewisserte sich, dass sich niemand dort befand. Dann durften sie die Räumlichkeiten betreten. »Wir warten hier draußen.«

»Na schön.« Genervt verdrehte Sabine die Augen.

»Wir gehen in ein Klo. Ich will einfach mal quatschen, ohne, dass die dabei sind.«

»Gut«, antwortete Sabine. Auch sie empfand diese Situation als sehr anstrengend. Beide hockten sich in eine kleine Toilettenkabine und schlossen die Tür. Dann begann Sabine zu sprechen.

»Es ist so nervig. Ich kann nicht mal telefonieren, ohne, dass die daneben hängen.«

»Ich weiß, wie du dich fühlst. Vor unserer Tür stehen auch Polizisten und bewachen das Haus. Zum Glück kommen die nicht rein.«

»Seit Timo in der Sendung war, haben sie Angst, jemand könnte mir was tun. Weil ich seine Freundin bin und was wissen könnte. Timo wurde nach der Sendung mehrmals verhört. Das ging ihm auch auf die Nerven. Er wollte immer nur mit bestimmten Leuten sprechen, weil er anderen nicht vertraut. Und auch die Ausbildung liegt auf Eis, da er richtig Ärger hat, wegen seinen Aussagen«, erklärte Sabine

»Ähm, ich möchte eure Sitzung nur ungern unterbrechen, aber euer Unterricht fängt gleich wieder an und hier sind noch andere Schülerinnen, die gerne die Toilette besuchen würden.« Vorsichtig hatte einer der Begleiter seinen Kopf durch die Eingangstür des Toilettenbereichs gesteckt.

»Wir kommen.« Diesmal verdrehte Lea die Augen.

Sie schlossen die Tür auf und verließen die Toiletten. Ohne ihre Aufpasser weiter zu beachten, begaben sie sich wieder zum Unterricht.

Nach weiteren langweiligen Stunden, zumindest empfand es Lea so, hatten sie Kunst. Frau Opalu war bereits im Kunstraum und hielt einem ihrer Schüler eine Standpauke. Diese Lehrerin hatte nicht den besten Ruf.

Doch für Lea und Sabine war sie die netteste und coolste von allen. Ihr Kunstgeschmack war nicht jedermanns Sache, doch sie akzeptierte immer die Meinungen ihrer Schüler und benotete gerecht. Die beiden suchten sich je einen der vielen freien Plätze im Kunstraum aus und starrten Frau Opalu hoffnungsvoll an.

»Ich hatte mir einen Zettel gemacht, eine Sekunde. Ich hatte ihn eben noch hier liegen. Das gibt's doch nicht, er ist weg!«, murmelte die Lehrerin und durchsuchte dabei ihre Unterlagen.

»Ist doch egal, wir können doch heute an den Landschaftsbildern weiterarbeiten.« Offensichtlich wollte Sabine einfach beginnen zu arbeiten und sich ablenken.

»Ich wollte mit euch Kohlezeichnungen machen. Ich hatte ein paar Vorlagen. Ich werde wahnsinnig.«

Sabine verdrehte die Augen. »Kohle? Ich hasse Kohlezeichnungen!«

»Ich kann besser mit Kohle zeichnen, ich mag das lieber als Öl oder Aquarell«, mischte sich nun Lea ein.

»Ich finde Aquarell am coolsten. Kohle sieht immer so traurig aus.«

»Eben, deshalb mag ich es ja auch so. Ich finde, mit Kohle kann man am besten ausdrücken, was man fühlt.«

»Also, wenn ich zeichnen müsste, was ich gerade fühle, müsste ich im tiefsten Schwarz malen und aufpassen, dass mein Bild nicht explodiert!«, entgegnete Sabine.

»Ich weiß nicht, wo ich das Blatt hingelegt habe. Aber ich habe eine bessere Idee. In Anbetracht der Situation, in der ihr euch momentan befindet, bin ich der Meinung, dass ihr versucht eure Gefühle auf Papier zu bringen. Das ist nicht einfach, zuerst einmal müsst ihr …! Sabine, warum verdrehst du die Augen?«

Lea und Sabine grinsten und lachten innerlich darüber, jede von ihnen dachte das Gleiche.

»Alles gut, wir haben nur genau darüber gesprochen.«

»Also, dann ist es ja beschlossene Sache. Wie ich eben bereits anfing, müsst ihr euch darüber im Klaren sein, mit was ihr malt. Einige können das besser mit Kohle, andere mit Öl, wieder andere mit Aquarell oder Bleistift. Egal was ihr nehmt, versucht, euren Gefühlen freien Lauf zu lassen.«

Frau Opalu hielt kurz inne und beobachtete Sabine und Lea. Sie war sich sicher, dass die beiden viele Sorgen mit sich herumtrugen und für sie gab es keine bessere Möglichkeit als das Malen. Schließlich fuhr sie fort und drehte sich auch zu den anderen Mitschülern um und sprach zur gesamten Klasse.

»Es muss kein Mensch auf diesem Bild abgebildet sein. Es reicht, wenn ihr mit kleinen Details arbeitet, zum Beispiel ein kaputtes kleines Haus, an einem verschmutzten Bach. Das lässt den Eindruck erwecken, dass etwas nicht stimmt. Wenn ihr noch mit dunklen Farben malt und kleine traurige Details verwendet, habt ihr ein trauriges Bild. Malt ihr aber den gleichen Bach, auf welchem Entchen schwimmen oder daneben kleine Blumen wachsen und einen sonnigen Himmel, hat man den Eindruck, ihr wart glücklich, als ihr dieses Bild gemalt habt. Selbst mit Kohle kann man freundlich malen!«

Wieder sah sie abwechselnd Sabine und Lea an und lächelte ihnen zu. Schließlich standen die Schüler auf und besorgten die Materialien.

»Wenn ihr Fragen habt, fragt.«

»Ist gut.« Auch jetzt hatte Lea den Eindruck, dass Frau Opalu speziell nochmals Sabine und Lea angesprochen hatte.

Endlich begangen sie zu malen. Lea entschied sich für Kohle. Sabine starrte eine Weile an die Decke und holte sich schließlich Kreide.

»Die kann man so toll verwischen.«

»Ich habe keine Ahnung, was ich malen soll!... Lea?«

Doch Lea hatte bereits drauf los gekritzelt. Hinten im Bild fing sie mit Bergen an, weiter war sie noch nicht. Sabine starrte wieder an die Decke und überlegte. Sie knabberte an ihrem Stift und beobachtete Lea beim Malen.

»Was malst du?« Lea reagierte aber nicht darauf. »Hallo!« Sie wedelte mit ihrer Hand vor Leas Gesicht, um ihre Aufmerksamkeit auf sich zu ziehen.

»Was ist? Wolltest du was?«

»Ich wollte wissen, was du malst.«

»Keine Ahnung, ich male einfach drauf los und du?«

Achselzuckend kaute sie weiter an ihrem Stift herum. Sabine und Lea hatten sich unter anderem an einer Kunsthochschule beworben und arbeiteten an Kunstmappen. Dementsprechend groß war der Druck. Schließlich fiel Sabine etwas ein und fing an.

Nachdem die Doppelstunde vorbei war, war Lea fast fertig. Es fehlten nur noch ein paar Schattierungen und Details, aber das Bildnis hatte eine schöne Landschaft angenommen. Die Berge ragten über einen großen See, auf welchem ein kleines Segelboot schwamm. Eine kleine Insel mit Sträuchern und Bäumen war rechts im unteren Bild abgebildet.

»Na Lea, du würdest wohl jetzt sicher gerne mit Jan in diesem Boot sein und die Sonne genießen und, und, und.«

»Wenn alles vorbei ist, würde ich das gerne machen.« Sie sah traurig auf das Gemalte. »Meinst du, es wird jemals vorbei sein? Es ist so viel passiert. Oh, man. Ich war jetzt schon einige Tage nicht mehr bei Jan. Vielleicht sollte ich ihn besuchen.«

»Jan freut sich sicher.«

»Das hoffe ich doch.« Lea gab ihr einen freundschaftlichen Stoß und lachte dabei.

»Irgendwann wird es vorbei sein.«

Vielleicht hatte Sabine recht, doch Lea hatte das Gefühl, dass es noch deutlich schlimmer werden würde.

Eine überfällige Aussprache

Es klingelte an der Tür, doch keiner öffnete sie. Es klingelte wieder und wieder. Endlich öffnete Leas Mutter die Tür. »Hallo!«, schrie Marlene begeistert.

»Ich hatte nicht so früh mit euch gerechnet. Aber kommt rein.«

Martha, Leas Mutter, schloss die Tür und bat die Personen in die Küche.

»Lea ist oben. Sie macht Hausaufgaben, glaube ich jedenfalls.«

»Nochmals danke, dass wir hierbleiben können bis wir was Eigenes gefunden haben. Ich halte es bei uns keinen Tag länger aus!«

»Du kannst ruhig nach oben gehen. Du weißt ja sicher noch, wo ihr Zimmer ist.« Martha lächelte Jan an.

»Sei so gut, Schatz, und nimm die Koffer mit hoch. Deinen kannst du in Leas Zimmer stellen. Ich denke nicht, dass das ein Problem mit euch geben wird, oder.«

»Nein, Mama.«

Er schleppte die schweren Koffer nach oben und setzte einen in der ersten Etage ab. Dann begab er sich in Leas Zimmer, welches sich in der zweiten Etage befand. Als er die Tür öffnete, sah er sie schlafend in ihrem Bett liegen. Er schlich sich heran und setzte sich auf die Bettkante. Eine Weile sah er sie an und streichelte ihre Wange. Sie lächelte, doch schlief weiter, als wäre es ein schöner Traum.

Für einen Augenblick stellte er sich vor, er sei ein Prinz und sie eine Prinzessin, die aus einem hundertjährigen Schlaf wach geküsst werden müsste. Kitschig, aber wenn man frisch verliebt war, spielte das keine Rolle. Deshalb beugte er sich hinunter und küsste sie zärtlich auf den Mund. Und tatsächlich, Lea öffnete die Augen.

»Kannst du die Augen wieder schließen? Ich will dich noch mal wach küssen.«

Er lächelte sie an. Lea hingegen runzelte die Stirn. »Jan?« Sie starrte ihn an. »Was machst du hier?«

»Soll ich wieder gehen?«

»Natürlich nicht.« Sie umarmte ihn stürmisch. »Wann bist du entlassen worden und warum bist du jetzt hier?« Er lachte und sah ihr dann tief in die Augen.

»Hat deine Mutter nichts erzählt?«

»Was denn?«

»Als ich entlassen wurde, stand meine Mutter mit Koffern in meinem Zimmer, wir sind direkt zu euch gefahren. Ich weiß es auch erst seit eben, aber ich freue mich. Endlich können wir zusammen sein, ohne, dass uns jemand auseinanderbringen will.«

»Wovon sprichst du?«

»Deine Mutter lässt uns für ein paar Wochen hier wohnen. Erst sollte ich im Zimmer deines Bruders schlafen. Aber als meine Mutter, deine Mutter über uns aufgeklärt hat, war klar, wo ich bleibe.«

»Wie, du schläfst bei mir?« Sie starrte Jan ungläubig und verwirrt an. Dann schrie sie laut auf. »Aaaahhh! Das ist super, wie cool. Ich bin sprachlos. Komm her.«

Sie stürzte sich auf ihn und umarmte ihn fest.

»Lea, alles in Ordnung?«, rief ihre Mutter besorgt nach oben.

»Alles bestens, alles super.« Jan und Lea lachten. »Das ist so schön. Na ja, bis auf die Tatsache, dass gleich zwei Mütter unter einem Dach sind, mit Putzfimmel.«

»Deine Mutter ist schlimmer, meine ist nicht ganz so ordentlich«, lachte Jan. »Zumindest hat meine noch nie mein Zimmer aufgeräumt.« Lea begutachtete ihr Chaos im Zimmer und nickte Jan etwas beschämt zu.

»Sprichst du von mir?«

»Genau, aber jetzt schlafen wir hier zu zweit. Zwei Chaoten, ein Zimmer. Finde ich klasse.« Er legte sich neben sie und zog sie an sich. Sie kuschelten und genossen die Zweisamkeit.

»Ich weiß nicht, von wem diese Idee stammt. Aber ich bin demjenigen dankbar. Was ist mit Jack?«

»Das Arschloch kann mir gestohlen bleiben. Er war anscheinend schon tagelang nicht mehr zu Hause. Die Hauptsache ist aber, dass meine Mutter endlich den Entschluss gefasst hat zu verschwinden.«

»Heißt das, nach den Wochen bei uns verschwindet ihr aus Jacks Haus?«

»Ich bleibe bei dir. Ich lasse mich nicht verjagen, schon gar nicht, wenn sich nicht alles geklärt hat mit Basti. Hast du eigentlich was von ihm gehört?« Sie schüttelte traurig den Kopf.

»Ich habe keine Ahnung, wo er ist. Ich hoffe, es geht ihm gut.«

»Das hoffe ich auch. Wenn ich bedenke, wie das alles angefangen hat und was das für Ausmaße angenommen hat.«

»Ich bin nur froh, dass es dir und meiner Mutter gut geht. Jack ist skrupellos. Mich würde es nicht wundern, wenn er was mit dieser Geschichte zu tun hat.«

»Mich auch nicht.«

»Gestern hatte ich Besuch von Timo. Er meinte, dass Svenja weg ist. Ihre Familie wurde weggebracht. Er wusste nicht wohin, aber sie sind wohl in Sicherheit. Er hat sich mit Sebastian vor, na ja, bevor das mit der Polizistin passiert ist, unterhalten.« Jan machte eine kurze Pause und sah Lea an. »Ich fand es komisch, dass Timo ins Krankenhaus kommt und mir Bericht erstattet. Normalerweise machst du das immer. Ich mein, ich fand es lieb von ihm, dass er mich besucht hat, aber ich hatte das Gefühl, dass ihn irgendetwas bedrückt. Also habe ich versucht, ihn auszuquetschen, allerdings weißt du ja, wie er ist. Wenn er versprochen hat ein Geheimnis zu behalten, macht er das auch. Er wollte mir nicht genau erzählen, was sie besprochen haben, aber es ging wohl um meinen Vater und um Sebastian und …« Er stockte kurz. »Und um meine Schwester.« Seine Augen flüchteten traurig vor Leas Blick.

»Warum hat er dir das erzählt?«

»Keine Ahnung. Meine Schwester ist in Amerika gestorben. Timo sollte mir von Sebastian ausrichten, dass es ihm leidtut, was passiert ist. Ich habe nachgedacht und mich gefragt, wieso ihm etwas Leid tut, obwohl er nichts damit zu tun hat. Vor allem fand ich es komisch, dass ihm das jetzt einfällt. Mir ist eingefallen, dass Sebastian auch aus Amerika kommt. Ich habe gedacht, du wüsstest vielleicht, ob er meine Schwester gekannt hat. Es würde mich nur interessieren.«

»Vielleicht solltest du mit deiner Mutter darüber sprechen. Ich … ich … Basti wollte dir das irgendwann selbst erzählen. Aber deine Mutter könnte dir vielleicht einiges mehr erklären.«

»Warum hältst du es vor mir geheim? Ich verstehe es nicht! Wieso klärt Sebastian Timo auf und mich nicht? Warum machen alle ein Geheimnis draus? Ich weiß, dass Jack und dieser Mad dazu gehören und ich weiß auch, dass diese Gruppe gefährlich ist. Aber was hat Sebastian mit all dem zu tun?«

»Wenn ich dir verrate, was Sebastian damit zu tun hat, hörst du auf mich zu fragen? Ich habe es versprochen und ich finde es schon schlimm genug, es vor dir geheim zu halten, ohne dass du mich die ganze Zeit darüber ausquetschst!«

»Versprochen.«

»Sebastian kommt aus Amerika, das weißt du. Er hat mit seiner Mutter und seinem Vater dort gelebt. Was mit seinem Vater passiert ist, weiß ich nicht. Das hat er mir nie erzählt, aber ich habe auch nicht nachgefragt. Jedenfalls ist seine Mutter ermordet worden, von einer Drogengruppierung, die sich El Kontaro nennt. Sie haben Basti entführt und aufgenommen. Er ist bei ihnen aufgewachsen und hat gelernt, mit Drogen zu handeln, sie zu strecken und so was alles. Er war ein Kind und ist irgendwann nach Deutschland geflohen. Was genau passiert ist und wie er es geschafft hat zu entkommen weiß ich nicht, aber er hatte Hilfe von einer außenstehenden Person. Er wurde an der Grenze festgenommen und zu seiner Tante gebracht. Sie hat ihn adoptiert, nachdem man festgestellt hat, dass seine Mutter tot war und vom Vater jede Spur fehlte. Niemand weiß, wer Bastis Vater ist. Er hat deutsch gelernt und sich angepasst. Irgendwann waren da ein paar Typen, die mich geärgert haben. Ich weiß nicht mehr genau, wie alt ich war, aber Sebastian hat die Kerle verprügelt. Irgendwann habe ich ihn euch vorgestellt. Den Rest kennst du ja.«

»Wenn ich bedenke, dass ich mich mit Basti immer gezofft habe, habe ich ein schlechtes Gewissen.«

»Basti ist mein bester Freund und du warst grob zu mir.«

»Ich habe das nur getan, weil Jack mich und meine Mutter sonst verprügelt hätte. Es tut mir immer noch leid, ich war so ein Idiot.«

»Ich habe nie aufgehört, dich zu mögen. Aber immer, wenn ich dich gesehen habe, ist alles in mir hochgekocht und ich hätte dich am liebsten geschlagen. Es tat so weh, dir jeden Tag zu begegnen und deine Abneigung zu spüren.«

»Es tut mir leid Lea, bitte. Du musst mir verzeihen«, bettelte er.

»Seit der Schlägerei habe ich so manches verziehen.«

»Was denn nicht?« Er richtete sich ein Stück auf und sah sie neugierig an.

»Dass du mir nie etwas erzählt hast. Hättest du mir einen Grund genannt, warum du dich so aufführst, hätte ich es verstanden. Aber du hättest nicht so gemein sein müssen. Wir hätten normal miteinander sprechen können«, erklärte sie ihm leise.

»Ich war selbst sauer über mein Verhalten und innerlich wurde ich so aggressiv, dass ich den Druck an dir ausgelassen habe. An dem Menschen, der mir mit am meisten bedeutet. Ich hätte eher mit dir darüber sprechen müssen.«

»Wenigstens hast du es noch kapiert. Besser spät als nie. Ich bin froh, dass wir wenigstens jetzt die Zeit haben, darüber zu reden.«

»Ich auch.«

»Jan, du musst mir was versprechen.«

»Was denn?«

»Ich möchte, dass du immer ehrlich zu mir sein wirst und hör nie auf andere, wenn es um deine Gefühle geht. Vor allem nicht, wenn du weißt, dass sie nur schlechtes für dich wollen!«

»Ich verspreche es dir, wenn du mir auch etwas versprichst.«
»Kommt drauf an.«
»Bring dich nicht unnötig in Gefahr, vor allem im Moment nicht. Halt dich bitte nie irgendwo allein auf und versuch nicht, deinem Aufpasser wegzulaufen.«
»Ja.«
Jan küsste sie auf die Wange. »Danke. Vertrau denen! Es gibt wohl eine Gruppierung, die gegen El Kontaro arbeitet. Da gehören die beiden Männer wohl zu. Ich hoffe, dass die auch was erreichen können und dass dieser Alptraum irgendwann ein Ende hat.«
»Jan?«, unterbrach sie ihn, bevor er noch mehr sagen konnte.
»Ja?«
»Halt die Klappe und küss mich.« Er grinste sie verlegen an und tat wie ihm befohlen.

Einige Stunden waren seit der Ankunft von Jan und seiner Mutter verstrichen. Mittlerweile war es früher Abend, als die zwei hinuntergingen zum Abendessen. Es gab frisches Brot, Gürkchen, Zwiebeln, Tomaten, frische Wurst, verschiedene Käsesorten, Saft und Wein. Sie aßen im Wohnzimmer am großen Esstisch.

Als endlich alle saßen und anfingen zu essen, unterhielten sich Stephan und Jan ausgelassen über Computer und neue Spiele. Leas Vater schenkte Marlene großzügig Rotwein nach, während sich Martha und Marlene ausgelassen unterhielten. Sowohl Jan als auch Marlene genossen dieses herzliche Beisammensein. Für sie war es schon lange nicht mehr selbstverständlich gewesen. Ein wunderschöner, friedlicher Abend. Als alle fertig waren halfen Jan und Lea, den Tisch abzuräumen, und gingen nach oben.

Stephan konnte seine Enttäuschung nicht für sich behalten, als Jan verkündete, er würde bei Lea schlafen. Zu gerne hätte er die ganze Nacht mit ihm PC gespielt.

Als Lea sich fürs Bett fertig machen wollte, fiel ihr ein, dass Jan zwar ihr Freund war, sie sich aber noch nie vor ihm ausgezogen hatte.

Durch ihre eigene Unsicherheit empfand sie ein gewisses Unbehagen und Charmegefühl, weswegen sie sich zügig im Bad umzog.

Als sie wiederkam stand er nur in Boxershorts in ihrem Zimmer und zog sich ungeschickt seine Socken aus. Lea war nie aufgefallen, wie trainiert Jans Körper war. Bisher hatte sie ihn nie ohne Shirt gesehen. Eine ganze Zeit lang empfand sie ihn sogar als abstoßend, da sie sich ständig stritten und er so gemein zu ihr gewesen ist. Doch jetzt konnte sie ihren Blick nicht von ihm abwenden. Von seinen dunklen Haaren und seinen treuen braunen Augen. Von seiner südländisch wirkende Haut, die seine definierten Muskeln deutlich attraktiver wirken ließ. Sie biss sich auf die Lippen, während sie ihn eindringlich beobachtete, sich vorstellte, wie sie sich näherkamen und …

»Schlafen wir in dem kleinen Bett oder auf der Ausziehcouch?«

Aus ihrem Traum gerissen, grinste sie ihn an. »Du schläfst auf der Couch und ich in meinem Bett.«

»Wie jetzt? Schlafen wir nicht zusammen?«

»Was?« Lea sah ein wenig verwirrt und belustigt zugleich drein. Als Jan bewusst wurde, warum Lea ihn so angrinste, wurde er rot.

»Ich meine, ob wir im Bett zusammen schlafen oder nicht?«

Wieder kicherte Lea, diesmal ausgelassener.

»Och man, du weißt, wie ich das meine.«

Lea nickte. »Es ist amüsant dir zuzuhören. Red ruhig weiter.«

»Willst du mich ärgern?«

»Mmmh, vielleicht.«

»Komm her.« Er krümmte seine Finger und hielt sie Lea entgegen, um sie zu kitzeln. Doch diese versuchte ihm zu entkommen. Sie stolperte auf die Couch und Jan kitzelte sie, sodass sie vor Lachen anfing zu schreien, bis Stephan rief, dass sie ruhiger sein sollen.

Die zwei sahen sich liebevoll in die Augen. Schließlich küssten sie sich und ließen sich nicht mehr los. Es war bereits halb eins morgens, als ihnen einfiel, dass sie die Couch noch ausziehen mussten und am nächsten Tag Schule war. Eilig machten sie sich daran das Bett herzurichten und legten sich schlafen.

Am nächsten Morgen beschloss Jan zur Schule zu gehen, er wollte Lea keinesfalls alleine lassen. Auch ihm erging es an seinem ersten

Schultag nicht anders. Er wurde von allen angestarrt, jedoch noch mehr, als die Mädels vor ihm.

Für die meiste Verwirrung sorgten Jan und Lea, als sie sich Hände haltend in die Klasse begaben. Jedem in der Klasse war bewusst, dass sie sich gehasst haben. Ihre Streitereien hatten sie ebenfalls in der Klasse ausgetragen, sodass es niemandem entgehen konnte.

Doch jetzt waren sie ein Paar. Das überragte die Gedankengänge einiger. Nachdem sich die Unruhe aber gelegt hatte und Jan von der Lehrerin herzlich begrüßt wurde, fing ein langer und langweiliger Schultag an.

Blutige Auseinandersetzung

Nach einer gewissen Zeit hatte Sebastian sich mehr oder weniger an seine neue Umgebung angepasst. Sein Bein schmerzte immer noch, doch er musste wenigstens nicht mehr auf dem kalten Boden schlafen, sondern hatte ein eigenes »Zimmer«. Es war nicht direkt ein Zimmer, mehr eine Art Abstellraum. Aber immerhin hatte er ein Feldbett und eine Tür, die er verschließen konnte, beziehungsweise sie wurde abends verschlossen, damit er nicht verschwand.

Es gab jeden Abend, um die gleiche Zeit etwas zu essen. Oft genug passierte es, dass die Jugendlichen darum kämpfen mussten. Es lief ab wie in einer Herde, erst bekamen die Stärkeren etwas, also Jack, Mad und Konsorten. Dann wurde der Rest, der übrig blieb, auf die Schwächeren verteilt. Es war nicht viel, aber Basti hatte sich dank zwei Schlägereien einen höheren Platz erkämpft. Doch er teilte alles mit Alina und ihrem Freund. Natürlich ohne Alina zu begegnen, denn das hatte Jack noch immer verboten. Alina durfte sich ihm nicht nähern, damit er sie nicht auf falsche Gedanken brachte.

Auch jetzt dauerte es nicht mehr lange, bis es Essen gab. Doch es schien so, als würde nicht viel übrigbleiben, denn Mad hatte Gäste eingeladen. Basti wusste, was das zu bedeuten hatte. Diese Fremden waren nur zu einem Zweck dort und zwar zur Begutachtung der Mädchen.

Anfangs war es ihm nicht klar gewesen, doch nach einiger Zeit begriff er, wofür die jungen Frauen hier waren. Glücklicherweise hielt sich Jack an die Abmachung und sorgte dafür, dass Alina auch weiterhin nichts mit den Männern zu tun hatte. Er erhaschte einige Stücke Brot und schenkte sie Mike. Ohne sich um sein eigenes Essen zu scheren, ging er in sein Zimmer, legte sich auf das Feldbett und starrte die Decke an. Ständig fragte er sich, ob er dort wieder rauskommen würde, lebend.

»Worüber grübelst du?«

Basti wurde aus seinen Gedanken gerissen. Schnell richtete er sich auf und sah in die Richtung, aus der die Stimme kam. Alina lehnte im Türrahmen und begutachtete ihn.

»Was machst du hier? Du darfst hier nicht hin!«

»Ich wollte mich nur für das Essen bedanken. Warum schenkst du es uns? Hast du selbst was gegessen?«

Bastis Magen antwortete mit lautem Knurren.

»Ich brauche nichts!«

»Woher kennst du mich?«, stellte sie die nächste Frage.

»Alina! Du sollst verschwinden! Du DARFST nicht hier sein!«, entgegnete er scharf.

»Warum brüllst du mich an? Ich habe dir nichts getan. Ich wollte mich doch nur bedanken!«

»Du bedankst dich, indem du mir nicht auf die Nerven gehst!«

»Ich hätte nie gedacht, dass du so bist! Ich dachte, du wärst anders! Ich dachte, du wärst …«

»Was?«, fragte Sebastian und zog die Augenbrauen nach oben.

»Ach, nicht so wichtig. Schon verstanden, ich soll mich verpissen!«

»Alina! Wer dachtest du, bin ich?«

»Das ist doch egal, denn ich habe mich geirrt.«

»Du hast Recht! Geh!«

Sie ging und er blieb zurück. Er war wie Jan geworden, das wurde ihm bewusst. Es tat ihm weh, so mit ihr zu sprechen, doch wenn es die einzige Möglichkeit war, sie vor Mad oder seinem Vater zu beschützen, musste es sein.

Ja, Jack war sein Vater, daran hatte er sich gewöhnt, auch wenn er es geheim hielt. Wenn es herauskäme, wäre sein Leben nicht mehr so angenehm. Angenehm hieß, nicht verprügelt zu werden und etwas in den Magen zu bekommen.

Er hatte sich ein gewisses Ansehen erkämpft und viele gingen ihm aus dem Weg, einschließlich einige von Mads Schlägertypen. Doch es häuften sich Gerüchte, denn er sah Jack sehr ähnlich. Selbst die Art, wie er sich bewegte oder seine Reaktionen, waren identisch mit denen von Jack, obwohl er ohne ihn aufgewachsen war. Auch Jack schien es nicht zu erzählen. Warum das so war, wusste Sebastian nicht, doch es erschien ihm sinnvoll, es ebenfalls für sich zu behalten.

In den nächsten Tagen ging Alina ihm aus dem Weg. Nicht nur, dass sie nicht mit ihm sprach, sie sah ihn auch nicht an oder nahm Nahrung von ihm. Sie hatte sich vorgenommen, selbst darum zu kämpfen.

An diesem Abend war nicht genug Essen für alle da und die Schlägertypen, die freiwillig dort waren, schlugen ohne Rücksicht um sich. Basti sah sich das Spektakel ohne einzugreifen an, doch eine Flamme loderte in ihm, die immer größer wurde. Er wollte sich schlagen, um den Druck und den Frust in seiner Brust zu erleichtern, der sich in den letzten Wochen angesammelt hatte. Doch er wollte auch keine Unschuldigen verletzen.

Er wartete darauf, auf die Idioten einzuschlagen und sich satt zu essen. In der nächsten Sekunde betrat Alina den Raum. Sie sah ängstlich und blass aus. Zitternd starrte sie die Männer an, dann ohne weiteres zögern, marschierte sie geradewegs auf einen der schlimmsten Schläger zu.

»Ich habe Hunger! Wir alle haben Hunger!«

»Dann musst du warten, bis du dran bist!«, gab dieser zurück.

»Ich habe keine Lust mehr, zu warten. Warum bekommt ihr immer das Essen? Nur weil ihr größer und stärker seid? Was ist mit Intelligenz? Wer von uns intelligenter ist, muss keiner erraten, oder?«

»Nur weil du weiblich bist, brauchst du nicht denken, dass wir dich nicht vom Gegenteil überzeugen. Aaron halt Mike fest!«

»Ja, Armin!«

»Lasst mich los! Lasst sie in Ruhe!« Mike versuchte sich gegen Aaron zur Wehr zu setzen, doch er war zu schmächtig, um gegen ihn anzukommen. Alina hingegen wollte sich keinesfalls unterkriegen lassen. Sie war auf Ärger aus.

»Was hat er damit zu tun?«

»Oh, oh, Alina, Püppchen. Jeder hier weiß, was mit euch ist! Du bist selbst schuld, wenn wir ihn mit einbeziehen! Tja, Schätzchen, dumm ist der, der dumm ist.«

»Das heißt, dumm ist der, der Dummes tut, du Arschloch! Und außerdem läuft zwischen uns nichts!«

Ohne, dass Alina eine Chance hatte auszuweichen, schlug er ihr mit der flachen Hand ins Gesicht. Mit Tränen in den Augen starrte sie ihn an, als könnte sie nicht glauben, was passiert war. Bei Sebastian knallte augenblicklich eine Sicherung durch.

Einige der anderen Jugendlichen drehten sich zu ihm um, der sich langsam auf Armin zu bewegte. Mit jedem Schritt, den er machte, wichen mehr der Anwesenden aus und es wurde stiller. Armin, der Sebastian noch nicht erblickt hatte, baute sich vor Alina auf.

»Wer ist jetzt hier der Dumme? Los antworte mir!« Er packte Alina am Pullover und riss sie zu sich.

»LASS … SIE … LOS!« Basti hatte sich seitlich an Armins Schulter gestellt und versuchte gleichzeitig Alina von ihm wegzuschieben, doch Armin hielt sie weiterhin fest.

»Was passiert, wenn ich es nicht mache?«

Die Antwort kam schnell und zielsicher. Basti knallte seine Faust mit aller Wucht ins Gesicht von Armin, welcher vor Schmerz aufheulend Alina losließ.

»Genug, oder willst du noch mehr?« Basti funkelte Alina böse an, mit einem Blick, der sie stumm fragte, ob er es ihr nicht gesagt hatte.

»Lasst Mike los!« Aaron tat, was ihm befohlen wurde, da er anscheinend Angst vor Sebastian hatte. Alina stürzte zu Mike hinüber und umarmte ihn. Als Sebastian sich umdrehte, um sich etwas zu Essen zu krallen, ging Armin auf ihn los.

»Ich lasse mich nicht von dir lächerlich machen!«

»Dafür sorgst du schon allein!«

Armin schmiss sich auf Sebastian. Unter seinem Gewicht sackte er zu Boden und Armin fiel oben drauf. Sie fingen an, sich zu raufen. Es dauerte, bis Sebastian den ersten Schlag einkassierte und seine Lippe anfing zu bluten. Dann landete er den zweiten Treffer und über Armins Augenbraue klaffte eine tiefe Wunde. Durch das Geschrei der Zuschauer und das Gebrüll der sich Prügelnden wurden auch Mad, Jack und die restlichen Leute auf sie aufmerksam. Sie stellten sich vor die anderen Jugendlichen und begutachteten den blutigen Kampf zwischen Armin und Sebastian.

»´Ne kleine Wette Jack? Mein Schützling gegen deinen?«

»Ich muss dich enttäuschen, Mad. Aber ich denke, wenn wir den Kampf nicht stoppen, wird es keinen Gewinner geben!«

»Ich habe dich damals schon mehrfach besiegt! Du kannst mir nicht das Wasser reichen!«

»Ich bin schon lange kein Kind mehr, Armin!«

Wieder schlugen sie aufeinander ein und ließen kurz voneinander ab.

»Du bist noch weicher als früher!«

»Das glaubst nur du. Los Armin, zeig mir doch, wie viel du gelernt hast!«

Armin schien verunsichert zu sein. Er griff zu einem rostigen Messer, welches auf dem Tisch lag, und versuchte seinen Gegner abzustechen.

»Du hast noch nie fair gespielt, Armin!«

Glücklicherweise wich Basti schnell genug aus, um das Schlimmste zu verhindern, doch lange konnte er es nicht mehr aushalten. Beide Hände waren blutig und langsam hatte er keine Kraft mehr.

Armin lachte ihn aus, doch auch er sah nicht viel anders aus. Seine Nase war gebrochen, was kein Wunder war. Basti hatte ihm mehrere Male drauf geschlagen. Sein linkes Auge war geschwollen und das Blut aus der offenen Wunde über der Augenbraue lief ihm übers ganze Gesicht. Basti hatte ebenfalls Nasenbluten. Eine Platzwunde auf der Stirn, vom Sturz auf den Boden, blutete ebenfalls. Beide atmeten schwer, während sie sich schlugen. Dann landete Armin einen Treffer mit seinem Messer und stach es tief in Bastis Arm. Dieser schrie vor Schmerz auf, zog sich jedoch das Messer aus dem Arm und versuchte es Armin neben dem Hals in die linke Schulter zu stecken, doch dies missglückte. Als nächstes warf er sich auf ihn.

Armin stürzte zu Boden und Sebastian legte seine Hände um Armins Hals. Er drückte ihn zusammen, sodass sein Kontrahent nach Luft schnappte und versuchte seinen Angreifer von sich abzuschütteln. Doch die Kraft hatte ihn verlassen und seine Hände sackten zu Boden.

Einer der Anwesenden zog Sebastian von dem leblos wirkenden Armin herunter. Sebastian wollte zu Ende bringen, was er angefangen hatte, doch er war in Jacks Armen gefangen. Er wehrte sich gegen seinen Vater, doch dieser hatte einen so festen Griff, dass er sich nicht befreien konnte. Der Schmerz stieg ihm in den Kopf. Er nahm alles nur noch verschwommen wahr.

»Er lebt noch. Hört auf zu schreien und verpisst euch!« Mad schien sauer zu sein. Mit vor Zorn gerötetem Gesicht drehte er sich suchend nach Sebastian um. Jack hatte diesen inzwischen losgelassen. Er torkelte, konnte aber geradestehen.

»Ich mach dich kalt. Mir ist egal, dass die oben andere Pläne mit dir haben! Ich hätte dich umbringen sollen, als du noch ein Kind warst!«

»Unschuldige Kinder sind für dich doch das Beste, oder? Ich kann mich ganz genau daran erinnern. Ich bin mit meinem Freund weggelaufen und du hast ihn erschossen! Er war erst zwölf Jahre alt!« Durch die Reihen ging ein Gemurmel.

»Ihr sollt verschwinden!«

»Dürfen sie die Wahrheit nicht erfahren? Hast du Angst, sie könnten sich gegen dich wenden? Du bist ein Mörder Mad! Ich weiß, dass du mich umbringst, aber ich habe schon lange keine Angst mehr vor dir!«

»Du hast keine Angst vor mir? Das mag sein, aber du hast Angst, dass ich deinen Freunden etwas tue! Fangen wir mit ihr an!« Er zog Alina zu sich. »Was würdest du tun, wenn ich sie erschieße? Du würdest gar nichts tun, denn ich habe dich in der Hand. Solange auch nur ein Mensch auf der Welt lebt, der dir etwas bedeutet, hast du Angst, ich könnte ihn töten. Stimmt doch, oder?«

»Lass sie los!« Bastis Augen glühten vor Zorn.

»Du kannst mir nichts befehlen! Was ich will, nehme ich mir!«

»Lass sie los! Ich warne dich!«

Mad grinste. »Deine Augen verraten dich, du hast Angst, dass ich ihr etwas tue. Das macht dich schwach.«

»Stimmt, aber du solltest auch Angst davor haben, wenn du ihr etwas tust!«

»Mad, es reicht!« Nun mischte sich Jack ebenfalls ein, er hatte seine Hand beruhigend auf Mads Schulter gelegt, doch dieser ließ sich nicht davon abbringen seine Wut an Sebastian auszulassen.

»Halt dich da raus, Jack!«

»Ich kann mich da nicht mehr raus halten!« Jacks Stimme wurde nun eindringlicher und er suchte nun den Augenkontakt zu Mad.

»Heißt das, dass du dich gegen mich stellst, Jack?« Wütend schlug Mad Jacks Arm von seiner Schulter und drückte Alina nun fester an sich heran.

»Ich stelle mich nicht gegen dich! Das hier muss jetzt ein Ende haben!«

Jack und Mad schrien sich gegenseitig an. Zwei der Oberen stritten sich offen vor den anderen, das hatte es noch nie gegeben. Je lauter sie waren, desto lauter wurde das Gemurmel der Anwesenden. Viele hinterfragten die Beziehung zwischen Armin und Sebastian. Woher kannten sie sich und warum wollte Mad Sebastian damals umbringen?

Immer noch in den Fängen von Mad fing Alina an zu schluchzen. Sebastian folgte dem Streit, doch lange konnte er nicht mehr stehen. Er merkte, dass sein T-Shirt durchnässt von Blut war. Vorhin sorgte der Adrenalinkick dafür, dass er die Schmerzen nicht bemerkte, doch anscheinend war er schlimmer verletzt worden, als er gedacht hatte.

Er hatte das Gefühl, er würde sich einen Film ansehen und alles wäre verschwommen. Er schloss seine Augen und stand schwankend hinter Jack. Ihm wurde übel und er fror. Dieses Gefühl war im nicht fremd. Es war das Gefühl, bevor man ohnmächtig wird. Erst wird einem heiß, dann schwitzt man und einem wird kalt, man nimmt nichts mehr um sich herum wahr und vor den Augen tanzen schwarze Flecken. Dann wird alles schwarz und man wird ohnmächtig. Doch noch war es nicht soweit.

Er wollte jemanden auf sich aufmerksam machen. Wo er war und in welcher Gesellschaft er sich befand, hatte er längst vergessen. Er war benommen und das Atmen fiel ihm schwer. Seine einzige Hoffnung war sein Vater, auch wenn Basti ihn hasste. Anscheinend wollte er nicht, dass ihm etwas geschah und Basti hatte das Gefühl zu verbluten, wenn ihm nicht irgendjemand helfen würde.

»Jack!« Er brachte nur den Namen seines Vaters hervor. Doch dieser war mit Mad beschäftigt, sodass er ihn nicht wahrnahm.

»Jack!«

Wieder hörte er ihn nicht. Basti versuchte es etwas lauter.

»Jack, bitte!«

Immer noch keine Reaktion von ihm. Jetzt schrie Basti mit letzter Kraft deutlich lauter.

»Dad!«

Traurige Vergangenheit

Wie weit würdest du gehen,
um deine Familie zu schützen?

Augenblicklich verstummten alle. Hatten sie sich verhört oder spielte ihnen ihre Wahrnehmung einen Streich?

Auch Mad starrte Basti und Jack irritiert an. Jack drehte sich zu seinem Sohn um. Dann ohne, dass weitere Zeit verstrich, sackte Sebastian nach vorne in die Arme seines Vaters.

»Hey! Du hast jetzt keine Zeit zu schlafen!«, erklärte dieser.

Doch Sebastian blieb bewusstlos. Als Jack versuchte, ihn besser zu greifen, rutschte er an seinem blutgetränktem Oberteil ab.

»Mike, Alina! Helft mir! Los!«

»Ja!«

Zusammen trugen sie ihn davon.

»Jack! Du schuldest mir eine Erklärung!«, rief Mad jedoch, bevor sie den Raum verlassen hatten.

»Das tue ich nicht. Lass es dir von deinem Vater erzählen! Oder warte, bis ich mich um ihn gekümmert habe!«

»Deine Vaterliebe kommt ziemlich spät, findest du nicht Jack?«

»Es reicht! Mad!«

Sie gingen davon. Alina und Mike schwiegen. Ohne den Blick

abzuwenden, starrten sie Jack an. Sie konnten es nicht fassen, dass er der Vater von Sebastian sein sollte.

»Holt Wasser, ein paar Lappen, Jod und eine Flasche Schnaps. Ty hat unten welche rumstehen. Erklärt ihm, dass ich euch geschickt habe. Bringt Verbände mit. Du weißt ja, wo die sind, Mike! Los beeilt euch!«

»Wofür ist der Schnaps?«, wollte Mike wissen.

»Für mich! Und jetzt beeilt euch!«

Jack begutachtete seinen Sohn und zog ihm das T-Shirt aus.

Die Wunde am Arm war sehr tief und sobald Jack den Arm berührte, zuckte Sebastian zusammen. Nach kurzer Zeit kündigten hastige Schritte Alina und Mike an. Sie hatten alles besorgt, was Jack ihnen aufgetragen hatte. Vorsichtig legten sie die Sachen neben das Bett und stellten sich ein wenig abseits hin.

»Alina!«

Sie zuckte zusammen als Jack sie ansprach.

»J... Ja?«

»Du hilfst mir! Mike, du siehst nach Armin und berichtest mir, ob es ihm gut geht!«

»Was kümmert mich Armin? Er ist ein Schläger! Soll der doch verrecken!«

»Du brauchst nicht zu glauben, nur weil du hier bist, dass ich dich nicht zu Ty schicke. Du gehst jetzt! Ohne weitere Diskussion!«

Still nickend ging Mike zur Tür, warf aber noch einen Blick auf Basti, bevor er verschwand.

»Darf ich was fragen?« Gleichzeitig mit ihrer Frage wich Alina zur Sicherheit ein Stück zurück. Unsicher sah sie Jack an, der noch immer seinen Sohn begutachtete.

»Kommt drauf an!«

»Hassen sie Sebastian?«

»Das geht dich nichts an!«

»Aber sie helfen ihm doch.« Schüchtern und ein wenig ängstlich suchte sie Jacks Blick.

»Du würdest ihm auch helfen, wenn du mir nicht auf die Nerven gehen würdest!«, erinnerte er sie.

»Was soll ich tun?«

»Du musst ihn ruhig halten!« Jacks Stimme hörte sich deutlich wärmer an als sonst.

»Warum?« Unsicher begab sie sich näher an Sebastian heran, um zu tun, was Jack ihr aufgetragen hatte.

Er hob die Schnapsflasche auf und trank daraus. Dann tröpfelte er ein wenig davon auf einen Lappen. Alina schluckte, doch sie setzte sich nun weiter auf das Bett und drückte Basti an den Schultern so fest sie konnte ins Bett hinein.

»Warum soll ich ihn festhalten? Mike hat mehr Kraft!«

»Weil er dich nicht umhauen wird, wenn er Schmerzen hat.«

»Oh.«

Während Jack die Wunden reinigte, begann Basti sich zu rühren und verzog das Gesicht vor Schmerz, doch er hielt die Augen geschlossen. Dann konnten sie die tief klaffende Wunde sehen.

»Ist es schlimm?« Alina schien sich um Sebastian zu sorgen.

»Ich glaube nicht, dass ich das allein nähen kann. So wie das aussieht, braucht er dringend einen Arzt.«

»Aber ihr werdet ihn nicht gehen lassen, oder?«

»Das geht nicht!«

»Kann er denn daran sterben?«

»Sei still! Ich denke nach!«

Versehentlich berührte Jack die offene Wunde, als er den Arm zum Betrachten abtastete. Basti schnellte so plötzlich nach oben, sodass er Alina aus dem Bett warf.

»Ahhhhh, spinnst du?« Er starrte Jack an und zog seinen Arm zu sich hinüber, während er sich an die Wand lehnte. »Erst willst du meine Hilfe und jetzt verweigerst du sie!«

»Ich werde sowieso sterben!«

»So hieß es zu Beginn. Dann wird es wohl stimmen und jetzt halt still!«

Alina stellte sich wieder aufrecht hin und drückte Basti an den Schultern hinunter in die Pritsche.

»Warum…? Warum ist sie hier?«

Keiner antwortete ihm. Jack schüttete nun den Alkohol auf die Wunde und Basti schrie so stark, man hätte denken können, man würde ihn abschlachten. Mit aller Kraft drückte Alina ihn nach unten. Es tat ihr leid. Und während er sie flehend ansah, kullerten Tränen aus ihren Augen. Doch Jack hatte für diese Emotionen gerade keinen Nerv.

»Glaubst du, durch Heulen wird's besser? Pack lieber fester zu!«

Basti biss sich auf die Zähne und starrte an die Decke. Jack reinigte die Wunden mit Jod und fing an diese fest zu verbinden. Er klebte die Schnittwunde mit Tapeverband zu und umwickelte alles mit normalen Verbänden.

Die Wunde an der Stirn hätte ebenfalls genäht werden müssen, doch sie war nicht so schlimm wie die am Arm. Als die Schmerzen etwas nachließen, hörte Basti auf zu zucken.

Er konnte seinen Arm nicht bewegen und hatte das Gefühl, als wären seine Sehnen durchtrennt, das Pulsieren in seinem Arm schmerzte zusätzlich. Sein Kopf schmerzte inzwischen so stark, dass ihm keine weiteren Worte über die Lippen gehen wollten.

»Gibt es keinen Arzt, der herkommen kann?« Alinas Sorgen waren gewachsen, sie war sich sicher, dass es ohne Arzt nicht gehen würde.

»Geh in dein Zimmer und schließ´ dich ein!«

»Warum soll ich mich einschließen?«

»Halt die Klappe und mach es einfach!« Sie gehorchte und verließ den Raum.

»Wie geht es dir?«, wandte er sich als nächstes an Sebastian. Sein Sohn antwortete nicht. »Ich gehe!«

Jack stand auf und wandte sich dem Ausgang zu. Doch Basti drehte seinen Kopf in die Richtung seines Vaters. Obwohl ihm nicht nach einem Gespräch zu Mute war, zwang er sich dazu.

»Was willst du hören? Soll ich jubeln und so tun, als würde es mir super gehen und ich froh bin, hier zu sein? Oder soll ich die Wahrheit sagen?«

»Ich erwarte nicht von dir, dass du mir dankbar bist. Obwohl du das sein müsstest. Keiner hätte dir geholfen und das weißt du!«

»Aber warum du? Du willst, dass ich sterbe. Willst du mich vorher noch leiden sehen? Soll ich auf Knien um mein Leben betteln? Oder soll ich mich selbst umbringen. Das wollt ihr doch, oder nicht?« Jack ignorierte den Blick seines Sohnes.

»Das war eigentlich vorgesehen«, antwortete er schließlich.

»Eigentlich? Warum eigentlich?«

»Du bist mir sehr ähnlich.«

»Ich bin nicht wie du! Du bist ein Mörder und ein Dealer und hast keinerlei gute Eigenschaft!«

»Du weißt gar nicht, wie ähnlich wir uns sind. Und das wissen alle hier!«

»Glaub nicht, dass, nur weil du dich für einen guten Vater ausgibst, alles zwischen uns in Ordnung ist! Du hast Jan und Marlene misshandelt und hier mitgemacht! Du hast versucht, mich zu töten! Das macht dich nicht zu einem guten Menschen.«

»Ich bin kein Mörder!«, erklärte Jack energisch.

»Ach nein! Was ist mit Max?«

»Mad hat ihn getötet!«

»Und du glaubst, weil du nur zusahst, wie mein bester Freund ermordet wurde, macht dich das nicht zum Mörder? Was ist mit mir? Hätte ich dich nicht umgestoßen, hättest du mich erschossen!«

»Wenn ich das vorgehabt hätte, wärst du jetzt tot!«

»Ja klar, der gute Vater, der seinem Sohn das Leben rettet! Und was ist mit meiner Mutter?«

»Sie ist tot!«

»Das weiß ich! Du hast sie getötet!«

»Ich habe noch nie einen Menschen ermordet! Auch nicht deine Mutter.«

»Und wie ist sie gestorben?«

»Ich weiß es nicht! Ich hatte euch verlassen, als du etwa zwei Jahre alt warst!«

»Ich dachte, meine Mutter hat geheim gehalten, dass sie schwanger war und dich vorher verlassen?«

»Nein!« Jack öffnete die Tür.

»Du gehst? Ich will die Wahrheit wissen!«

»Wenn ich sie selbst wüsste.« Wieder erschien Jacks Stimme traurig und warm. Als er den Raum verließ, blieb Sebastian grübelnd zurück. Er schlug wütend mit der Faust gegen die Wand und verfluchte lauthals seinen Vater. War er seinem Vater wirklich so ähnlich? Das konnte doch nicht sein.

Nicht nur Basti hockte grübelnd und sauer in seinem Zimmer. Auch Jack hatte sich zurückgezogen, saß in seinem Sessel und dachte nach. Die Sonne ging langsam unter. Eigentlich wäre es ein schöner Anblick gewesen, wie die Sonne langsam die grünen Blätter in Rot eintauchte, wenn da nicht die Probleme wären.

Jack befand sich in einem der großen Zimmer, eines beträchtlichen Bauernhauses. Es war das perfekte Versteck. Das Haus verfügte über mehrere Zimmer oberhalb und einer sehr weitläufig ausgebauten Unterkellerung, die in der Vergangenheit für Lagerungen genutzt wurde. Es waren viele kleine Räume unter der Erde und einen großen Lagerraum. Es gab nur einen Hauptzugang, der direkt vom Haupthaus in den Keller führte. Dann gab es einen versteckteren Zugang, der ursprünglich für die Auslagerung von Tierfutter genutzt wurde. Dieser mündete direkt in einer großen Scheune. Das Haus lag mitten auf einem Feld, direkte Nachbarn gab es nicht. Das nächste Dorf war mehrere hundert Meter entfernt. Was hier geschah, blieb unentdeckt. Die Schlafräume der Bosse befanden sich an der Oberfläche und sie waren nicht so notdürftig eingerichtet, während die Jugendlichen im versteckten Keller wie Tiere hausten. Sie hatten einen Computer, ein riesiges Bett, ein Badezimmer und es gab einen vollen Kühlschrank. Dennoch mussten sich alle um das Essen prügeln und es sich verdienen.

Theoretisch wäre genug für alle da gewesen, doch die Oberen fanden es amüsanter, wenn sich ihre kleinen Drogendealer, einen Machtkampf leisteten. Der Schlimmste von allen war Mad. Selbst Ty, der in Bastis Augen ein fetter, verlogener Mistkerl war, war nicht unbedingt der Klügste. Dennoch schien er sich in seiner Haut auch nicht wohl zu fühlen und hatte irgendwie ein Herz, zumindest ein kleines. Mad hingegen war ein brutales Schwein, welches Freundschaft, Hilfsbereitschaft und Liebe verachtete. Freeze, auch einer der Oberen, hatte Sebastian nur einmal kurz gesehen. Dieser schien sich nur für den Gewinn der Waren zu interessieren. Freeze war Mads Bruder.

Deren Vater war einer der Mächtigsten in der Gruppierung und Mad kostete seine eigene Macht aus. Es gab noch die Schlägertypen. Armin war der Sohn von Freeze und somit Mads Neffe. Dadurch erging es ihm deutlich besser als anderen. Seine Stellung war privilegiert.

Jack konnte man schlecht einschätzen. Ohne Zweifel, er war ein Arschloch und konnte so brutal wie alle Schläger werden, doch etwas schien ihn verändert zu haben. Statt sich zu freuen, dass sein Sohn verwundet war und eventuell sterben würde, wenn man ihn nicht medizinisch versorgte, machte er sich Sorgen um ihn. Aber auch ein schlechter Mensch musste nicht unbedingt böse sein.

Ohne zu merken, dass die Sonne bereits untergegangen war, saß Jack in seinem Sessel und dachte nach. El Kontaro war für ihn eine Familie, mit der man für immer zusammenblieb. Getrennt erst durch den Tod. Seit längerem hatte Jack bereits Zweifel gehabt und darüber nachgedacht, wie und ob er es schaffen würde auszusteigen. Doch jetzt, da seine wahre Familie ihn mehr brauchte als jemals zuvor, kamen ihm Zweifel an den Taten, die er in der Vergangenheit verübt hatte. Er wollte immer nur seine Familie beschützen und jetzt hatte er nur noch Sebastian.

Der Grund, warum er zu El Kontaro gekommen war, war seine kleine Familie. Sebastians Mutter, Eileen, kam ursprünglich aus Deutschland. Mit sechzehn lernte sie einen netten und hilfsbereiten Mann kennen. Mit zwanzig zog sie aus und landete in Amerika. Erst hatte Jack Arbeit und konnte sie versorgen, doch dann verlor er diese. Jack und Eileen wollten sich so durchschlagen. Sie wollten nicht aufgeben und zurückkehren. Es war ihr Traum und den wollten sie auch weiterhin träumen. Jack fand keine neue Stelle und Eileen wurde wegen mangelndem Englisch jedes Mal weggeschickt. Es schien aussichtslos zu sein, sodass sie sich entschlossen, nach Deutschland zurückzukehren.

Doch dann lernte Jack einen Mann kennen, der ihm von einem Geldgeber erzählte, der ihn schnell reich machen könnte. Jack war erst dreiundzwanzig und hatte wenig Lebenserfahrung, sodass er das fatale Angebot nicht durchblicken konnte. Schließlich nahm er dankend an. Er stellte sich vor und erklärte seine missliche Lage. Schnell war ein Vertrag auf Lebenszeit unterzeichnet und Jack hatte Arbeit.

Eileen freute sich, doch Jack erzählte ihr anfangs nicht, womit er sein Geld verdiente. Er erklärte ihr, dass dies geheim bleiben müsse und er würde es nur für sie tun.

Einige Zeit später heirateten sie und kauften ein Haus. Mit einundzwanzig wurde Eileen schwanger. Eineinhalb Jahre später wurde sie wieder schwanger und gebar einen weiteren Sohn, er hieß Jordan. Wieder versuchte Jack für seine Zukunft zu sorgen.

Als Jack erfuhr, dass der Mann, für den er arbeitete, ein Mörder und die Gruppe eine Drogenorganisation war, wollte er aussteigen. Leider hatte er es zu spät erkannt. Sie verprügelten ihn und durch ein Wunder entkam er dem Tod. Er warnte seine Frau, doch es schien zu spät zu sein.

Einige Schlägertypen waren, bevor sie fliehen konnten, in das Haus eingedrungen und forderten den ersten Sohn von Jack. Es sei Tradition bei El Kontaro, dass die Söhne und Töchter sich anschlossen. Jack flehte um seinen Sohn, doch sie nahmen ihn mit. Er war fast fünf Jahre alt, als er zu einem Schläger und Drogendealer getrimmt werden sollte.

Die Gruppierung hatte es sich zur Aufgabe gemacht, kleine Kinder zu missbrauchen und so den Razzien der Polizei zu entgehen. Wer würde schon fünfjährige Kinder Drogen verkaufen lassen?

Nachdem sie den Sohn mitgenommen hatten, steckten sie das Haus in Brand und drängten Jack und Eileen nach draußen.

Da niemand vom zweieinhalb Jahre alten Jordan wusste, der

jüngste Sohn von Jack, war dieser noch im Haus. Doch bevor es zu spät war, gelang es Jack, in das brennende Haus einzudringen und rettete seinem Sohn das Leben. Glücklicherweise erlitt Jordan nur leichte Verbrennungen. Zwei Narben waren auf seinem Arm und an seinem Oberschenkel zu sehen, die er sich beim Einsturz des Hauses zugezogen hatte. Auch Jack wurde damals leicht verletzt.

Um Jordan und Eileen in Sicherheit zu wissen, verließ er sie und hoffte, sie könnten fliehen. Eileen nannte Jordan in Sebastian um, damit es einfacher war, unterzutauchen. Jack schloss sich El Kontaro weiterhin an, um seinen Sohn zu beschützen. Doch nach drei Jahren wurde Eileen tot aufgefunden. Mad erzählte Jack, sie sei von Polizisten erschossen wurden, als sie auf der Suche nach ihm waren. Außerdem habe man einen kleinen Jungen bei ihr gefunden, der ebenfalls ums Leben kam. Verzweifelt klammerte sich Jack an das Leben seines ältesten Sohnes, der mittlerweile sieben Jahre alt war.

Zorn und Hass gegen die Polizisten breiteten sich in ihm aus. Sein Leben hatte nur noch den Sinn, seinen Sohn zu beschützen. Er wurde zur Marionette von El Kontaro, ohne sich über die Folgen Gedanken zu machen. Er bekämpfte Unrecht mit Unrecht und verstrickte sich immer tiefer in ein Netz aus Lügen und Hass.

Drei Jahre später war sein Sohn zehn Jahre alt. Er kannte sich mit Drogen aus, wusste genau, wie man richtig dealte und auch, wie man andere Kinder tadelte. Der Junge war ebenfalls zu einer Marionette geworden. Statt sich Sorgen zu machen, verspürte er ein wenig Stolz für sein Prachtexemplar. Ebenfalls erhielt Jack eine Art Beförderung.

Er hatte das Kommando über die Aufnahme und die Aufgaben von fremden Kindern. Wenn Kinder gebraucht wurden, wurden sie von armen Familien gestohlen oder auch gekauft. Aber wenn diese Kinder nicht mehr benötigt wurden oder etwas über die Gruppe herausfanden, wurden sie umgebracht. Ohne Spuren und ohne, dass jemand die toten Kinder mit El Kontaro in Verbindung gebracht hätte.

Erst später erkannten sie die Unternehmenssparte der Prostitution und des Kinderhandels. Um sich ebenfalls Kinder zu sichern, wurde ein Handel mit Drittländern geschlossen. Kinder gegen Waffen und Geld. Die Mädchen wurden behalten und später zur Prostitution gezwungen, die Jungen wurden irgendwann zu gefährlich und weggebracht oder auch weiterverkauft.

Nur, wer sich loyal zeigte und sich behauptete, durfte bleiben. Niemand wusste, wo sie hingebracht wurden oder ob sie überhaupt noch lebten. Doch wenn eins der Kinder so wurde wie Jacks Sohn, wurde dieser befördert und durfte andere herumschubsen und diesen die Drecksarbeit überlassen. Sie wurden zu Schlägern, die die Meute zusammenhielten.

Mittlerweile war Jack zu einem der Oberen geworden und stand gleichauf mit Mad. Irgendwann begab sich Jack auf die Suche nach einem oder zwei Kindern, die in die Gruppe passten. Dabei lief ihm ein achtjähriger, völlig ausgemergelter und schmutziger Junge direkt in die Arme. Dieser kam ihm bekannt vor, doch es wollte ihm nicht einfallen. Er betrachtete ihn genau, doch beim besten Willen konnte er sich nicht an ihn erinnern. Doch dann erkannte er es. Unter dem linken Ärmel des Jungen schimmerte eine Brandnarbe. Jack schnitt den Ärmel auf, woraufhin dieser mit Tränen versuchte sich zu wehren. Die Narbe ragte bis zur Schulter.

Ohne zu zögern, verschleppte er den Jungen. Niemand hatte auf ihn geachtet und es hatte niemanden gekümmert, was aus diesem Jungen wird. Schnell stellte sich heraus, dass es sich bei dem Jungen tatsächlich um seinen tot geglaubten Sohn handelte. Er schloss Sebastian in die Arme und machte ihn mit seinem Bruder Max bekannt. Doch er hielt geheim, dass er auch sein Vater war.

Sebastian verbrachte zwei Jahre bei El Kontaro und wurde wie alle anderen für das Dealen von Drogen geschult und lernte, wie er wann zuschlagen musste, falls er sich wehren müsse. Dort lernte er auch Armin kennen. Die beiden gleichaltrigen Jungen führten bereits früh Machtkämpfe miteinander aus, doch jedes Mal unterlag Sebastian Armin.

Sebastian war sehr klug für sein Alter. Mit zehn Jahren fand er heraus, wer El Kontaro war und was die Drogen anrichteten. Er beschloss wegzulaufen, doch Mad und Jack verfolgten ihn. Da Mad drohte Max zu erschießen, wenn sich Basti nicht zeigte, kam dieser aus seinem Versteck hinaus. Basti konnte Max überzeugen und so versuchten sie zu entkommen. Sie retteten sich in eine Höhle am Meer, die ungefähr acht Meter hoch lag. Sie hatten sich ihr Grab ausgesucht, denn Mad fand die Jungs.

Da Mad wusste, dass Jack niemals seinen eigenen Sohn töten würde, erledigte er den zwölf Jahre alten Max. Da Mad nicht wusste, dass auch Sebastian sein Sohn war, überließ er es Jack, diesen zu töten. Doch Jack zögerte und so konnte sich der Junge befreien.

Nachdem Basti versucht hatte zu entkommen stürzte er die Klippen hinunter und sank ins Wasser. Alle hielten ihn für tot, denn einen Sturz aus dieser Höhe hätte er nicht überleben können.

Immer noch saß Jack in seinem Sessel. Nachdem er erdulden musste, wie sein erster Sohn, von Mad ermordet wurde, hätte er fast seinen zweiten Sohn selbst erschossen. Was war er nur für ein Mensch geworden? Er hatte seinen Sohn sterben sehen und nichts unternommen.

Er war böse oder etwa nicht?

Auch Sebastian grübelte immer noch. Was sollte er von seinem Vater halten? Handelte es sich wirklich um einen großen Fehler, den er gemacht hatte oder hielt er Sebastian zum Narren? Was sollte Basti jetzt glauben? Er hasste seinen Vater, zumindest redete er sich das selbst immer wieder ein. Oder war dem nicht so? Reichte die Tatsache bereits aus, dass er sein Vater war und ihm half, als er ihn brauchte?

Die zwei schienen sich sehr ähnlich zu sein und doch waren sie verschieden. Wer war Jack wirklich?

Mit schmerzverzerrtem Gesicht versuchte Basti seinen Arm zu bewegen. Die Schmerzen waren unerträglich. Obwohl Jack die Wunde provisorisch gereinigt hatte, schien sie sich entzündet zu haben, denn der Verband am Arm war leicht gelblich verfärbt. Jack hatte den Arm an Bastis Oberkörper gebunden, damit dieser ihn nicht bewegen konnte. Er war eingeschlafen und kribbelte fürchterlich.

Er setzte sich auf und versuchte aufzustehen, doch ihm war übel und schwindelig. Ihm fehlte Wasser und sein Magen brachte ihn fast um vor Hunger. Wieder legte er sich ins Bett, schloss die Augen und hoffte einzuschlafen.

Es war ein leichter und unruhiger Schlaf. Ständig wurde er wach. Durch die ruckartigen Bewegungen, die er machte, wenn er aus einem Alptraum hochschnellte, schmerzte sein Arm umso mehr. Jemand schien in seinem Zimmer gewesen zu sein, denn neben dem Bett stand ein Krug mit Wasser und drei Scheiben Brot.

»Wenigstens etwas zu futtern.«

Er nahm sich mit der heilen Hand ein Stück Brot und trank gierig das Wasser.

Wer hatte ihm das Essen hingestellt? Aber eigentlich war das auch egal. Es stand etwas neben dem Bett und Basti nahm es dankend an.

Fieberkrämpfe

Am nächsten Morgen wachte er besser gelaunt auf. Doch der Schmerz im Arm war immer noch nicht vergangen. Dieser war taub und Basti fühlte sich nicht wohl. Er hatte das Gefühl krank zu werden.

Trotz der Schmerzen versuchte er aufzustehen, was ein wenig dauerte. Nur mit einer Jeans und Schuhen bekleidet ging er auf den Flur und in Richtung des großen Lagerraums, in der es das Essen gab. Als er sie betrat, wurde es plötzlich still. Ein paar wichen sogar vor Basti zurück, als er an ihnen vorbei ging.

So vernarbt und muskulös, wie er war und durch die Tatsache, dass er Jacks Sohn war, wirkte er bedrohlich. Selbst Armin schien nichts herausfordern zu wollen, denn als er Sebastian erblickte, drehte er ihm den Rücken zu.

Alina stand in der Ecke und hatte einen Teller mit Essen in der Hand, Mike ebenfalls. Beide lächelten zu ihm hinüber. Basti hatte jedoch keinen Grund zu lächeln. Ihm tat alles weh und er hatte Hunger und Durst. Außerdem wollte er zurück ins Bett. Ihm war egal, ob er eigentlich hätte arbeiten müssen. Ihm war alles egal.

Entweder er starb hier oder er überlebte. Anscheinend wusste es das Schicksal selbst nicht, was es mit ihm anstellen sollte. Insgeheim forderte er es heraus, dass Mad ihn tötete. Dann hätte er Ruhe und müsste sich keine Gedanken mehr machen, um niemanden. Wie es in Freiheit war, hatte er längst vergessen. Er befand sich in der Hölle. Das Schlimmste war der Tod und auf den hatte er sich bereits eingestellt.

Als er seinen Teller mit Brot beladen und sich eine Flasche Wasser unter den Arm geklemmt hatte, ging er wieder, wortlos und ohne auf die anderen zu achten. Er musste schwer atmen, den Teller und die Flasche zu halten waren anstrengend, auch wenn sie kaum etwas wogen.

Schweiß lief ihm über die Stirn. Er wurde langsamer und lehnte sich gegen die Wand. Die Flasche fiel zu Boden und zerschellte. Langsam rutschten die Brotscheiben vom Teller und schließlich zerbrach auch dieser auf dem Boden. Leicht benommen lehnte er an der Wand und hoffte, dass das Schwindelgefühl wieder verschwinden würde und er sich hinlegen könnte. Stattdessen wurde es schlimmer und die Übelkeit kehrte zurück.

Er hielt den verletzten Arm fest und überlegte, was mit ihm geschah. Hatte er so viel Blut verloren, dass es ihm so schlecht ging? Oder lag es am mangelnden Schlaf?

Alina kam den Gang entlang auf Basti zu. Als sie bemerkte, dass mit ihm etwas nicht stimmte, eilte sie zu ihm.

»Was ist los? Alles in Ordnung mit dir?«

»Mir geht es gut!« Sie wollte ihn stützen, doch Basti schlug den Arm weg. »Lass das, ich kann …«

Sein Körper knallte unkontrolliert gegen Alinas, doch diese hielt seinen Fall wenigstens einigermaßen auf.

»Komm schon, ich kann dich nicht allein tragen.«

Langsam setzte er einen Fuß vor den anderen, nachdem er wieder zu sich gekommen war. Es schien eine Ewigkeit zu dauern bis sie am Zimmer ankamen. Dort half Alina ihm, sich ins Bett zu legen und hielt besorgt seine Hand, bis er wieder einschlief. Dann ging sie davon und kam erst am Nachmittag des nächsten Tages wieder.

Jack kam wenig später, nachdem Alina eingetroffen war, herein und betrachtete sie zornig.

»Du weißt, dass du nicht herkommen darfst! Warum macht hier

neuerdings jeder, was er will?«

»Er hat Fieber.« Sie tat so, als ob sie ihn nicht hörte.

»Wie hoch?«

»Ich habe kein Thermometer, aber er ist nass geschwitzt und sein Kopf glüht.«

Jack beugte sich hinüber, um Basti besser sehen zu können. Tatsächlich waren seine Haare nass und sein Gesicht knallrot. Sein Körper zitterte leicht und seine Atmung war schwer und kurz.

»Wie lange liegt er da schon?«

»Ich bin auch eben erst hergekommen. Er war heute Morgen nicht beim Essen und eben auch nicht. Ich habe ihn seit gestern nicht mehr gesehen. Da war er schon schwach und war nass geschwitzt. Er hat sein Essen und Trinken im Flur fallen lassen.«

Jack überlegte.

»Was sollen wir machen? Wir müssen das Fieber runter kriegen.«

»Das weiß ich! Aber woher kommt es?«

Jack schien eine Ahnung zu haben. Er ging zielstrebig auf seinen Sohn zu. Langsam löste er den Verband am Arm und gleichzeitig wurde Alina speiübel. Die Wunde hatte sich entzündet und eiterte. Der Arm war gerötet und stark erhitzt.

»Was ist das?« Alina begann zu zittern.

»Ich glaube, er hat eine Blutvergiftung!«, stellte Jack die Vermutung an, während sich Alina die Hand vor den Mund schlug und wieder Jack fast flehend ansprach.

»Was passiert mit ihm? Man kann daran sterben, oder?«

»Ich hole Mike, er wird dir Gesellschaft leisten, und besorge Antibiotika! Und kein Wort zu Mad! Ich werde selbst gehen! Ihr müsst dafür sorgen, dass das Fieber runtergeht!«

Damit ging Jack hastig aus dem Raum und verließ das Gebäude, um Antibiotikum zu besorgen. Alina blieb traurig zurück. Wenige Minuten später traf Mike ein, der von Jack im Flur abgepasst worden war und nun das Gröbste wusste.

»Wir müssen die Beine mit kühlen Kompressen umwickeln«, erklärte er.

»Bist du dir sicher, Mike?«

»Ich mache das nicht zum ersten Mal!«

Alina holte kühles Wasser und einige Handtücher.

»Er sieht nicht gut aus!« Auch Mike war besorgt.

»Ich weiß. Wir müssen was tun!«

»Mach die Handtücher nass und hilf mir seine Hose auszuziehen.« Mike schien zu wissen, was nötig war, um das Fieber zu senken, während in Alinas Kopf zusätzlich andere Gedanken umherschwirrten.

»Ich kann ihm doch nicht die Hose ausziehen? Was, wenn er nichts drunter hat?«

»Das ist jetzt nicht das Problem. Ich lege eine Decke drüber.«

Langsam öffnete Mike Bastis Hose.

»Es ist schon komisch einem Kerl die Hose auszuziehen.«

Kräftig zogen beide an den Hosenbeinen und hofften insgeheim, dass sie die Boxershorts nicht mit herunterrissen. Als sie es geschafft hatten, lag Basti zitternd in seinem Bett. Alina betrachtete Basti und staunte über seinen muskulösen Körper.

»Hey, du sollst die Beine einwickeln und ihn nicht anstarren!«

»Bist du etwa eifersüchtig?«

Mike wurde rot.

»Ne… Nein, aber … wir müssen das Fieber senken!«

Sie wickelten die kalten Handtücher um seine Beine und schließlich die Trockenen darüber, damit das Bett nicht nass wurde.

Dann fiel Mikes Blick ebenfalls auf Bastis Körper.

»Guck dir die Narben an. Wo glaubst du, hat der die her?«

»Welche Narben? Da habe ich gar nicht drauf geachtet.« Alina tat so, als habe sie Bastis Körper nicht genau betrachtet.

Mike brummte etwas vor sich hin, was sich stark nach »Weiber« anhörte und wollte ihn zudecken, dann fiel auch Alinas Blick auf die Narben. Ganz interessiert war sie an den Brandnarben an seinem Oberschenkel und an der langen Narbe am Arm. Dann erinnerte sie sich an das erste Gespräch mit Sebastian.

»Hat er nicht gemeint, dass er früher auch bei uns war?«

»Ganz am Anfang. Aber ist ja eigentlich klar, warum. Wenn sein

Vater hier ist, ist es für mich logisch, dass sein Sohn auch mit dazu gehört und er kennt Armin auch von früher, oder?« Langsam fing Mike an, die Wissensfetzen zusammenzufügen.

»Eigentlich schon. Aber wenn er Jacks Sohn ist, warum hat Mad ihn so zugerichtet und warum wusste er nichts davon?«

Darauf hatte auch Mike keine Antwort.

»Die haben es geheim gehalten, keine Ahnung warum.«

Vorsichtig setzte sich Alina ans Bett und fühlte Bastis Stirn.

»Ich glaube, das Fieber geht runter.«

»So schnell?«, fragte Mike überrascht.

»Jedenfalls fühlt er sich kühler an.«

»Kann sein. Wir müssen hierbleiben und auf ihn aufpassen. Vielleicht sollten wir versuchen ihm etwas zu trinken einzuflößen.«

Alina öffnete Bastis Mund und Mike kippte langsam etwas kaltes Wasser in Bastis Mund. Dieser schluckte es hinunter.

»Wenigstens trinkt er«, stellte Alina fest.

»Ich glaube, du würdest auch trinken, wenn man dir das in den Hals kippen würde. Selbst, wenn du bewusstlos wärst.«

Er setzte den Becher ab und hockte sich neben Alina.

»Weißt du eigentlich, dass du hier hättest liegen können?« Mikes Stimme hörte sich nun ernster an.

»Ja.« Ihr Blick senkte sich zu Boden.

»Wäre Sebastian nicht da gewesen, hätte dir keiner geholfen. Ich wurde von den zwei Idioten festgehalten und Armin hätte dich verprügelt.«

»Ich weiß, ich hätte auf ihn hören sollen.« Schuldbewusst verzog sie ihre Miene.

»Weißt du, was ich nicht verstehe?«

»Was?«

»Wieso will er dich beschützen? Glaubst du, er will was von dir?«

Hastig schüttelte sie den Kopf.

»Es ist anders. Ich habe das Gefühl, ihn zu kennen, aber ich wüsste nicht woher.«

»Vielleicht kennst du ihn von früher, immerhin kannte er deinen

Namen.«

»Eigentlich kenne ich keine Typen hier außer dich und die, die jetzt hier sind. Früher waren wir nur unter Mädchen.«

»In Amerika?«, fragte Mike.

»Da war es noch nicht so schlimm. Sie drohten uns, dass wir sterben würden, wenn wir ihnen nicht halfen. Meine Eltern sind bei einem Autounfall gestorben, das weißt du ja. Ich kann mich noch an meine Mutter erinnern. Ihr Name war Marlene, aber wie mein Vater hieß, habe ich vergessen. Er war oft in Deutschland mit meinem großen Bruder und ich habe ihn sehr selten gesehen. Ich kann mich kaum an ihn erinnern.«

»Ich kenne meine Eltern nicht. Ich glaube, ich bin hier, seit ich denken kann. Anscheinend wollte mich keiner haben. Ich bin irgendwie hier gelandet. Frag aber nicht, warum und durch wen, ich kann mich an nichts erinnern.«

»Warum hast du das nie erzählt?«

»Ich wollte dir nicht in den Ohren liegen. Du hattest es schwer genug, da wollte ich dich nicht mit meinem Leben belasten.«

»Wir haben einiges gemeinsam und ich bin froh, dass wir trotz all dem hier nicht so sind wie die anderen.«

Sie sahen sich tief in die Augen. Alinas Herz schlug höher. Sie lächelte Mike an. Zärtlich streichelte er ihre Hand und hielt sie schließlich fest in seiner, während sie sich unentwegt ansahen. Auch Alina öffnete sich nun gegenüber Mike.

»Ich bin auch froh, dass du bei mir bist.«

»Es tut mir leid, dass ich dich nicht beschützen konnte.«

»Du warst immer für mich da. Du konntest nichts dafür, dass ich so dumm war.«

»Aber ein Mann muss doch seine Freundin beschützen.«

Wieder trafen sich ihre Blicke.

»Seine Freundin?«

Sie lächelte ihn an und er fasste ihre Hand nun etwas fester. Langsam näherten sich ihre Köpfe und Alina schloss die Augen. Ihre Lippen berührten sich zärtlich. Mike nahm sie liebevoll in den Arm und drückte sie an sich.

»Ich…« Er unterbracht sie, indem er seinen Zeigefinger leicht auf ihren Mund presste und sie weiter küsste. Leider wurden sie durch näher kommende Schritte unterbrochen.

»Ich hatte schon vergessen, wo wir sind.«

»Ich hätte nie gedacht, dass das möglich wäre.«

»Was, dass du vergisst, wo du bist oder das mit uns?«

»Beides.«

Er gab ihr noch einen Kuss auf den Mund und stand auf, während Alina noch einmal die Stirn von Basti fühlte und erfreulicherweise feststellte, dass das Fieber ein wenig gesunken zu sein schien. Die Tür ging auf und Jack stand völlig abgehetzt in der Tür.

»Wie geht es ihm?«

»Ich glaube, das Fieber haben wir ein wenig gesenkt«, gab Alina zur Antwort und stellte direkt eine Frage.

»Haben Sie das Antibiotikum bekommen?«

»Ein Breitbandantibiotikum, allerdings muss ich es spritzen. Alles andere wäre in seinem Zustand nicht möglich. Ich habe etwas mehr besorgt, für alle Fälle.«

Er schien besorgt zu sein, doch er versuchte es mit einem festen Ausdruck und einer etwas lauteren Stimme zu überspielen. Mit den Zähnen riss er den Beutel der kleinen Spritze auf und öffnete die Flasche mit dem Antibiotikum. Da Mike bereits häufiger Wunden versorgt hatte, war er sich nicht sicher, ob Jack Erfahrung diesbezüglich hatte.

»Wissen Sie, wie das geht?«

»Nerv mich nicht!«

Vorsichtig setzte er die Spritze auf die Flasche und füllte sie. Dann hielt er Bastis Arm fest und deutete Alina und Mike, dass sie ihn fixieren sollten. Er setzte die Spritze in der Mitte an und versuchte, durch leichtes Klopfen die Vene sichtbar zu machen.

Dieses schien jedoch schwieriger zu sein als angenommen, denn nach wenigen Sekunden verlor Jack die Geduld und stand auf. Er zog sich den Gürtel aus, legte ihn um den verletzten Arm und band diesen oberhalb der Wunde ab. Endlich konnte man auch die Vene sehen und Jack stach die Spritze langsam hinein und drückte das Antibiotikum in seinen Körper. Dann zog er die Spritze hinaus und drückte etwas Watte auf den kleinen Stich.

»Jetzt können wir nur noch warten. Ihr geht besser und kein Wort zu irgendjemandem, dass ich ihm geholfen habe!«

Beide nickten stumm und gingen zur Tür hinaus.

»Mike, Alina!«

»Ja?«

Erschrocken und ein wenig irritiert drehten sie sich wieder um.

»Danke!« Es klang zwar eher nach einem sehr gezwungenen Danke, aber er hatte sich bedankt.

Jack, das fiese Arschloch, hatte sich bedankt. Weiterhin irritiert gingen die beiden davon und beschlossen erst wieder in Alinas Zimmer zu sprechen, nachdem sie sich vergewissert hatten, dass keines der anderen Mädchen dort war.

Nachdenklich blieb Jack zurück und hielt neben dem Bett seines Sohnes Wache. Mittlerweile war eine Stunde vergangen. Doch trotz des Antibiotikums und den kalten Wickeln, die Jack erneuert hatte, schien sich Bastis Zustand nicht zu verbessern. Das Fieber war zwar etwas gesunken, doch Basti zitterte immer noch und die Schweißperlen auf seiner Stirn schienen auch mehr zu werden. Außerdem zuckte sein Kopf immer, was anscheinend die Folge eines Alptraums war. Jack hielt es nicht mehr aus, dort zu sitzen und zu warten, er stampfte durchs Zimmer, immer von der einen Wand zur anderen.

»Max. Nein, nicht Max, bitte.«

Jack erschrak. Anscheinend träumte Basti von dem Mord an seinem Bruder. Erst jetzt wurde ihm bewusst, dass er nicht nur sein Leben und das, seines ersten Sohnes, sondern auch Bastis Leben zerstört hatte. Vielleicht wäre er besser dran gewesen, wenn er nicht von Jack bei El Kontaro aufgenommen worden wäre. Dann hätte er ein Leben ohne all dieses geführt, aber er hätte auch sterben können, wenn Jack ihn nicht zu sich geholt hätte.

Basti weinte. »Bitte, bitte, ... lass uns gehen. Wir ... verraten auch

… nichts.«

»Sebastian, wach auf!«

»Ali … na. Hilf mir! Hilfe, warum hilft uns keiner? Mom, wo bist … du?« Bastis Tränen wurden heftiger.

»Bitte, wach auf, bitte!« Auch wenn es Jack als seltsam empfand, setzte er sich ans Kopfende und legte den Kopf seines Sohnes auf seinen Schoß. »Versuch an was anderes zu denken, bitte.«

Es war ein furchtbares Gefühl zu sehen, wie der eigene Sohn leidet und es nicht schaffte, aus einem immer wiederkehrenden Alptraum zu entfliehen. Mit voller Härte kamen Jacks Gefühle zurück. Schmerzhaft, als würde man ihm ein Messer ins Herz rammen.

»Was habe ich dir nur angetan?«

Die offene Schnapsflasche vom Tag zuvor, kam wie gerufen und Jack kippte den Inhalt hinunter, als wäre es klares Wasser. Im wurde bewusst, dass er zu jemandem geworden war, der er niemals sein wollte. Er hatte seine Wut und seinen Frust an Marlene und Jan ausgelassen und ihnen das Leben zur Hölle gemacht. Zum ersten Mal seit Jahren, begann Jack zu weinen. Wie konnte er nur zu solche einem Menschen werden? Gegen vier Uhr morgens, durch noch mehr Schuldgefühle geplagt und sich selbst hassend, schlief Jack an der Wand lehnend, mit seinem Sohn auf dem Schoß liegend, ein.

Schuldgefühle

Die Ruhe, die nur durch das leise Atmen zweier Personen unterbrochen wurde, war so herrlich, dass Sebastian am liebsten ewig liegen geblieben wäre. Doch ihn irritierte, dass sich eine weitere Person mit in dem kleinen Zimmer aufhielt. Wer es war, wusste er nicht. Überhaupt war es unrealistisch, dass noch jemand in seinem Bett schlief. Wann hätte sich diese Person dazulegen können? Er hatte sich schließlich nach dem Frühstück nur kurz hingelegt, nachdem ihm schwindelig gewesen war und Alina ihm geholfen hatte ins Bett zu kommen. Das musste erst einige Stunden her sein.

Dann spürte er, dass er keine Hose trug und um die Beine feuchte Handtücher gewickelt waren.

›*Wann habe ich die Hose ausgezogen?*‹

Langsam öffnete er die Augen. Das Zimmer war dunkel. Einige Zeit verging, bis sich seine Augen daran gewöhnt hatten und er um sich herum die Umrisse wahrnahm. Seine linke Hand tastete langsam nach der unbekannten Person, die neben ihm sein musste. Doch links war niemand und rechts auch nicht. Als er nach oben griff zuckte er ruckartig zurück.

Hinter seinem Kopf saß jemand, doch Basti war zu schwach, um seinen Kopf zu drehen. Immer noch fühlte er sich schlapp und hatte furchtbare Kopfschmerzen. Also schloss er seine Augen wieder, ohne einen weiteren Gedanken an die Person zu verschwenden. Sofort fing er wieder an zu träumen. Ein Alptraum nach dem anderen jagte ihn und er durchlebte erneut seine Vergangenheit, die ihn schon sein halbes Leben verfolgte.

Lange nachdem Basti wieder eingeschlafen war, wurde Jack wach. Erst wunderte er sich, dass er nicht in seinem Bett lag, dann wurde ihm die Situation wieder bewusst.

Da Jack nicht mitbekommen hatte, dass Sebastian in der Nacht kurz erwacht war, fühlte er besorgt dessen Kopf. Das Fieber war gesunken, aber verschwunden war es nicht. Doch Jack würde ihn wecken müssen, wenn er nicht bald aufwachte, denn er hatte schon zu lange weder etwas gegessen noch getrunken. Wenn er auf Alinas Aussage vertrauen konnte, dann hatte er außer das Brot, was Jack ihm hingestellt hatte, seit über achtundvierzig Stunden weder etwas gegessen noch getrunken. Daher beschloss Jack, ihn wach zu machen.

Er tippte seinen Sohn mehrere Male an, doch darauf zeigte dieser keine Reaktion.

»Sebastian, wach auf! Wenn du nicht trinkst, verdurstest du, ohne, dass du es merkst!« Wieder reagierte er nicht. »Bist du taub? Steh auf!«

Erst nachdem Jack schrie, regte er sich endlich. Langsam öffneten sich die Augen. Das Zimmer war hell erleuchtet. Zuerst konnte er seinen Vater nicht erkennen, doch mit der Zeit verschwanden die schwarzen Punkte vor seinen Augen und er sah einigermaßen. Sebastian versuchte, sich aufzurichten, doch in dem Moment schien alles, was er noch im Magen hatte, einen Weg nach oben zu suchen und er übergab sich auf den Fußboden. Dann legte er sich zurück ins Bett. Ohne sich zu bewegen, starrte er Jack an.

»Wie geht's dir?«

Basti runzelte die Stirn. Wieso fragte Jack ihn, wie es ihm ging? Noch dazu schien diese Frage überflüssig zu sein.

»Geht so«, brummte er.

Jack füllte einen Becher mit Wasser und reichte ihn seinem Sohn hinüber.

»Du musst viel trinken!«

Es ging ihm viel zu dreckig, als dass er Widerworte hätte geben können. Hastig trank er das Wasser. Es war erfrischend, denn sein Hals fühlte sich an, als hätte er seit Tagen nichts mehr getrunken, was eigentlich stimmte. Doch das war ihm nicht bewusst. Zumindest noch nicht.

»Warum siehst du mich so erstaunt an?«, erkundigte sich Jack.

»Ich versuche zu kapieren, was los ist. Ich meine, warum kümmerst du dich um mich? Nur weil ich ein paar Stunden nicht anwesend bin? Ich habe mich nur ausgeruht. Ich werde die Zeit nachholen.«

»Du weißt wirklich nicht, was passiert ist, oder?«

»Was denn?« Jetzt wirkte Sebastian endgültig verwirrt, sodass Jack ihn aufklärte.

»Danke«, brachte Basti gequält hervor. »Warum hilfst du mir?«

Erst zögerte Jack, doch dann versuchte er, so offen wie möglich, zu sprechen.

»Ich habe viel nachgedacht.«

Langsam näherte sich Alina dem Zimmer, doch sie ging nicht hinein. Als sie Stimmen aus dem Raum hörte, blieb sie stehen und lauschte, da die Tür ein Spalt breit geöffnet war.

»Über was hast du nachgedacht?«

»Über uns.«

»Habe ich einen Schlag auf den Kopf bekommen?«

»Wieso?« Jack schien irritiert zu sein.

»Was ist mit dir los? Du bist anders! Warum bist du nicht so wie immer?«

»Soll ich so sein?«

»So bist du mir noch unheimlicher!«

»Ich weiß, dass ich nichts wieder gut machen kann, aber mir bleibt nichts anderes übrig als mich bei dir zu entschuldigen.«

»Mir kommen gleich die Tränen!« Sebastian konnte den ironischen Unterton nicht zurückhalten.

›Ich verstehe nicht, was in ihm vorgeht. Was will er von mir?‹

»Ich weiß, dass es dir nicht leichtfällt, mir zu verzeihen. Ich habe das alles nie gewollt. Ich wollte euch immer nur beschützen.«

Basti musste unweigerlich an seine Freunde denken.

»Was ist mit den anderen?«

»Es geht ihnen gut und Lea auch.«

»Jack.«

»Mir hat Dad besser gefallen«, murmelte er.

»Ich bin dir zwar dankbar, aber ich kann dir nicht verzeihen. Ich vertraue dir nicht. Du kannst nicht von mir erwarten, dass ich für dich das empfinde, was ein Sohn normalerweise für seinen Vater empfindet. Das geht nicht. Ich habe schlimme Sachen erlebt, die dich betreffen. Ich kann es einfach nicht.«

»Ich möchte nur, dass du mir eines Tages verzeihst. Ich hätte deinen Bruder und dich nicht damit reinziehen dürfen.«

»Du hast Jans Leben zerstört!«

»Ich spreche nicht von deinem Stiefbruder, ich spreche von Max.«

Sebastian setzte sich aufrecht ins Bett, obwohl er Schmerzen hatte, und starrte sein Gegenüber ungläubig an.

»Max? Der Max …?« Sebastian wollte diese Nachricht nicht wahrhaben. Betroffen versuchte er seine Gedanken zusammen zu halten.

»Ja, der Max, den Mad erschossen hat.«

»Max war mein Bruder? Warum hast du mir das nicht erzählt?«

»Du weißt es jetzt. Max wusste nicht, dass er einen Bruder hat, so wie du nicht wusstest, wer Max Vater war. Es war sicherer für dich. Sie haben erst später, als du abgestürzt bist, herausgefunden, wer du warst. Sie hielten dich für tot.«

»Ich wäre auch fast gestorben. Ich hatte Glück, dass ich nicht auf den Felsen im Wasser aufgeschlagen bin.«

»Wie hast du es geschafft, bis in die Stadt zurückzukommen?«

»Keine Ahnung, ich habe mich hingeschleppt.«

»Und dort hast du dann …«

Nickend beendete Sebastian den Satz seines Vaters.

»Da hat mich ein kleines Mädchen gerettet. Sie hat ihre Mutter geholt und die hat mir geholfen.«

»Du brauchst mir nicht zu verheimlichen, wer das Mädchen war.

Was glaubst du, warum sie hier ist?«

»Nur weil Alina mir geholfen hat? Sie war noch ein Kind!«

»Du warst auch ein Kind!«

Alina erschrak und schlug sich die Hand vor den Mund, um keinen Ton von sich zu geben.

»Sie war erst sechs Jahre alt! Sechs!«

»Ich weiß. Hätte ihre Mutter dir nicht die Flugpapiere gegeben, wären wir sie für immer los gewesen. Aber sie wollte dich beschützen. Mad und Freeze wollten die Frau dafür büßen lassen und sie umbringen, doch es verlief nicht wie geplant. Die ganze Familie hätte in einem Auto sitzen sollen. Doch da Alina ihren Vater lange nicht gesehen hatte, beschloss Marlene, mit Jan zu Hause zu bleiben und ihrer Tochter einen Tag allein mit ihrem Vater zu ermöglichen. Mad machte seinen ersten Fehler. Er schnitt die Bremskabel durch und Alina und ihr Vater verunglückten. Zu Mads Unglück überlebte der Vater und wurde ins Krankenhaus gebracht. Alina schaffte es damals nicht, aus dem Auto zu entkommen, und wäre verbrannt. Ich konnte es aber nicht mit ansehen, deshalb holte ich sie hinaus, wobei ich mir selbst den Arm schwer verbrannte.« Er zog sein Hemd nach oben und zeigte seine Narben. »Ich war für die Besorgung von Kindern eingeteilt, die in ärmeren Verhältnissen aufwuchsen, und nahm sie ihren Eltern weg. Ich weiß, es ist Unrecht, aber ich habe es gemacht und es tut mir leid.«

Sebastian schüttelte angewidert den Kopf.

»Es war auch so bei Mike. Er ist auch als Kleinkind gekommen, allerdings hatten seine Eltern ihn ausgesetzt. Er war gerade zwei Jahre alt, als ich ihm beibrachte, wie man mit Menschen spielt. Doch er wurde nie so, wie wir es gerne gesehen hätten. Daher wurde er der Verpflegung und zur Behandlung kleinerer Krankheiten eingeteilt.«

»Und wieso wurde er nicht umgebracht?«

»Weil ich es nicht wollte. Genauso wenig wie ich wollte, dass Alina etwas zustößt. Oder warum glaubst du, geht sie nicht anschaffen oder vertickt Drogen? Weil ich es nicht wollte!« Jack betonte diese Worte um zu untermalen, dass er seine schützende Hand über die beiden hielt.

»Und wieso ist sie noch hier? Wieso lasst ihr sie nicht gehen?«

»Das geht nicht. Sie weiß zu viel, genauso wie du.«

»Aber ich habe nie etwas weitergegeben und sie hätte auch geschwiegen.«

»Ich gebe nicht die Befehle, ich führe sie aus.«

»Ich glaube nicht, dass Mad oder Freeze, oder wie der heißt, das will, oder?«

»Freeze ist Mads Bruder. Mad hat es an dem Abend von seinem Vater erfahren, was Sache ist. Er war aufgebracht nach der Schlägerei. Ich hätte dir nicht erzählen dürfen, dass du mein Sohn bist!«

»Warum nicht?«

»Wahrscheinlich befürchteten sie genau das, was gerade passiert. Ich kläre dich auf und habe vor auszusteigen.«

»Wenigstens haben sie jetzt einen Grund mehr, mich umzubringen. Und dich auch.«

»Sie werden dich als Druckmittel gegen mich einsetzen. Ich war nur zu dumm, um das zu begreifen. Ich dachte, dass niemand gewusst hätte, dass du mein Sohn bist.«

»Warum hast du Marlene geheiratet?«

»Nachdem bekannt war, dass du noch lebst, sollten wir dich um jeden Preis ausfindig machen. Mad zwang Marlene damals, mich zu heiraten. Ich sollte den Auftrag erledigen und dich umbringen, um für meine Fehler zu büßen.«

»Was denn für Fehler?«

»Ich habe Alina das Leben gerettet, obwohl sie sterben sollte. Ihr Vater ist später im Krankenhaus gestorben. Aber sie hätte ebenfalls sterben sollen, zusammen mit Marlene und Jan. Wäre jetzt ihre Leiche aufgetaucht, hätte das für Verwirrung gesorgt. Daher konnte sie nicht entsorgt werden, so hieß es von oberster Stelle. Es gab noch drei Flugtickets, die auf die Familie reserviert waren. Alina war tot, zumindest wurde sie für tot erklärt, da das Auto vollständig ausbrannte und niemand gesehen hatte, wie ich das Kind entwendet habe. Also flog ich zusammen mit Marlene und Jan nach

Deutschland. Dort zogen wir in das Haus, dass du kennst und du bist in ein Kinderheim nach Köln gekommen und wurdest von deiner Tante adoptiert. Es war Zufall, dass du ausgerechnet in unseren Nachbarort gezogen bist. Es war nur eine Frage der Zeit, bis du Jan kennen gelernt hättest. Da ihr zwei euch nicht verstanden habt, wollte ich Lea von Jan fernhalten, um auch sie zu schützen. Deshalb habe ich ihm Lügen über sie erzählt und er hat mir geglaubt, bis ich nichts mehr tun musste und die beiden ohne meine Hilfe gestritten haben. Du hättest Jan eh nichts anvertraut und er dir auch nicht. Deshalb bist du nie darauf gekommen, wer ich bin. Aber irgendwann hast du es anscheinend herausgefunden. Du warst nicht überrascht, als du die Wahrheit erfahren hast.«

»Stimmt, ich habe das herausgefunden, wozu du gehörst, als sich Jan und Lea das erste Mal über dich stritten. Sie wusste längst, dass du Jan schlägst und auch gegenüber Marlene handgreiflich wirst. Als ich dich das erste Mal sah, war mir klar, dass du der Jack warst, der mich erschießen wollte. Meine Tante zeigte mir Bilder von dem Mann meiner Mutter und da habe ich dich erkannt. Du warst mit meiner Mutter verheiratet und da sie keinen anderen Mann hatte, fragte ich mich, ob du mein Vater sein könntest. Ich wusste es aber nie hundertprozentig.«

»Mad hat sich geirrt. Er war der Meinung, du würdest nie so werden, wie ich, aber du bist es.«

»Wie meinst du das?«

»Glaub mir einfach.«

Vor der Tür schniefte jemand. Sofort stürmte Jack hinaus. Mit verweinten Augen stand Alina dort und sah Jack in die Augen.

»Was hast du gehört?«

Alina liefen die Tränen über die Wangen. Sie stürmte auf Basti zu und fiel ihm weinend in die Arme.

»Genug«, brachte sie schluchzend hervor.

Basti nahm sie in den Arm und sah Jack ins Gesicht. Er wusste, dass es nicht gut war, wenn Alina die Wahrheit kannte. Die anderen könnten sie erfahren und dann wären sie in Gefahr.

»Warum habt ihr meinen Vater umgebracht?« Sie wandte sich nun verheult an Jack.

»Ich habe ihn nicht umgebracht!«, verteidigte er sich sofort.

»Du warst dabei, du hast ihm nicht geholfen.«

»Du wärst gestorben, wenn ich dich nicht aus diesem Auto geholt hätte!«

»Und deshalb soll ich dir dankbar sein? Lieber wäre ich tot, als hier zu sein!«

»Alina, es reicht!«, wies er sie an.

»Er ist dein Vater! Wie kann er nur dein Vater sein?«, fragte sie nun Sebastian.

Basti blickte Jack an und dieser nickte zustimmend. Wenn Alina schon so viel wusste, sollte sie auch die ganze Wahrheit erfahren. Das machte jetzt keinen Unterschied mehr.

»Er hat deine Mutter geheiratet, das hast du doch auch mitbekommen, oder?«

»Ja, aber…«

»Damit ist er dein Stiefvater!«

»Na und? Ich will ihn nicht als Vater oder Stiefvater, ich hätte einen richtigen Vater, wenn sie ihn nicht umgebracht hätten.«

»Alina, er wurde getötet, weil deine Mutter mir geholfen hat. Es ist meine Schuld«, erklärte Sebastian.

»Es ist nicht deine Schuld, es ist seine!« Sie zeigte auf Jack.

»Niemand von euch trägt die Schuld und ich habe ihn auch nicht getötet. Aber ich habe auch nichts dagegen unternommen. Ihre Worte stimmen allerdings. Wenn ich mich der Gruppe nicht angeschlossen hätte, wäre deine Mutter noch am Leben und Max und wir würden jetzt ein schönes Leben führen, genauso wie Marlene, Jan, Alina und ihr Vater.«

»Es bringt nichts, die Schuld bei uns, zu suchen. Das hier, das ist nicht unsere Schuld, sondern die von El Kontaro«, ergriff nun Sebastian wieder das Wort.

Jack stand ruhig auf und begab sich zur Tür. »Ich gehe besser. Ich schulde Mad eine Erklärung und muss mich oben blicken lassen. Und Sebastian?«

»Was ist?«

»Versuch mir zu vertrauen«, flüsterte er noch und verließ das Zimmer.

»Tust du das?«

»Ich weiß es nicht. Ich habe Kopfschmerzen und muss das verarbeiten.«

»Soll ich gehen?«

»Bleib noch ein bisschen. Jetzt weißt du, woher ich dich kenne.«

»Also habe ich mich nicht geirrt. Du warst nur gemein, weil du mich nicht in Gefahr bringen wolltest. Danke.«

Sie umarmten sich und Alina gab ihm einen Freundschaftskuss auf den Mund.

»Glaubst du, ich werde meine Mutter wiedersehen?«

»Ich verspreche dir, dass ich dich hier raus bringe und Mike auch. Was du dann machst, liegt bei dir.«

»Lebst du auch bei meiner Mutter?«

»Bei meiner Tante. Marlene weiß nicht, dass ich Jacks Sohn bin und das ist auch gut so.«

»Bist du jetzt mein Bruder? Ich wollte immer einen großen Bruder haben.«

»Du hast einen großen Bruder!«

»Ich dachte, er wäre tot.«

»Du hast also nicht alles verstanden. Jan und Marlene leben zusammen mit Jack im Nachbardorf, in dem ich lebe. Bei dem Unfall ist nur dein Vater gestorben. Niemand sonst.«

»Das heißt, wenn ich rauskommen sollte, werde ich meine Mutter und meinen Bruder wiedersehen?«

»Ja!«, antwortete er ihr in einem scharfen Ton.

»Warum sprichst du mit mir so forsch?«

»Ich will nicht, dass du hier abhaust! Wir werden zusammen verschwinden, aber erst, wenn es ungefährlich ist.«

»In Ordnung.«

»Egal was passieren wird, du kommst hier raus. Wenn mir was passiert, ist das egal. Du versuchst trotzdem, zu entkommen!«

»Was sollte dir passieren?«

Basti sah auf den Boden. Er wusste genau, dass man ihn nicht ein zweites Mal fliehen ließ. Doch er schwor, Alina um jeden Preis rauszuholen, das war er ihr schuldig. All seine Gedanken kreisten um Mad. Er würde ihn umbringen, das wusste er. Dieser Kerl hatte seinen Bruder getötet und die Leben seiner Freunde zerstört. Am liebsten hätte Sebastian alle umgebracht, doch dafür war er zu schwach. Er hatte keine Unterstützung, um El Kontaro zu Fall zu bringen. Es gab nur eine Möglichkeit all dem, ein Ende zu setzen, doch es war sehr schwierig.

»Basti, alles in Ordnung?«

»Was? Ja, ja, alles okay. Ich bin nur völlig fertig.«

»Ich gehe jetzt besser. Ruh dich aus. Ich denke nicht, dass dir Mad noch einen Tag gibt zum Ausruhen.«

»Das wird er nicht tun. Denk dran, was du mir versprochen hast.«

Sie stand auf, gab ihm einen Kuss auf die Wange und flüsterte ihm etwas ins Ohr. »Wir werden das zusammen durchstehen. Und dann werde ich mit meiner Mutter und meinen Brüdern zusammen sein. Für immer.« Sie lächelte ihn an und er lächelte traurig zurück. Dann verließ sie das Zimmer.

Arme Alina, wäre ich damals einfach ertrunken. Du könntest glücklich und zufrieden leben, mit einer Mutter und einem Vater. Es tut mir so leid, ich habe dein Leben zerstört.‹

In Gedanken versunken legte er sich aufs Bett. Er konnte jedoch nicht einschlafen. Alles, was er gehört hatte, kreiste in seinem Kopf umher. Entschlossen, sich zu rächen, schlief er irgendwann ein.

Nachricht an Timo

Da Herbstferien waren, stand Ausschlafen an erster Stelle. Die Sorgen um Sebastian wuchsen jeden Tag. Auch Jan hatte Angst, Basti könnte etwas zugestoßen sein. Seit Ende Juli hatten sie nichts mehr von ihm gehört und auch die Polizei schien ratlos zu sein. Basti war nun fast drei Monate verschwunden. Es war, als hätte es ihn niemals gegeben.

Jan machte sich Vorwürfe. Hätte er sich nicht so aufgeführt, wäre die Polizei niemals auf der Party aufgetaucht. Trotz all dem kamen sich Jan und Lea näher. Sie passten gut zusammen. Selbst wenn es Diskussion gab, die beiden waren ein Traumpaar. Die Clique war überrascht und sprachlos gewesen, als sie Händchen haltend in Timos Garage kamen und ihnen erzählten, dass sie nun zusammen seien. Alle freuten sich darüber und das stimmte beide glücklich. Erst hatten sie es geheim gehalten, da sie Svenja nicht verletzen wollten, und das wäre passiert, wenn sie darüber gesprochen hätten. Doch Svenja war nicht mehr da. Sie schien in Sicherheit zu sein, lebte jedoch nun ihr eigenes Leben.

Es war neun Uhr morgens, als Lea das erste Mal ihre Augen öffnete. Aber nicht, weil sie ausgeschlafen war, sondern weil Jan sie fast vom Bett schmiss, da er sich so breitmachte. Noch dazu lag sein Arm auf ihrem Gesicht.

»Nimm deinen Arm weg!« Mühselig versuchte sie, den Arm aus

ihrem Gesicht zu rücken, doch dieser federte immer wieder zurück. »Ich warne dich!« Die Hand rutschte hinunter und zwickte Lea in die Brust.

»Düd.«

»Bist du bescheuert?«

Grinsend öffnete Jan die Augen, er lachte. Lea versuchte ihn zu kitzeln, doch er war schneller. Lachend lag Lea im Bett und versuchte ihren Freund von sich hinunter zu bekommen. Vorher bekam Jan allerdings beide Arme von Lea zu fassen und hielt sie über ihrem Kopf mit seiner rechten Hand fest. Er lag auf ihr und streichelte ihr mit der freien Hand über das Gesicht. Dann sah er ihr tief in die Augen und küsste sie zärtlich.

Beide schlossen die Augen und umarmten sich während sie sich immer leidenschaftlicher küssten. Langsam fuhr Jans Hand unter ihr T-Shirt und hinauf zur Brust. Er war sich nicht sicher, ob er schon so weit gehen sollte. Lea war noch Jungfrau und sie waren gerade erst zusammengekommen, doch schließlich wagte er es.

Erst berührte er sie mit einem Finger, dann mit dem zweiten und schließlich streichelte er ihre Brust. Lea schien es zu gefallen. Ihre Hände glitten über seinen Körper und erkundeten ihn.

Schließlich hob Jan die Arme über den Kopf und Lea zog ihm sein Shirt aus. Mit zittrigen Händen glitt sie über seinen erhitzten Oberkörper und spürte sein Verlangen.

Vorsichtig zog er Leas T-Shirt aus. Er küsste ihre Brüste und streichelte sie dabei. Beide vergaßen die Welt um sich und gaben sich völlig einander hin. Sie konzentrierten sich nur noch auf den anderen. In diesem Moment gab es nichts Wichtigeres für sie. Sanft zog Lea Jans Boxershorts hinunter. Doch Jan hielt ihre Hand fest.

»Willst du das wirklich?«

Sie nickte stumm und wandte sich dabei nicht von ihm ab. Eine gefühlte Ewigkeit sah Jan sie an. Auf diese Weise wollte er herausfinden, ob sie es so meinte. Doch als er nichts in ihren Augen erkennen konnte, was ihn vom Gegenteil überzeugte, bewegte er sich und zog seine Hose runter. Jan war vollständig nackt und Lea war nur noch mit ihrem Slip bekleidet.

Vorsichtig legte Jan sich hinter Lea, zog ihr den Slip hinunter und streichelte sie, wobei er ihren Arm küsste. Nachdem sich Lea zu ihm gedreht hatte, sahen sich tief in die Augen. Jan stülpte sich selbst ein Kondom über. Dann legte er sich behutsam auf Lea. Vorsichtig drang er in sie ein und weitete sie. Lea zuckte leicht zusammen, als Jan immer weiter vordrang. Doch es tat nur einen Moment weh. Ihre Küsse wurden heftiger. Beide genossen es. Als der Orgasmus die Kontrolle über ihren Körper übernahm, fühlte sie sich frei und glücklich. Sie verbarg ihr Gesicht an seinem Hals und flüsterte seinen Namen.

Aneinander gekuschelt lagen sie auf dem Bett und ließen sich nicht aus den Augen. Lea lag mit ihrem Kopf in Jans Arm und lächelte ihn ununterbrochen an, was er erwiderte. Immer wieder küssten sie sich auf die Wangen, den Mund, den Hals und die Arme. Lea wirkte, als sei sie nie glücklicher gewesen und auch Jan strahlte eine Wärme aus, die jeder wahrgenommen hätte, der ihn jetzt hätte sehen können.

»Ich liebe dich, Jan. Ich weiß nicht, wie ich es ohne dich ausgehalten habe.«

»Das frage ich mich auch oft genug. Wir hätten schon lange zusammen sein können, doch ich habe es kaputt gemacht.« Traurig sah er ihr in die Augen.

»Wollten wir das nicht vergessen?«

»Ich kann das nicht vergessen. Es tut mir schrecklich leid.«

»Jan, bitte, mach diesen Moment nicht kaputt. Ich liebe dich und jetzt werden wir vergessen, was passiert ist. Ich will dich nicht verlieren!«

»Ich werde dich auch nie wieder hergeben, Lea. Ich liebe dich und hätte dir das schon viel früher zeigen sollen. Das weiß ich.« Bevor sie noch etwas erwidern konnte, klopfte es an der Tür.

»Lea, kann ich reinkommen?«

»Geht gerade nicht. Was ist denn?«

»Ihr sollt frühstücken kommen. Sonst räumt Mama den Tisch ab.«

Lea verdrehte die Augen. »Ja, wir kommen gleich.«

»Kann ich jetzt reinkommen?«

»Boah Stephan, man, streng mal deinen Grips an. Das geht jetzt nicht!«

»Ach so, dann kommt ihr wohl erst in einer Stunde.« Sie hörten, wie Stephan die Treppe wieder hinunterging.

»Wir sind aber schon fertig«, flüsterte Lea und beide lachten.

Nach kurzer Zeit waren sie angezogen und begaben sich zum Frühstück. Sie wären gerne noch etwas länger im Bett geblieben.

»Schade eigentlich«, nuschelte Jan vor sich hin, als er sich ein Brötchen schmierte.

»Hä, was?«

»Das heißt nicht hä, sondern wie bitte und beeil dich Lea. Du kannst gleich einkaufen gehen. Ihr beide hockt den ganzen Tag in der Bude, da schadet ein kleiner Spaziergang nicht!«

Wieder verdrehte Lea die Augen, nickte jedoch stumm zu ihrer Mutter hinüber. Nach dem Frühstück putzten sie sich die Zähne und duschten. Einzeln! Anschließend gingen sie einkaufen und genossen tatsächlich den Spaziergang. Unterwegs trafen sie Timo, der abwechselnd in die beiden strahlenden Gesichter sah. Er hielt jedoch den Mund und dachte sich seinen Teil. Ihm war klar, warum seine Freunde so glücklich waren.

»Wisst ihr was Neues?«, erkundigte er sich, um die peinliche Pause zu beenden, die sich zwischen sie gelegt hat. Doch Lea schien ebenfalls nichts neues zu wissen und machte sich anscheinend zusätzlich Sorgen um Svenja.

»Bis jetzt nicht. Aber ich weiß, dass ich langsam bekloppt werde und ich hoffe, Svenja geht an der ganzen Sache nicht kaputt. Glaubst du, Basti kommt da wieder raus?«

Timo zuckte die Schultern, auch Jan machte ein *Guck mich nicht so fragend an* Gesicht.

»Stehst du nicht mit Svenja in Kontakt?« Verwirrt wandte sich jetzt Jan an Lea. Doch sie schüttelte ihren Kopf.

»Ihre Nummer ist nicht mehr aktiv und ich habe Svenja nachdem sie in Sicherheit gebracht wurde, nicht mehr gesehen oder gesprochen.«

»Das ist normal, Lea. Wir werden auch vorerst wohl nichts mehr über ihren Aufenthaltsort oder ihr Befinden erfahren. Ich gehe davon aus, dass sie in Sicherheit ist, da wir nichts Gegenteiliges gehört haben. Und wenn ich ehrlich bin, mache ich mir mehr Sorgen um Basti. Ich kenne seine Geschichte und du auch Lea. Ich denke, Jan weiß genug, um zu verstehen, wie gefährlich die Situation ist. Was, wenn er nicht mehr lebt?«

»Er lebt noch, ich weiß es. Er muss überleben.« Hoffnungsvoll blickte sie die beiden an.

»Basti hat mir eindringlich erklärt, dass er dir«, Timo deutete nun auf Jan, »selbst alles erklären will, das heißt, er wird zurückkommen.«

»Leute, fangt nicht schon wieder an. Das ist nicht fair. Ihr seid vollständig aufgeklärt über Bastis Leben und ich nicht.« Wieder fühlte sich Jan zurückgestellt. Sie hatten ihre Gründe, das war ihm klar und dennoch fühlte er sich ignoriert und ausgeschlossen.

»Ich wiederhole mich nochmal, du sollst warten, bis dir Sebastian alles erzählt. Und nur zur Erinnerung, ich weiß auch nicht alles!

Keiner kennt die ganze Wahrheit. Er hat mir alles anvertraut. Auch viele Sachen, die dich betreffen, Jan. Deshalb will ich nicht derjenige sein, der dich aufklärt. Du würdest es nicht verstehen. Vielleicht klärt es sich auch bald von selbst auf.«

»Na hoffentlich!«, moserte Jan vor sich hin.

»Wir müssen aber jetzt weiter, ich muss noch einkaufen für meine Mutter«, beendete Lea das Gespräch.

»Wir sehen uns.«

»Bestell Sabine schöne Grüße von mir und warn sie vor, dass ich sie heute Abend anrufen werde. Das wird ein langes Gespräch.«

»Kein Problem. Die schläft heute bei mir, ruf am besten so gegen sieben an. Tschüss.«

»Bis dann.«

Nachdenklich und angespannt sah Timo den beiden hinterher, bis sie um die Ecke bogen und verschwanden. Schweigend drehte auch er sich schließlich um und ging nach Hause. Den Weg über dachte er an Sebastian. Wie es ihm ging, wo er war, ob er überhaupt noch lebte.

Eigentlich weinte Timo nie, doch in diesem Fall konnte er seine Tränen nicht zurückhalten. Nachdem er sich wieder etwas beruhigt hatte, setzte er sich an seinen Schreibtisch und fuhr den Computer hoch. Er stützte seinen Kopf auf seine rechte Hand und starrte auf den schwarzen Bildschirm.

Erst sein E-Mail-Postfach riss ihn aus den Gedanken. Fünf neue Nachrichten hatte. Eine Spam-Mail folgte der anderen. Er löschte alle, doch die letzte Nachricht ließ ihn innehalten.

Kein Absender, aber als Betreff stand dort »Hilfe für Sebastian«. Neugierig öffnete er die Mail, in der nur kurz stand: »Sobald du die Nachricht geöffnet hast und wieder schließt, wird diese aus der Datenbank gelöscht und kann kein zweites Mal geöffnet werden.« Dieses kam Timo vor wie in einem der Mission Impossible Filmen, in denen sich die Nachrichten selbst zerstören, nachdem sie abgespielt wurden. Ohne weitere Zeit zu vergolden, öffnete er den Anhang:

Hallo Timo,
ich hoffe, dir geht es gut. Du musst aufpassen, mit wem du redest und auf welchen Webseiten du surfst! Soweit wir wissen ist Sebastian am Leben. Seit dem Zwischenfall in der U-Bahn, ist er in der Gewalt von El Kontaro. Wir wissen, dass er sich noch in Deutschland aufhält, doch wo genau er ist, wissen wir nicht. Wir werden für den Ernstfall ausgebildet und wir wissen, auf was wir uns einlassen, du jedoch nicht. Bitte sei vorsichtig. Vertraue niemandem, außer mir! Ich würde mich gerne mit dir weiterhin in Verbindung setzen, sobald wir mehr wissen. Wenn wir El Kontaro und Sebastian aufgespürt haben, werden wir zuschlagen und ihn da rauszuholen. Du weißt selbst, wie bedenklich diese Situation ist und dass wir mit Verlusten rechnen müssen. Doch anscheinend hast du die Situation verstanden, denn wir haben bereits Verstärkung von der Polizei erhalten. Durch deinen Fernsehauftritt hast du es geschafft, noch jemanden von El Kontaro zu überzeugen, der uns helfen wird, indem er uns vertrauliche Daten übermittelt.
Einer deiner Freunde, der Stiefsohn von Jack, ist jedoch in Gefahr.

Ich habe jemanden zu ihm geschickt, aber ich weiß nicht, was sie vorhaben. Sie wollen die Familie loswerden. Vielleicht bist du auch in Gefahr, dein Tod oder Verschwinden würde zu viel Aufsehen erregen, dennoch können wir es nicht ausschließen. Wir hoffen, dass sich bald alles zum Guten wenden wird.
Ich werde mich bald melden, bis dahin halt die Ohren steif und denk dran, sprich mit niemandem über diesen Brief! Wir werden uns zu gegebener Zeit wieder bei dir melden. Notiere alles, was dir merkwürdig vorkommt und gib es an uns weiter. Und vor allem, unternimm nichts ohne meine Zustimmung! Keine neuen Spontanaktionen, die dich in Gefahr bringen könnten. Ich vertraue dir.
Gruß
Markus

Nach diesem Brief musste Timo dreimal schlucken, bevor er wieder denken konnte. Anscheinend war Jan in Gefahr. Er musste ihn warnen, ebenso seine Familie. Schließlich beschloss er, ihn anzurufen. Er würde ihm erklären, dass er gewarnt worden sei und Jan die Augen offenhalten sollte und, dass sie bewacht werden.

Wenig später klingelte jemand stürmisch an der Tür. Es war Sabine, die ihren Freund ebenso begrüßte, wie sie zuvor geklingelt hatte.

»Ich habe dich so vermisst.«

»Aber wir haben uns doch erst vor kurzem gesehen. Hast du mit Lea gequatscht?«

»Gerade eben, sie ist vom Einkaufen zurückgekommen und hat mich angerufen. Du glaubst gar nicht, was passiert ist …«

»Ich habe die beiden eben getroffen. Aber ich kann's mir schon denken.«

»Also weißt du, dass Jan jetzt erstmal bei Lea wohnt und dass die da, na ja, du weißt es ja. Ich bin soooo glücklich.«

»Dass Jan bei Lea wohnt, wusste ich nicht, aber das andere konnte ich mir schon denken. Aber wieso bist du denn dann glücklich?«

»Na ja, ich freue mich für Lea. Sie hat solange darauf gewartet und jetzt ist sie auch glücklich.« Sabine strahlte über beide Ohren.

»Ich verstehe euch Frauen nicht. Wie kann man sich deswegen so für jemanden freuen? Ich meine, hier geht es nicht um irgendein Wunder oder so.« Aufgrund der Situation konnte Timo sich gerade nicht freuen. Immer noch schwirrte ihm der Brief im Kopf herum.

»Komisch, noch vor ein paar Monaten habt ihr aber alle anders darüber gesprochen.«

»Ja, da war auch alles noch normal.«

Timo senkte den Blick.

»Was ist los?«

Er nahm seine Freundin in den Arm und küsste ihre Stirn.

»Nicht so wichtig.«

»Du kannst es mir doch erzählen.«

»Ich denke, ich habe Angst.«

»Du? Warum?« Sabine konnte die Verwunderung nicht für sich behalten.

»Ich habe ein komisches Gefühl.«

»Was für eins?«

»Das etwas passieren wird und das ich Sebastian nie wiedersehe.«

»Warum denkst du das?«

Er wollte ihr nicht von der E-Mail erzählen, denn die Angst, Sabine könnte etwas zustoßen war größer. Deshalb schwieg er.

»Du verheimlichst mir etwas.«

»Es ist nur zu deinem Besten und hak´ jetzt bitte nicht nach, es fällt mir schon schwer genug, es dir nicht zu erzählen.«

»Wenn du meinst.« Sie sah ein wenig traurig und enttäuscht aus.

»Ich will nicht, dass dir etwas passiert. Verstehst du das?«

Aus einem Nicken ihrerseits schloss er ein ja. Damit beendeten sie das Gespräch und Timo hielt seine Freundin den gesamten Abend über schützend im Arm, ohne einen Gedanken an Sebastian oder El Kontaro zu verschwenden, was ihm nicht leichtfiel.

Vergeltung

Dieser Tag war für Sebastian einer der härtesten gewesen, in der Nacht hatte er kein Auge schließen können. Es war deutlich kühler geworden, nachts, wenn er versuchte zu schlafen, spürte er die Kälte am schlimmsten, wodurch er keine Ruhe fand. Da er jegliches Zeitgefühl verloren hatte, vermutete er, dass es langsam Winter wurde. Sie mussten jetzt ungefähr November haben.

Mittlerweile hatte er seine Arbeit wieder aufgenommen. Sie portionierten verschiedene Drogen in kleinen Tütchen oder in Briefchen, wie sie genannt wurden, wenn es sich um Koks handelte. Reines Koks war in Deutschland sehr schwer zu bekommen. Das Koks durften nur die Älteren portionieren, da es so kostbar war. Die jüngeren waren mit Marihuana beschäftigt. Die Wohl am häufigsten verpackten Drogen, war die sogenannte Partydroge MDMA. Diese lief am besten und brachte die schnellsten Einnahmen. Während reines Kokain nur in höheren Kreisen verkauft wurde.

Sein Arm schmerzte immer noch. Er hatte ihn fest an den Körper gebunden. Auch sein Zustand verbesserte sich nur langsam. Er fühlte sich benommen und wusste, dass er ärztliche Hilfe benötigte, doch diese würde er nicht bekommen.

Ihm wurde klar, dass Alinas Rettung das Einzige war, was er noch zu Stande bringen würde, bevor er starb. Sein Lebenswille schwand und er wurde von Tag zu Tag kraftloser, schwächer und sein Gesicht schien um Jahre gealtert zu sein. Wenn sich Armin hätte rächen wollen, könnte er sich nicht wehren. Sebastian wäre ihm schutzlos ausgeliefert.

Alina beobachtete ihn jede freie Minute. Sie spürte, dass Sebastians Lebenswille sich dem Ende neigte.

Dennoch schuftete er wie ein Irrer und sorgte so dafür, dass die anderen nicht so viel Arbeit hatten. Als sie merkten, dass sich Basti für sie einsetzte, wurde er ein Beschützer für die Unschuldigen. Fast alle, die in dem Versteck gefangen waren, steckten ihre Hoffnung in Sebastian, während die, die freiwillig zu El Kontaro kamen, versuchten die Menge zu spalten. Es wurden harte Strafen eingeführt, wenn jemand einem anderen helfen würde. Einige ließen diese Strafen über sich ergehen und trotzten so Mads Anweisungen. Lange ließ sich Mad das jedoch nicht mehr gefallen.

Und dann kam der eine Tag, an den sie alle noch ewig zurückdenken werden. Ein Freitagnachmittag, Ende November. Zwischen Mad und Sebastian hatte offenbar ein unsichtbarer Machtaustausch stattgefunden, den Basti jedoch keinesfalls so beabsichtigt hatte. Die Kinder und Jugendlichen begannen Mad zu ignorieren und suchten Sebastians Stärke. Alle Bemühungen, die Mad angestrebt hatte, waren umsonst gewesen. Es wurde immer schwieriger, die Gefangenen zu kontrollieren.

Mads Wut nahm an diesem Tag überhand und er stürmte zu Sebastians Zimmer. Dieser saß kränklich in der Ecke seines Bettes, versuchte, mehr oder weniger zu verschnaufen und nachzudenken.

»Was hast du an den Worten, du sollst dich nicht mit mir anlegen, nicht verstanden? Du weißt, was ich tun werde, wenn du versuchst, die Menge aufzuhetzen!«

Basti hob seinen Kopf und blickte Mad abwertend an. »Wovon sprichst du? Ich gehe nur meiner Arbeit nach!«

»Verarsch´ mich nicht! Wenn du auch nur mit jemandem redest oder annähernd kommunizierst, bringe ich dich um!«

»Na endlich! Ich dachte schon, ich müsste hier elendig verrecken. Na los, knall mich ab!«, forderte Sebastian ihn heraus. Offenbar war er für Mad gefährlich geworden.

»Ich weiß schon, wie ich dich knacke!«

»Armin!«

»Ja!« Armin, der mit noch einem, der ziemlich kräftigen Schläger, auf Abruf vor Bastis Zimmer stand, trat ein und funkelte Basti böse an.

»Ihr habt zwei Stunden, aber lasst ihn am Leben! Ich gehe mich vergnügen.« Und so nutzte Mad seinen letzten und einzigen Trumpf aus, den er noch gegen Sebastian besaß.

»Wenn du ihr was tust, bringe ich dich um!«

»Ach was? Ich werde ihr was tun und es wird mir mehr Spaß bereiten als ihr!« Seine Miene verdunkelte sich und ein fieses Grinsen zeigte, was er vorhatte.

»Lass sie in Ruhe! Ich bringe dich um!«

»Halt`s Maul!« Armin schlug ihm ins Gesicht und schien sich zu amüsieren. Der Schläger zog ihn vom Bett und trat ihm auf den kaputten Arm, sodass Armin ihn ohne Mühe fertig machen konnte und sich Basti vor Schmerzen krümmte.

Nach endlosen Schlägen und Tritten gönnten sie ihm, einige Minuten Pause in denen er wimmernd am Boden lag. Seine Gedanken drehten sich um Alina. Er musste ihr helfen, doch er sah keine Hoffnung mehr. Er war den beiden Schlägern ausgeliefert und sah keinen Ausweg.

Flehend blickte Sebastian in Mads Augen, doch dieser zeigte ihm nur Verachtung und verschwand aus der Tür, um sich Alina zu schnappen.

Zielstrebig ging er in die große Lagerhalle. Alina stand mit ein paar anderen zusammen in einer kleinen Gruppe und sortierte Drogen für die nächsten Lieferungen. Blicke folgten Mad, als er zu Alina ging. Diese konnte sich gerade noch umdrehen, um zu erkennen, warum es so leise wurde, als schon jemand an ihren Haaren zog und sie in die Knie zwang.

»Ich werde ihm beweisen, welche Macht ich habe!«

Er zog Alina hinter sich her, sodass sie auf Knien rutschend hinter ihm her kroch. Sie schrie und schlug um sich. Verzweifelt versuchte sie sich zu befreien, allerdings gelang es ihr nicht. Flehend schaute sie diejenigen an, die in ihrer Nähe standen. Doch die, die ihr helfen wollten, wurden von den Schlägern daran gehindert.

Durch die Schreie aufgeweckt schöpfte Basti neue Kräfte. Woher er sie nahm, wusste er nicht. Sie waren einfach da.

Er packte das Bein seines Angreifers und schaffte es, ihn zum Schwanken zu bringen. Der, der den Fuß auf seinen Arm gestellt hatte, wollte zuschlagen, doch Sebastian hatte sich zur Seite gedreht und war ausgewichen. Schnell schlug Basti zu. Er traf Armin mehrfach mit der Faust ins Gesicht. Schließlich nahm er sich den anderen vor.

Sein Hass gewann Überhand. Niemals hätte er so brutal auf jemandem eingeschlagen. Beide Männer lagen benommen auf dem Boden. Sebastian warf einen letzten Blick auf sie, entdeckte ein großes Jagdmesser, welches an Armins Bein in einer Schutzhülle steckte, nahm es an sich und verließ den Raum, um den Schreien zu folgen. Er wusste, egal, was Mad Alina angetan hatte und egal, mit was er noch drohen würde, er würde ihn töten.

Es schien endlos zu dauern, bis Mad sie zu den Schlafzimmern im hinteren Bereich geschliffen hatte. Dort schloss er eine der Türen auf, hinter welchen Alina noch nie gewesen war. In dem Raum stand ein großes Bett und es war in blauen Schimmer getaucht. Alina weinte. Sie wusste, was nun passieren würde.

Mad zerrte sie zum Bett und hob sie hoch, um sie auf die Matratze zu werfen. Sie strampelte, während Mad ihr die Kleider vom Leib riss und sie immer wieder schlug.

»Halt endlich still!«, wies er sie an.

»Bitte nicht!«, bettelte Alina leise.

Er legte sich auf sie und drückte sie fest ins Bett hinein.

Sebastian war währenddessen in der Halle angelangt. Er packte sich einen der Schläger und riss ihn zu Boden, dann schrie er ihn an. »Wo ist sie?!«

»Ich weiß es nicht!«

Voller Hass schlug Basti ihm ins Gesicht. »Sag es mir!«

Er zog ihn zu sich heran und deutete mit der Faust an, noch ein weiteres Mal zuzuschlagen. Endlich stammelte der Schläger die Antwort. Sofort ließ Sebastian diesen am Boden liegen und eilte durch den schmalen Flur neben der großen Halle entlang, zu den Schlafräumen.

»Bitte nicht!«

Weinend und sich wehrend versuchte Alina das unvermeidliche aufzuhalten. Die Angst stand in ihren Augen. Mehrmals schlug Mad sie. Dann öffnete er seine Hose, zog sie runter und beugte sich erneut über sie.

»Ich habe ihn gewarnt!«

Jammernd, aber langsam aufgebend, versuchte sie Mad von sich zu drücken. Doch sie wusste, dass sie keine Chance gegen ihn hatte, da Mad deutlich stärker und größer war als sie.

Mehrfach zuckte sein Oberkörper ruckartig zusammen, bevor er erstarrte. Er sah Alina mit weit geöffneten Augen an und sackte über ihr zusammen.

Sie schrie, im gleichen Moment erkannte sie allerdings, dass Mad anscheinend ohnmächtig war. Vorsichtig rollte sie den leblos wirkenden Körper zur Seite und erblickte Sebastian. Er stand schwer verwundet und sich den Arm vor Schmerzen haltend, vor ihr und lächelte sie an.

»Ich hab dich gewarnt, ich würde dich umbringen, wenn du ihr was tust!«, brummte er in die Richtung seines Kontrahenten.

Er hatte Mad das Messer mehrere Male in den Rücken gerammt und ihn unschädlich gemacht.

Mit schmerzverzerrtem Gesicht sackte er in die Hocke. Alina umarmte ihn liebevoll und weinte bitterlich. Durch das Weinen wurden auch die anderen auf das Zimmer aufmerksam und erblickten alle drei.

»Was ist passiert?« Eines der älteren Mädchen hatte den Raum betreten, noch mehr standen vor der Tür.

Doch als sie Mads leblos wirkenden Körper auf dem Bett sahen, erschraken sie und liefen davon, um nicht mit der Sache in Verbindung gebracht zu werden. Ein paar machten sich auf den Weg, um Hilfe zu holen, andere blieben stehen, um sich einen Überblick zu verschaffen. Es dauerte nicht lange, bis es einen Tumult gab, den niemand hätte vorhersehen können.

»Alina, wir müssen weg!«, brachte Sebastian mit schmerzverzerrtem Gesicht hervor.

»Wie sollen wir hier rauskommen?«

»Ich habe keine Ahnung, das hatte ich nicht geplant.« Er nahm ihre Klamotten und legte sie neben Alina. Als nächstes konzentrierte er sich auf die Schaulustigen. »Los, verpisst euch!«

»Aber wir wollen auch weg!« Enttäuscht starrten die Kinder und Jugendlichen Sebastian an.

»Du kannst nicht abhauen und uns im Stich lassen! Denk an die Jüngeren unter uns! Die haben ihr ganzes Leben noch vor sich.«

Einige der Umherstehenden stolperten in den Raum hinein und halfen Alina ihre Sachen wieder anzuziehen, wofür diese unendlich dankbar war.

»Ich habe keine Ahnung, wie wir hier rauskommen sollen«, erklärte Sebastian.

»Wir müssen es versuchen!«, gab einer der Jugendlichen motiviert zurück.

»Und was ist, wenn wir es nicht schaffen?«

Alina sah Sebastian fragend und gleichzeitig hoffend an. Er erwiderte ihren Blick und nahm liebevoll ihre Hand. Eigentlich wollte er ihr erklären, dass Freeze und Anhang sie im Falle eines Scheiterns, ohne jede Gnade umbringen würden, doch er konnte es nicht übers Herz bringen. Stattdessen versuchte er, den anderen Hoffnung zu geben.

»Wenn wir zusammenhalten, können wir es schaffen.«

»Wo sind sie?« Diese Stimme bedeutete nichts Gutes. Der Mann kam direkt auf das Zimmer zu und hatte anscheinend einige Schläger mitgebracht.

»Basti, sie kommen!« Mike kam hereingestürmt. Er blickte alle Anwesenden an, bevor sein Blick auf Alina fiel. Sofort ging er zu ihr. »Alles in Ordnung? Ich wusste nicht...«

»Es ist alles okay, Basti hat, na ja ...«, unterbrach sie den Satz und deutete auf Mad.

»Sie werden dich töten.«

»Ich weiß, aber ich habe Alina versprochen, sie zu beschützen. Mike, wenn sie reinkommen, verschwindet! Lauft und versucht raus zu kommen. Achtet nicht auf mich«, wies Basti ihn an.

»Was hast du getan?« Freeze stürzte in den Raum. Sein Blick fiel auf Mad und sofort auf Sebastian. Die Schläger kamen herein und drängten alle aus dem Zimmer oder hielten sie fest an die Wand gedrückt in ihrer Gewalt.

Das war's, das war das Ende, dessen war sich Sebastian bewusst und unweigerlich schloss er mit dem Leben ab. Jetzt und hier würde alles enden.

Er hockte immer noch am Boden und nahm alles leicht verschwommen, dennoch mit klarem Gedanken, wahr.

»Seht nach, ob er noch lebt!«, forderte Freeze schon fast brüllend.

Sofort eilten einige zu Mad und überprüften seinen Puls.

»Er lebt noch. Aber er wird sterben, wenn er keine Hilfe bekommt. Es sieht nicht gut aus. Ich glaub nicht, dass er das überlebt!« Einer von Freeze Leuten, die nicht zu den Schlägern gehörten, hatte Mads Zustand kontrolliert.

»Bringt ihn fort und helft ihm. Ich will keine schlechte Nachricht hören, habt ihr das verstanden?!« Freeze war so laut geworden, dass sich eine ängstliche Stille im Raum verteilte.

Sie taten, wie ihnen befohlen wurde, und eilten mit Mad davon dann wandte er sich Sebastian zu.

»Ich wusste, ich hätte dich von Anfang an töten sollen!«

»Dann tu es doch!« Basti funkelte ihn böse an. Er vertraute darauf, dass Mike den richtigen Moment finden und Alina retten würde.

Die Flucht

Nein. Tu ihm nichts!« Freeze drehte sich um und sah Alina durchdringend an.

»Was?«

»Äh, Sie … sollen … ihm … nichts tun!«, stammelte sie unsicher.

Zielsicher holte er mit der Hand aus und gab Alina eine Ohrfeige, sodass ihr Kopf zur Seite flog und sie wieder zu weinen begann.

»Na, hat ihr noch jemand was auf dem Herzen? Vielleicht du?« Er zeigte auf eins der kleineren Mädchen, die sich hinter Mike versteckte. »Komm her!«, forderte er sie auf. Sie schüttelte unsicher und ängstlich den Kopf. »Du tust, was ich von dir verlange!«

Das Mädchen gehorchte und tappte zu Freeze hinüber. Er packte sie unsanft und drückte ihr den Hals zu.

»Soll ich sie töten? Willst du das? Ich könnte sie alle töten!« Die Kleine japste nach Luft, während Freeze ihr den Hals immer fester zudrückte.

»Sie erstickt!« Sebastian konnte nicht verstehen, wieso Freeze dem kleinen Mädchen das antat.

»Und? Eine mehr oder weniger, was macht das schon? Sie gehören mir! Ich bestimme, wer lebt und stirbt!«

»Warum tötest du mich dann nicht? Sondern nur unschuldige kleine Mädchen?« Zu gerne hätte er sich ihm entgegengestellt, doch er schaffte es gerade einmal sich für kurze Zeit auf den Beinen zu halten.

Freeze schubste das Mädchen von sich und kam näher an Basti heran, während die Kleine auf dem Boden aufschlug und in Alinas Armen zu schluchzen begann.

»Das lass meine Sorge sein. Vielleicht gefällt es mir, dich zu quälen. Vielleicht macht es mir Spaß, anderen weh zu tun.« Sein Flüstern war grausam und abstoßend.

»Du Mistkerl! Hier wird sich niemand mehr unterdrücken lassen!«

Sebastian war wieder aufgestanden und nah an Freeze herangetreten! Mit einem finsteren Blick betrachtete er ihn.

»Ich weiß, du würdest mich gerne umbringen, aber diese Chance werde ich dir nicht geben. Du armer Wicht! Hattest du nicht eine schlimme Kindheit? Alles meinetwegen. Deine Mutter, ich kann mich noch genau daran erinnern, wie sie geschrien hat, als wir sie töteten.« Er verstellte seine Stimme, sodass sie höher klang. »Lauf Sebastian, du musst dich verstecken.« Wieder grinste er. »Weißt du, hätte sie dich nicht vor uns versteckt, wärst du schon lange bei uns gewesen. Aber es war Schicksal, dass du uns wieder begegnest. Um genau zu sein, war es dein Vater, dem du in die Arme gelaufen bist. So ein Zufall, nicht wahr? Dein Vater war ausgerechnet zu diesem Zeitpunkt auf der Suche nach neuen Kindern, als du da warst.«

Jack schlich sich vorsichtig an die Tür, hielt dort inne und bekam so das Gespräch mit. Er blieb unentdeckt, denn alle lauschten Freeze` Worten.

»Glaubst du wir hätten deinen Vater solange binden können, wenn ihr nicht da gewesen wärt? Dein Bruder hätte groß werden können. Dein Vater hatte es geheim gehalten, dass du auch sein Sohn bist, doch ich wusste es von Anfang an. Ich wollte einen Machtkampf zwischen euch. Irgendwann wärt ihr gegeneinander angetreten, um eine Machtposition bei El Kontaro zu erlangen. Doch ihr habt euch beide gegen uns verbündet und so hatten wir entschieden, einen von euch zu töten. Du warst ein wunderbares Druckmittel für deinen Vater. Immer wenn ihm Zweifel kamen, haben wir dich wie eine Marionette benutzt, um ihn gefügig zu machen. Er war zu gut, um ihn zu beseitigen. Dein Bruder ist geflohen, weil du es getan hast. Er war dein Freund. Da wir wussten, dass sich Jack an dein Leben klammern würde, wenn dein Bruder sterben würde, gab ich den Befehl, ihn zu töten. Mein eigener Bruder durfte diese Aufgabe erledigen. Da ich wusste, dass dein Vater dich niemals töten würde, befahl ich Jack, dich umbringen. Natürlich behielt ich Recht, denn er wollte dir zur Flucht verhelfen. Nur zu dumm, dass Mad sich nicht unter Kontrolle hatte. Du fielst die Klippen hinunter und wir hielten dich für tot. Den Rest kennst du.«

»Du Schwein! Du hast mich benutzt, um meinen Vater zu quälen!«

»Nicht ganz, eigentlich hat alles mit einer dummen Wette angefangen. Ich habe gewettet, dass ich das Leben eines Mannes vollständig zerstören könnte, dass dieser Mann, egal wie freundlich und nett er war, ein kaputter, kranker Schläger ohne jegliche Gefühle werden würde. Da saß tatsächlich ein armer Kerl in der Kneipe, keinen Job, aber er hatte eine kleine Familie. Der kam genau richtig. Mein Wettpartner sprach ihn an, fragte ihn, ob er einen Job suchen würde und bat ihm einen bei uns an. Natürlich erzählten wir nichts von El Kontaro. Dieses erfuhr er zu spät. Damit fing alles an. Siehst du? Nur eine kleine Wette, sonst nichts.«

Sebastian schüttelte verständnislos den Kopf. Sein ganzes Leben war nur eine Wette? Eine dumme Wette?

Langsam begab sich Jack in das Zimmer hinein. Er schwieg jedoch und blickte seinem Sohn ins traurige Gesicht. Freeze bemerkte ihn nicht. Er war damit beschäftigt Basti fertig zu machen. Doch als er sah, wie einer nach dem anderen zurückwich, drehte sich Freeze um und starrte Jack an.

Dieser ging jedoch nicht auf Freeze zu, sondern auf seinen Sohn. Er stand einige Sekunden bei ihm, bevor er sich zu Freeze drehte. Niemand sprach. Es dauerte eine Ewigkeit, doch schließlich fasste sich Freeze wieder, trat dennoch einen Schritt zurück, um außer Reichweite von Jack zu sein.

»Es sieht so aus, als ob ihr beide heute euer Ende finden werdet.«

»Das mag sein Freeze, aber es ist mir egal. Mein Sohn und ich kennen die Wahrheit und alle anderen auch. Du hast die Wette verloren, ich bin nicht so geworden. Manchmal habe ich mich vergessen, das weiß ich und es tut mir leid. Aber Sebastian hat mich verändert. Warum, wirst du niemals verstehen! Ich sorge dafür, dass ihr alle büßen werdet! Diese Menschen werden euch niemals mehr folgen! Und auch andere werden sich gegen euch erheben! Ich habt verloren!«

Mike war der Erste, der die Situation ausnutzte und seine abgelenkten Aufpasser überwältigte. Durch Blickkontakt signalisierte er denen, die ihm am nächsten standen, dass die Zeit gekommen war, sich zur Wehr zu setzen. Zu zweit überrumpelten sie jeweils einen Schläger, immer mehr folgten ihnen. Es ging rasend schnell. Der kleine Raum wurde immer enger, denn von außen drängten sowohl Schläger als auch die sich Auflehnenden.

Plötzlich wurde es laut und eine wilde Schlägerei war im vollen Gange. Die Anwesenden hatten Jacks Worte aufgegriffen und begannen sich gegen El Kontaro zu wehren. Einige konnten den Fäusten und Tritten der Schläger ausweichen, andere schleppten sich blutend oder nur leicht verletzt aus der Tür hinaus. Manche, die sich nicht wehren konnten, hatten es sich zur Aufgabe gemacht, die Jüngeren und Schwächeren in Sicherheit zu bringen.

Freeze hatte sich selbst eine Falle gebaut und stand mit dem Rücken zur Wand. Mike schnappte sich Alina und rannte hinaus. Die, die fliehen konnten und wollten, folgten ihnen. Es war ein Massenauflauf.

Versehentlich stieß einer der Fliehenden, welcher aus der großen Halle hinzukam, eine der brennenden Öllampen um, welche auf den Boden fiel und zerschellte. Unglücklicherweise fing das Öl Feuer und setzte langsam einige Tücher in Brand. Doch das bemerkte niemand. Alle waren zu sehr damit beschäftigt zu fliehen, als sich Gedanken, um ein kleines Feuer zu machen.

Jack schleppte Sebastian mit sich. Auch er hatte nichts von der sich ausbreitenden Bedrohung mitbekommen. Die Schläger und Freeze konnten zurückgedrängt werden und schließlich hatte Jack die

Tür verschlossen, hinter welcher sich Freeze mit samt seiner Schläger befand und sie somit erst einmal weggesperrt. Allerdings war die Tür aus Holz und würde nicht ewig halten.

Leider kamen Jack und Sebastian nur sehr mühsam und langsam voran. Der Weg zum Ausgang schien endlos zu sein. Sie durchquerten den langen Gang, der parallel zur Halle verlief, zwei kleine Räume und kamen endlich an der Treppe an. Diese führte vier Stufen bis zu einem Podest nach oben, dann folgten noch einmal sechs Stufen und schließlich eine schmale Wendeltreppe, die aussah, wie eine Treppe, die in einen Turm hinaufführte. Mit letzter Kraft hatten sie die ersten vier Stufen bis zum Podest geschafft, doch als Basti die Stufen sah, die sie noch hätten besteigen müssen, wusste er, dass er diesen Weg niemals schaffen würde.

»Lass mich hier!«, erklärte Sebastian.

»Du bist hier, weil ich dumm war und auf Freeze reingefallen bin. Ich habe dein Leben zerstört. Du hast das nicht verdient.«

»Es ist okay! Lass mich ruhig hier. Ich kann nicht mehr.«

»Niemals. Ich habe dich schon einmal im Stich gelassen, ich werde das nicht wieder tun!«

Sebastian lächelte seinen Vater an, dann wurde ihm schwarz vor Augen.

»Sebastian! Alles in Ordnung? Komm schon, du hast es gleich geschafft. Die anderen sind bestimmt schon frei.«

Er rüttelte ihn leicht, doch Sebastian schien seine letzte Kraft verbraucht zu haben. Durch sein eingefallenes, blasses Gesicht, wurde seine Erschöpfung deutlich. Er hatte die letzten Tage Prügel eingesteckt, kaum gegessen, getrunken oder geschlafen. Seine Reserven waren am Ende.

»Keine Angst, ich bleibe hier. Ich lasse dich nicht allein.«

Er zog seinen Sohn zur Seite und versuchte sich mit ihm zu verstecken. Er hoffte, dass sie Glück hatten und unerkannt blieben.

»Wach auf! Du musst verschwinden! Bitte Sebastian.«

Doch Sebastian war nur spärlich bei Bewusstsein, er konnte nicht mehr weiter. Er war krank und verletzt. Er war am Ende.

»Wo ist Sebastian? Wir müssen zurück!«

»Nein, Alina! Ich habe ihm versprochen, dich raus zubringen. Die Polizei wird hoffentlich auf uns aufmerksam, so viele Jugendliche, die aus dem Nichts auf die Straße rennen. Irgendjemand wird sie schon rufen. Lass uns verschwinden und irgendwo ein Versteck suchen. Es nützt Sebastian nichts, wenn die uns kriegen.«

»Er hat mir geholfen, ich kann ihn nicht zurücklassen!«

»Alina, bitte. Du warst der einzige Grund, warum er nicht aufgegeben hat. Er hat dir versprochen, raus zu kommen und das hat er gehalten. Komm jetzt, er wird es schon schaffen.«

»Lass uns ein Haus suchen. Da können wir uns verstecken.«

»Aber wo sollen wir hin? Hier ist weit und breit keine Stadt. Nur eine Straße und sonst Feld.«

»Das perfekte Versteck.«

Sie sah sich das Gebäude zum ersten Mal an. Es war ein riesiges Bauernhaus. Wahrscheinlich kam niemals jemand hierher. Keine Menschen, keine Autos. Wer also sollte ihnen helfen? Bis sie ein Haus gefunden hatten, könnte Sebastian bereits tot sein.

»Alina, wo sind alle hingelaufen?«

»Marie? Warum bist du nicht mit den anderen verschwunden?«

»Ich kann nicht so schnell laufen und sie waren einfach weg.« Alina nahm Marie auf den Arm.

»Lass uns gehen und Hilfe holen!«

Ein lautes Krachen und Poltern ließ Jack erahnen, dass Freeze und seine Leute die Tür aufgebrochen hatten. Armin war zu seinem Vater geeilt und wollte Sebastian einholen.

»Armin, er kann es nicht geschafft haben, sie müssen hier noch irgendwo sein.« Freeze war wütend.

»Warum bist du dir sicher?«

»Hast du nicht gesehen, wie der am Ende war? Selbst wenn sein Vater ihn geschleppt hätte, spätestens an der Treppe hätten beide schlapp gemacht.«

»Glaubst du sie haben sich versteckt?«

»Definitiv.«

Jack lugte durch einen kleinen Spalt in den Flur, doch er konnte niemanden erkennen. Armin unterhielt sich zwar irgendwo, doch sie waren zu weit weg, um sie zu sehen.

»Dad, die Polizei wird gleich hier auftauchen.«

»Scheiß dir nicht ins Hemd! Bis die hier auftauchen, sind die beiden längst tot und wir verschwunden. Ich habe alles in die Wege geleitet.«

»Und was ist mit Mad?«

»Der wird schon wieder. Dieser Mistkerl, Mad würde ihn sicher selbst gerne umbringen.«

»Oh, was ist passiert?«

Langsam und leise stöhnend kam Sebastian wieder zu sich.

»Alles in Ordnung?«

»Wer ist da?«

»Ich bin's, Jack. Du musst leise sein. Wir mussten uns verstecken. Ich hatte nicht mehr die Zeit dich nach oben zu bringen.«

»Was ist mit Alina?«, erkundigte sich Sebastian.

»Ich glaube, sie hat es geschafft. Alle haben es geschafft. Jetzt liegt es nur noch an uns, ob wir es auch schaffen.«

»Ich kann nicht mehr. Meine Beine tun weh und ich kann keinen klaren Gedanken fassen.«

»Mich wundert, dass du wach bist.«

»Na ja, wach ist was anderes. Was sollen wir jetzt tun? Sie werden uns finden und umbringen!« Seine Augen waren so schwer, dass er sie kaum aufhalten konnte.

»Ich wünschte, ich könnte jetzt für dich kämpfen und nicht

zulassen, was uns bevorsteht. Aber die Situation lässt jede Hoffnung schwinden. Ich weiß, dass ich unmöglich gegen alle ankommen werde und du bist zu schwach zum Laufen.«

»Dann will ich aber nicht als Feigling in einem …« Er sah sich um. »Na ja, was auch immer, enden.«

»Wir sind im großen Einbauschrank direkt unter der Wendeltreppe. Es wird nicht mehr lange dauern, bis sie uns haben.«

»Ich will nicht warten. Lass uns unserem Schicksal stellen und ihnen entgegentreten«, erklärte Sebastian entschieden.

»Du sprichst wie jemand aus einem Westernfilm«, lachte Jack leise.

»Ich weiß, aber das lässt die Sache ein wenig positiver erscheinen, wir werden als Helden sterben.«

»Sebastian?«

»Ja?«

»Ich möchte, dass du weißt, dass ich dir gerne ein normaler Vater gewesen wäre, der immer für dich da wäre und mit deiner Mutter und deinem Bruder ein normales Leben führen würde. Aber ich bin gescheitert. Ich werde heute mit dem Gedanken sterben, dass ich mich glücklich schätzen kann, einen Sohn wie dich zu haben. Trotz deiner Vergangenheit hast du es geschafft ein guter Mensch zu werden, der sich für seine Freunde aufopfert. Es tut mir leid, dass ich nicht die Kraft und den Mut hatte aus der ganzen Sache eher auszusteigen.«

»Aber Freeze und Mad sind an allem Schuld und nicht du!«

»Doch Sebastian! Bevor du wusstest, wer ich bin, hast du genauso gedacht! Ich war es, der die Kinder aus den Armen ihrer Eltern gestohlen hat, um sie für uns arbeiten zu lassen. Ich war es, der nichts gegen die Ermordung deiner Mutter oder deines Bruders unternommen hat. Ich will nicht, dass du die Schuld auf jemand anderen schiebst. Ich habe diese Verbrechen ausgeübt und würde mich der Polizei stellen, um meine Taten zu büßen. Solltest du es schaffen, kümmere dich bitte um meinen Hund. Er wird dir helfen, über alles hinwegzukommen.«

Er senkte kurz den Blick. Sebastian erkannte seinen eigenen traurigen Blick in dem seines Vaters wieder. Sie waren sich sehr ähnlich, wieso ihm das nicht früher aufgefallen war, war ihm ein Rätsel.

»Dad, … ich, … es tut mir leid.« Jack nahm seinen Sohn in den Arm und drückte ihn fest an sich.

»Es muss dir nichts leidtun. Du bist mein Sohn und darauf bin ich stolz. Lass uns rausgehen. Solltest du es schaffen, finde meinen Hund.«

Basti nickte stumm, sah seinen Vater verwirrt an und versuchte aufzustehen. Der Hund schien ihm eine Menge zu bedeuten. Er brauchte mehrere Versuche, um sich hinzustellen. Seine Beine waren wackelig und er konnte nur gebeugt stehen, da sein Bauch, seine Rippen und sein Rücken schmerzten.

»Komm, ich stütze dich.«

»Wenigstens sterben wir mehr oder weniger aufrecht.«

Jack öffnete die Tür des Schrankes, Sebastians Hand glitt in seine Hosentasche und holte langsam den Anhänger heraus, den er von Timo im Bahnhof bekommen hatte. Lächelnd und mit ein wenig Stolz umklammerte er diesen fest und behielt ihn in der Hand.

»Ich habe es dir doch versprochen.«

»Was ist?«

»Nicht so wichtig.«

Er warf einen letzten Blick auf den Anhänger und stolperte gestützt von seinem Vater hinterher.

»Was glaubst du, wann sie uns finden?«

»Wenn sie uns nicht schnell finden, werde ich noch deprimierter sterben. Dann habe ich mich von einem Idioten täuschen lassen.«

Sie grinsten sich an und versuchten an etwas zu denken, an das sie sich im Moment des Todes erinnern wollten. Sebastians Leben schoss an ihm vorbei. Lea, Jan, Svenja, Sabine, Timo, wie es ihnen wohl ging? Und dem Rest der Clique. Hoffentlich hatte bald alles ein Ende. Hoffentlich waren alle glücklicher und sie konnten ein normales Leben führen.

Sebastian schloss die Augen und dachte noch einmal an Svenjas Lachen, an seine Mutter und seine Adoptivmutter, an seine Cousine und ein unpassend erfreutes Lächeln schoss über seine zitternden Lippen. In Gedanken verabschiedete sich auch Jack, doch er freute sich auch, in der Hoffnung, er würde mit seiner Frau und seinen zwei Söhnen wieder zusammen sein.

»Ich hätte Svenja gerne alles erklärt. Ich habe sie wirklich geliebt. Und Alina, ich hoffe, sie wird glücklich.«

»Da sind sie!« Hastige, laute und näher kommende Schritte kündigten Armin, Freeze und seine Leute an. Tränen liefen aus Sebastians Augen.

»Ich hätte mich gerne von meinen Freunden verabschiedet. Ich war so dankbar, dass sie mich in ihre Clique aufgenommen haben.«

»Sie sind an der Treppe!« Von oben kamen nun auch einige auf sie zu gerannt.

»Und ich würde mich gerne bei meiner jetzigen Mutter bedanken, dass sie mich aufgezogen hat und für mich da war.«

»Ich hätte mich bei Marlene und Jan entschuldigen sollen. Aber ich denke, das hätte eh nichts genutzt. Wenigstens können sie sich mit dem Erbe, was ich hinterlasse, ein neues Leben ermöglichen.«

»Das wird beide freuen und hoffentlich auch alles vergessen lassen.«

Schließlich senkte Sebastian den Kopf und hockte sich auf die Knie, um sich seinen Mördern zu ergeben. Jack stellte sich schützend vor ihn. Zumindest wollte er seinen Sohn einmal beschützen, selbst dann, wenn es aussichtslos war. Sich von der Welt verabschiedend flüsterte Sebastian nun fast.

»Ich verzeihe dir, Dad. Ich wünschte, wir hätten mehr Zeit gehabt.«

Ihre Verfolger kamen auf sie zu. In ihrer Mitte stand Freeze, der sie abwertend ansah. Auch er hatte dieses gemeine und fürchterlich grausame Grinsen im Gesicht, wie es auch bei Mad und Armin oft zu sehen war.

Anscheinend hatte sich Freeze die rechte Hand verletzt, denn darum war ein blutiger Stofffetzen gewickelt. Vorsichtig blickte Basti auf, um seinen Mördern in die Augen zu sehen.

»Jack, du hast uns lange treue Dienste erwiesen, nicht immer freiwillig, aber immerhin. Deshalb werde ich dir einen schnellen Tod gestatten. Was deinen missratenen Sohn angeht, er wird leiden. Es wird sich noch ein wenig hinziehen bis er stirbt. Sein Leben wird erst ein Ende finden, wenn er vor Schmerzen krümmend auf dem Boden liegt und an ihnen sein Ende findet. Das habe ich doch schön formuliert, oder? Ja, ja, ich kann so was.«

Sebastian hoffte, dass es schnell vorbei sein würde. Sollten sie ihn doch noch quälen. Hauptsache war, dass es irgendwann ein Ende nahm, er einschlief und an keine Schmerzen mehr denken musste. Jack ignorierte Freeze, griff den Arm seines Sohnes und zog ihn zu sich nach oben. Dann nahm er ihn väterlich in den Arm.

»Ich danke dir mein Sohn.«

Die Zeit schien einen Moment still zu stehen, während sich Vater und Sohn voneinander verabschiedeten.

»Ich habe Angst.«

»Ich auch. Es ist bald vorbei.« Jack fasste die Wange seines Sohnes und blickte ihm ein letztes Mal in die Augen, dann drehte er sich um und trat einen Schritt auf Freeze zu.

»Schnappt ihn und macht, was ihr wollt. Hauptsache, er stirbt euch nicht weg! Zumindest nicht zu schnell!« Wartend auf das Kommende, schloss Sebastian seine Augen.

Freeze wandte sich wieder an Jack und kam nun auch auf ihn zu. Er legte seinen Arm freundschaftlich um seine Schulter, als ob sie einen kleinen Spaziergang unter Freunden machen wollten.

»Für dich endet dieses kleine Abenteuer hier!«, erklärte er und hielt ihm mit seiner gesunden Hand die Pistole auf die Brust. »Eigentlich gehen wir anders mit Verrätern um, leider fehlt uns die Zeit. Ich wollte dir nur noch einmal mitteilen, wie viel Spaß mir diese Wette gemacht hat.«

Jack wusste, dass nun sein Ende gekommen war. Er bereute sehr, was er getan hatte. Sein Leben lief an seinem inneren Auge vorbei. Eileen, Max und auch Sebastian. Die wichtigsten Menschen in seinem Leben. Er hatte alles verloren und nun würde er mit dem Gedanken sterben, dass er seinen Fehler nicht gut machen konnte und sein Sohn ihm folgen würde.

Freeze drückte den Abzug seiner Pistole und ein lauter Schuss fiel. In diesem Moment zuckte Basti zusammen. Er versuchte zwischen den Tritten und Schlägen, die er abbekam, zu erkennen, ob es sein Vater war, der von der Kugel getroffen worden war. Und es stimmte. Jack klammerte sich kurz an Freeze fest, doch dieser schüttelte ihn ab, sodass Jack direkt neben seinem Sohn zu Boden fiel. Armin und die anderen hielten kurz inne. Sebastian zog sich über den Boden zu seinem Vater hinüber, um ihm nahe zu sein. Ein letzter Blick des Sterbenden fiel auf seinen Sohn. Sebastian zerriss innerlich. Endlich hatte er seinen Vater gefunden und ihm verziehen. Ihn in sein Herz gelassen.

Das Zucken in Jacks warmen Augen verriet, dass sich sein Leben dem Ende neigte.

›Erst jetzt sehe ich, wie sehr du mich geliebt hast. Warum musste alles so kommen? Warum hat uns niemand geholfen? Ich habe Angst. Ich kann nicht mehr.‹

»Dad.« Wieder weinte Sebastian. Es war vorbei. Er hatte den Kampf verloren.

Ein letztes Mal streckte Jack die rechte Hand seinem Sohn entgegen. Dieser packte sie fest in seine und begleitete Jack bis zum Ende.

Ein warmes, tröstendes Lächeln für seinen Sohn war das Letzte, was Jack ihm noch entgegenbringen konnte. Dann hörte das Zucken auf und seine Augen wurden starr. Sie waren auf seinen Sohn gerichtet, doch die Wärme war erloschen. Jack war tot. Sebastian schloss seine Augen und hoffte, dass sein Tod ebenfalls bald eintreten würde. Auch er spürte, dass er schwach war und sein Körper aufgab.

Sofort wollten Armin und seine Schläger wieder loslegen, doch Freaze beendete das Spiel.

»Hört auf! Ich will, dass er mitbekommt, wie ich ihn töte. Ich will, dass er in den Lauf meiner Pistole sieht, bevor ich ihn abknalle!«

»Aber Dad, wir müssen verschwinden. Die Bullen werden gleich auftauchen!«

»Ich habe alles geregelt! Ich habe noch einen zweiten Plan auf Lager! Glaub mir, die werden abgelenkt sein und keine Zeit haben, uns zu verfolgen!« Er grinste in sich hinein.

»Ist schon gut! Ich wollte nur sichergehen!«

»Feuer!«

Plötzlich und unerwartet quoll dichter Rauch durch den langen Gang.

»Ich weiß nicht, wo das plötzlich herkommt. Die Halle steht in Flammen. Wir müssen verschwinden.«

»Wieso hat das keiner bemerkt?«

»Keine Ahnung, das Feuer muss in einem Nebenraum entstanden sein. Sonst hätten wir es früher gesehen.«

»So ein Mist, na ja, was soll's? Dann mach ich ihn eben direkt kalt und wir gehen. Rettet, was noch zu retten ist. Wenigstens müssen wir uns nicht selbst um die Beseitigung der Beweise kümmern.«

Freeze, der immer noch seine Pistole in der Hand hielt, ging langsam zu Sebastian hinüber und drehte ihn mit dem Fuß auf den Rücken. Kraftlos wie er war, wehrte er sich nicht einmal dagegen.

»Du hattest dein Leben lang Pech, jetzt hast du anscheinend das erste Mal Glück«, erklärte er. Dann stellte er sich über Sebastian und richtete die Pistole auf seinen Kopf. Basti sah Freeze in die Augen. Er wusste, dass dies sein Ende sein würde. Er wusste, dass endlich alles vorbei war.

»Freeze!« Freeze zog seine Pistole kurz weg und wandte sich zu Ty.

»Was denn?« Er schien sichtlich genervt, denn er wollte den Moment genießen.

»Sie sind alle geflohen! Auch einige von uns. Die Polizei haben sie bestimmt schon alarmiert.«

»Ich komme sofort.«

Endlich richtete er sie wieder auf Sebastian, der ein letztes Mal aufblickte. Dann schoss Freeze und ging, ohne sich umzudrehen.

Die Kugel traf Sebastian mittig in der Brust. Es schien so, als ob sie seinen Brustkorb in tausende Splitter zerbrochen hatte und stecken geblieben war. Basti schnappte nach Luft und fühlte, wie sich sein Hemd mit Blut tränkte. Er schien in Zeitlupe in den Boden zu sinken. Seine Gedanken spielten ihm einen Streich. Er sah jemanden neben sich stehen, doch das konnte nicht sein.

Langsam drehte er sich auf die Seite, um besser atmen zu können. Luftholen war nicht mehr möglich, das Atmen schien blockiert zu sein. Er hustete. Das Blut lief aus dem Mund heraus. Doch noch war er nicht tot.

›*Gleich bin ich bei euch. Gleich sehe ich euch wieder. Max, Mom und Dad.*‹

Er versuchte, die Hand seines Vaters zu erreichen, und schaffte es, diesen mit seinen Fingerspitzen zu fassen.

Immer noch hielt er den Anhänger fest umklammert in seiner linken Hand. Sein Kampf schien Minuten zu dauern, bis er völlig verkrampft und unter Schmerzen die Augen schloss und sein Bewusstsein verlor.

Tragische Verluste

Fünfzehn Minuten zuvor.

»Ich gehe zurück und suche Basti!«, verkündete Alina entschlossen.

»Du bleibst und wartest auf die Polizei!«

»Ich gehe und suche ihn. Wenn ich ihn finde, bringe ich ihn her.«

Alina, Mike und die kleine Marie hatten einzelne Häuser gefunden, die etwas über einen Kilometer entfernt waren. Es herrschte ein großer Aufruhr, denn sie klingelten alle aus den Betten. Die Anwohner riefen daraufhin die Polizei und warteten nun ungeduldig.

Auch wenn Mike Angst hatte, lies ihn das Gefühl nicht los, dass Sebastian etwas Schlimmes zugestoßen sein könnte. Daher machte er sich auf den Weg zurück zum Haus. Er lieh sich ein Fahrrad und raste den Feldweg entlang, auf welchem sie gekommen waren.

Außer Atem kam er am Versteck an, stellte das Fahrrad hinter einen Busch und schlich ans Haus heran. Von weitem hörte er, wie sich die Einsatzfahrzeuge der Polizei, der Feuerwehr und auch etliche Rettungswagen näherten. Dichter Rauch quoll aus der Tür zum Kellergeschoss heraus. Mike hatte keine Chance dort hineinzukommen.

»Basti! Wo bist du?«, rief er, doch niemand antwortete ihm. »Hoffentlich hast du geschafft.«

›Das ist reiner Selbstmord. Aber ich schulde ihm so viel. Ich muss ihm helfen.‹

Sein Verstand riet ihm davon ab, in den dichten Qualm zu gehen. Doch sein Herz drängte ihn, Sebastian zur Hilfe zu eilen.

Ein Schuss fiel.

Ohne weiteres zögern, band er sich seinen Pullover vor den Mund und die Nase und ging vorsichtig die Treppe hinunter. Durch den Rauch konnte er kaum etwas erkennen, doch er hörte, wie Freeze und die anderen zum anderen Ausgang eilten.

Es war heiß und stickig. Lange würde Mike das nicht aushalten, doch er musste Basti finden. Als er am Fuß der Treppe angelangt war, sah er zwei Personen vor sich liegen. Selbst durch den dichten Rauch erkannte er, wer es war.

Jack lag auf dem Bauch und hatte seinen Arm nach Sebastian ausgestreckt. Mike fühlte seinen Puls, doch es war zu spät, Jack war bereits tot.

Als sich Sebastian drehte fiel Mikes Blick auf ihn und er merkte, dass er noch lebte.

»Basti! Alles in Ordnung?«

Basti versuchte, die Hand seines Vaters zu ergreifen. Er nahm Mike nicht wahr, dann wurde er ohnmächtig. Erst jetzt merkte Mike, dass sein Freund eine Schusswunde in der Mitte des Brustkorbes hatte, als sein Blick auf das blutverschmierte Shirt fiel. Er nahm seinen Pullover ab und versuchte damit die Blutung zu stoppen.

Besorgt fühlte er Bastis Puls und stellte fest, dass dieser schwach war. Mit all seiner Kraft hievte er Sebastian hoch und zog ihn bis zur Treppe. Niemals würde er es schaffen, bis nach oben zu kommen.

»Scheiße, Basti, bitte wach auf. Hallo, Hilfe! Wir brauchen Hilfe!!!«, rief er so laut er konnte. »Wir schaffen das, das verspreche ich dir! Das sind wir dir schuldig.«

»Hallo, wer ist da?« Von oben hörte man einen Jugendlichen rufen.

»Ich bin's Mike. Ihr müsst mir helfen, schnell!« Mehrere Schritte hasteten die Treppe hinunter. Drei Jugendliche, ein Mädchen und zwei Jungen kamen ihm zu Hilfe.

»Wir müssen ihn rausholen, sonst stirbt er.«

»Ist gut.«

Alle packten mit an und hoben Sebastian Stufe für Stufe nach oben.

»Warum seid ihr zurückgekommen?«

»Wir wollten Hilfe holen und haben gemerkt, dass wir Marie verloren haben.«

»Sie ist bei Alina in Sicherheit. Wir sind fast oben. Hoffentlich ist es noch nicht zu spät!«

Alle tauschten besorgte Blicke. Keiner von ihnen konnte die Situation einschätzen, doch sie wussten, dass sie in Gefahr waren.

Endlich kamen sie nass geschwitzt oben an und trugen ihren Helden nach draußen.

»Legt ihn vorsichtig ab.« Mike fühlte Sebastians Puls. Dieser war noch vorhanden, jedoch sehr schwach. Mike begann ihn zu beatmen.

Basti atmete nicht selbstständig und Mike verlor langsam das Vertrauen, dass diese Sache gut enden würde. Er hockte sich links neben Basti und fasste seine geschlossene Hand.

»Bitte, gib nicht auf. Dank dir sind wir frei. Du musst leben!«

Bastis Hand öffnete sich und umschloss die von Mike. Er bemerkte den Anhänger in seiner Hand. Basti drückte Mikes Hand. Es schien, als ob ein letztes Muskelzucken durch seinen Körper ging bevor seine Hand schlaff wurde.

›*Danke*‹

Doch ein Lächeln stand auf Sebastians Gesicht. Ein erlösendes Lächeln, fast so, als hätte er sich nichts sehnlicher gewünscht, als zu sterben. Allem Anschein nach war dies der Fall.

Mike nahm den Anhänger an sich und fühlte Bastis Puls. Er hörte nicht auf, Sebastian zurückholen zu wollen. Die Übrigen senkten ihre Blicke und schwiegen. Sie hockten sich neben den leblosen Körper und verabschiedeten sich von ihrem Retter.

Plötzlich wurde es laut um sie herum. Wie aus dem Nichts waren Rettungswagen und Polizisten erschienen. Keiner der Anwesenden hatte darauf geachtet.

Die Sanitäter eilten zu Sebastian hinüber und fühlten ebenfalls seinen Puls, sahen die Schusswunde und warfen sich einen vielsagenden Blick zu. Sie versuchten, ihn zu stabilisieren, doch es schien erfolglos zu verlaufen. Als nächstes hoben sie ihn auf eine Trage und luden ihn in den Rettungswagen. Einer der Polizisten kam zu Mike und den anderen Jugendlichen herüber.

»Hallo, mein Name ist Klaus Detmer. Heißt einer von euch Mike?«

»Ich.« Mike stand auf und stellte sich dem Polizisten gegenüber.

»Du hast die Kollegen gerufen, richtig?«

»Das war ich. Was ist mit Sebastian?«

»Das weiß ich nicht. Gibt es noch weitere Verletzte?«

Mike senkte den Kopf. »Unten neben der Treppe liegt noch jemand, aber ich glaube, er ist tot.«

»Frank! Unten an der Treppe befindet sich noch jemand!« Die Feuerwehr war schon in das Gebäude eingedrungen und versuchte den Brand zu löschen. Dann erst konnten die Sanitäter nachrücken.

»Was ist hier vorgefallen?«, erkundigte sich der Beamte bei Mike.

»Das ist eine lange Geschichte. Das Wichtigste ist, dass Sie die Verbrecher fassen, die dafür verantwortlich sind. Sie müssten noch in der Nähe sein. Ich habe sie noch gehört, ist maximal zehn Minuten her.«

Der Polizist gab sofort einen Funkspruch an seine Kollegen durch und leitete so eine Fahndung nach den geflohenen Tätern ein.

»Wo kommen die Kinder her und was ist passiert?«

»Mein Freund, der eben ins Krankenhaus gebracht wurde, heißt Sebastian.«

»Natürlich, Sebastian. Wir waren auf der Suche nach ihm!«

»Er hat mir seine Geschichte erzählt. Falls er sterben sollte, sollten Sie wissen, dass er unschuldig ist. Er wurde entführt, genauso wie alle anderen.«

»Und von wem?«

»Die Gruppe nennt sich EL Kontaro. Dank Sebastian konnten wir alle fliehen.«

»Wie viele seid ihr gewesen?«

»Ich habe nie alle gesehen, aber mit den Schlägern waren es bestimmt sechzig oder siebzig Leute. Davon zwanzig Schläger und der Rest Kinder, Jugendliche und einige Erwachsene.«

»Schläger?«

»Das waren die, die immer auf uns eingeprügelt haben. Wir haben sie nur Schläger genannt.«

»Klaus! Das musst du dir ansehen.«

»Ihr geht am besten zu einem der Sanitäter und lasst euch durchchecken. Wir sprechen gleich weiter.«

»Was ist mit Alina und Marie?«

»Sind das die Mädchen, die im Dorf warten?«

Mike nickte.

»Bei denen ist ein Sanitäter geblieben und hat sich um sie gekümmert. Ihnen geht es gut. Keine Sorge.« Beruhigend lächelte er Mike an. Dann ging er schnellen Schrittes davon, um sich an seinen Kollegen zu wenden.

»Was ist so dringend?«

»Ich bin jetzt seit dreißig Jahren bei der Polizei, aber ich habe noch nie etwas gesehen, wie da unten. Da haben Menschen gelebt!«

»Angeblich waren hier bis vor kurzem noch um die fünfzig Kinder und Jugendliche.«

»Das mag sein, so wie das aussieht. Wir müssen auf jeden Fall alle wieder auftreiben.«

»Das dürfte schwer werden. Das Wichtigste ist jetzt eine weitere Fahndung raus zu geben. Die Täter konnten fliehen. Wir müssen der Sache auf den Grund gehen.«

Jetzt näherten sich auch Fahrzeuge mit Spezialeinsatzkräften, die sich ihnen anschlossen. Sie alle trugen Dienstkleidung und waren nicht voneinander zu unterscheiden. Der Verantwortliche übergab Herrn Detmer die nötigen Unterlagen, um sich auszuweisen. Es war eine Spezialeinheit, die El Kontaro behandelte. Diese Einheit nannte sich ISADO, wem genau sie unterstellt war, blieb geheim. Doch für die Polizei waren ebenso wenig unbekannt, wie andere Sondereinheiten in Deutschland. Der Unterschied zur ISADO war, dass sie nicht nur in Deutschland, sondern länderübergreifend agierte.

»Bei einer solchen Organisation wird es schwer sein, die

Verantwortlichen zu finden«, berichtete nun Klaus Detmer dem leitenden Herren der ISADO.

»Treiben Sie unverzüglich weitere Einsatzfahrzeuge auf und sperren Sie das Gelände weiträumig ab! Wir werden uns den Geflohenen annehmen.« Der Einsatzleiter übernahm nun die Führung.

Der angesprochene Polizist lief zu seinem Auto und gab die Infos per Funk durch. Schnell strömten die zusätzlichen Einsatzleute, der ISADO aus. Ins Haus und in Richtung Wald. Offenbar gab es noch weitere Einsatzorte, denn der hiesige Leiter schien neben seiner Truppe, auch mit jemand anderes in Kontakt zu stehen, der sich an die Geflohenen Täter geheftet hatte.

»Georg, da!« Klaus zeigte auf eine große Menschengruppe, die aus dem Wald heraus, auf sie zukamen. Sie wurden durch Kräfte der ISADO begleitet.

»Wer ist das?« Auch sein Kollege hatte nun aufgeblickt und sich Richtung Wald gedreht.

»Da sind Sarah und Alan!« Mike stürmte los, als er seine Freunde in der Menge entdeckte. »Ihr habt es geschafft. Wir sind frei!«

»Heißt das, wir dürfen zu unseren Eltern?«, wollte Sarah wissen.

»Die Polizisten sind da, um uns zu helfen und auch irgendeine Sondereinheit« ,bestätigte Mike Sarahs Frage.

Klaus sah sich die Menschenmenge genau an und bemerkte, dass es sich ausschließlich um Kinder und Jugendliche handelte.

»Sind das die Kinder, von denen ihr gesprochen habt?«

Doch Mike schüttelte langsam den Kopf.

»Ich glaube nicht, dass es alle sind.«

»Ich sorge dafür, dass man sich um euch kümmert.« Klaus eilte davon und sprach einige der Sanitäter und Polizisten an. Andere Kinder wurden durch die ISADO begleitet.

Als sich alles ein wenig beruhigt hatte, wurden alle Namen der Anwesenden erfasst. Alina und Marie waren mittlerweile ebenfalls dazugekommen und zu Mike geeilt.

»Was ist mit Sebastian? Wo ist er?«

Mike senkte den Blick. »Ich glaube nicht, dass er es geschafft hat.«

»Warum? Wo ist er? Sag es mir!«, forderte Alina ihren Freund auf. Wieder war sie den Tränen nahe, doch die Ungewissheit über Sebastians Zustand konnte ihr niemand nehmen.

»Er wurde ins Krankenhaus gebracht, aber es stand schlecht ...«

»So etwas darfst du nicht mal denken! Wir müssen hoffen, wir sind rausgekommen! Warum sollte er nicht überleben können?«

Plötzlich fiel Mike der Anhänger ein, den Basti ihm zuvor gegeben hatte.

»Ich glaube, das ist deiner!« Er streckte ihn ihr entgegen.

»Woher hast du den?«

»Er hat ihn mir gegeben, bevor er das Bewusstsein verloren hat. Alina, ich glaube nicht, dass er zurückkommt. Für ihn war nichts wichtiger, als dein Leben zu retten.«

»Was ist mit seinem Vater?«, fragte sie als nächstes.

Mike sah ihr traurig in die Augen und schüttelte langsam den Kopf.

»Woher weißt du das?«

»Ich habe ihn gesehen.«

»Aber wieso?«

»Keine Ahnung. Wieso waren wir hier? Ich weiß nicht, warum er sterben musste!« Mike nahm sie in den Arm, während Alina nur stumm nickte. Sie wusste nicht, was sie fühlen sollte. Ihr Inneres wirkte leer und weit weg. Alles um sie herum wirkte unwirklich.

Schließlich richtete Mike sich wieder an den Polizisten.

»Was wird jetzt aus uns?«

Klaus drehte sich um.

»Wurden eure Daten erfasst?«

»Als erstes.«

»Ihr werdet nun erst einmal alle zur Wache gebracht. Dort werden wir das Jugendamt verständigen. Alles weitere liegt dann in deren Hand. Macht euch keine Sorgen, euch wird jetzt niemand mehr schaden.«

»Ich komme aus Deutschland und Alina aus Amerika. Aber die

Mutter lebt in Deutschland, das weiß ich.«

»Und woher? Ich dachte, ihr wart hier eingeschlossen!«

»Das stimmt, wir haben es durch Sebastian erfahren.«

»Wo genau sie wohnt, wisst ihr auch nicht, oder?«, seufzte der Polizist. »Es wäre zumindest ein Anfang.«

»Wir finden sie.« Mike wollte endlich, dass Alina ihr Familie wiedersehen konnte. Jetzt gerade wünschte er sich nichts sehnlicher.

»Auf der Wache können wir sie suchen.«

»Aber…« Nun war es Alina, die den Polizisten drängte.

»Ich weiß, du vermisst deine Mutter. Aber alle anderen Jugendlichen und Kinder vermissen ihre Eltern ebenso.«

»Ich habe keine Eltern mehr«, brachte Mike hervor.

»Das tut mir leid. Hört zu, wir werden eine schnelle Lösung finden. Doch ihr seid minderjährig. Zumindest vermute ich das. Ich werde euch helfen.« Offenbar nahm Klaus diese Situation wirklich mit. Im Grunde wirkten alle anwesenden Polizisten sehr angespannt, jedoch mitfühlend den Kindern und Jugendlichen gegenüber.

Alina verzog das Gesicht und zeigte so, dass sie nicht glücklich darüber war.

»Vorschrift ist Vorschrift. Ich darf euch nicht gehen lassen!« Kurze Zeit später wurden alle von Bussen abgeholt und ins Polizeipräsidium gebracht.

In einem der Polizeifahrzeuge saßen Mike hinten bei Alina und Marie, die unbedingt bei Alina mitfahren wollte. Alles schien verschwommen an ihnen vorbeizulaufen. Das große Haus, die lange Straße, der Wald, einige Dörfer. Gedankenverloren spielte Alina mit ihrem Anhänger. *Klack!*

Der Anhänger hatte sich geöffnet, woraufhin Alina sofort nachsah.

»Was ist?«

»Keine Ahnung, da ist was drin.«

»Und was?«

»Ein Brief.«

»In so einem kleinen Anhänger?«

»Der ist dafür vorgesehen. Es ist genug Platz darin. Warte, da steht was drauf. Ich glaube, da steht Jan«, erklärte Alina ihrem Freund.

»Der ist nicht für dich?«

»Für meinen Bruder.« Kopfschüttelnd steckte sie den Brief wieder in den Anhänger hinein und schloss in.

»Willst du ihn nicht lesen?«

»Wieso? Er ist nicht für mich. Wenn ein anderer Name drauf steht, dann wird das schon seinen Grund haben.«

»Das könnte ich nicht.«

»Was denn?«

»Nicht zu kontrollieren, was drinsteht.«

»Sebastian hat mit mir gesprochen, bevor der Tumult losbrach. Er hat sich von mir verabschiedet. Ich hätte nur nicht gedacht, dass das alles wirklich passieren würde.«

Darauf erwiderte Mike nichts. Sie schwiegen, bis sie auf der Wache angekommen waren.

Währenddessen kamen Freeze, sein Sohn Armin, Ty und noch zwei weitere Personen an einem neuen vorübergehenden Versteck an. Freeze und sein Sohn saßen an einem Tisch und unterhielten sich.

»Wie ich dir vorhin prophezeit habe, sind die uns nicht gefolgt!«

»Ja Dad.« Armin verdrehte die Augen, da er das überhebliche Verhalten seines Vaters nicht mehr ertragen wollte. »Was war dein anderer Plan?«

Ein gemeines Grinsen huschte über Freeze´ Gesicht.

»Sag schon!«

Freeze kramte ein Handy aus seiner Tasche.

»Eigentlich wollte ich alle Zeugen ausschalten, wenn wir in Sicherheit sind. Aber die Situation erfordert etwas anderes.«

Seine Finger huschten über die Tastatur des Handys und er hielt es sich ans Ohr. Wenige Sekunden später meldete sich eine männliche Stimme.

»Ich bin auf Position!« Einer von Freeze´ Leuten hatte seinen ersten

Auftrag erfüllt und erwartete nun Änderungen des Ursprungsbefehls von Freeze, sonst hätte er wohl kaum angerufen.

»Es gab einen Zwischenfall, ich werde den Chef verständigen, du weißt, was du zu tun hast!«, erklärte Freeze ohne weitere Umschweife.

»Hinhalten, Ausschalten und abwarten! Ich nehme mir zuerst die Streife vor der Tür vor und gehe dann ins Haus.«

»Richtig! Denk an den Strom, die haben ein Alarmsystem! Ach ja, ich musste mich Jack entledigen, er ist tot! Und sein Sohn auch!«, fuhr Freeze weiter fort, doch der Ander korrigierte ihn sofort.

»Irrtum, ich glaube, den Sohn haben sie ins Krankenhaus gebracht, der lebt noch!«

»Kümmere dich darum! Er darf nicht überleben! Ich kann auf meine Leute gerade schwer zurückgreifen. Nimm deine und schalte ihn aus!« Wieder wurde Freeze launischer und seine Wut auf Sebastian baute sich erneut auf.

»Geht in Ordnung, Boss. Was ist mit der Familie?«

»Es wird ein Aufgebot an Polizisten geben. Die werden sich denken, dass wir es sind.«

»Wie lange soll ich die hinhalten?«

»Keine Ahnung, du hörst von mir.« Freeze legte auf. »Wenn ich könnte, würde ich den kleinen Bastard selbst umbringen!«

»Ich dachte, Sebastian ist tot!«, murmelte Armin verwirrt.

»Ich habe ihn auch erschossen, er muss Hilfe gehabt haben!«

Plötzlich klingelte Freeze' Handy. Er brüllte nun fast ins Handy.

»Ja!«

»Mad ist tot!«

»Was? Das kann nicht sein! Ich dulde keine solchen Nachrichten!«

Wutentbrannt knallte Freeze sein Handy auf den Boden und rastete aus. Er trat alles durch die Gegend, was er finden konnte.

»Was ist passiert?«

»Du willst wissen, was passiert ist?«, brüllte er seinen Sohn an.

»Mad hat sich verpisst!«

»Ich dachte, er wäre verletzt. Wie kann der da abhauen?«

Völlig genervt und verständnislos schüttelte Freeze den Kopf.

»Kaum zu glauben, dass du mein Sohn bist! Er ist tot, du Idiot.«

Er zog seine Pistole und richtete sie auf Armin, dann nahm er sie wieder runter. »Ich werde mich selbst um die restlichen Zeugen kümmern!«

»Wen meinst du?«

»Ty! Schaff mir den aus den Augen, sonst erschieße ich meinen eigenen Sohn!« Wieder klingelte das Handy. Freeze hob es vom Boden auf und ging ran. »Was ist verdammt noch mal?«

»Dir scheint ja einiges aus dem Ruder zu laufen, mein Sohn!«

»Es ist nicht meine Schuld! … Ich …« Freeze hatte nicht mit dem Anruf seines Vaters gerechnet. Ice stand über seinem Sohn und gehörte zu den höchsten Chefs von El Kontaro.

»Du hast die Verantwortung gehabt! Du bist immer Schuld! Ich will die Sachen von dir zurück! Die Drogen und das Geld! Mir ist egal wie! Du Versager! Die ISADO hat sich eingeschaltet!«

»Ich werde sie wiederbeschaffen. Ich weiß auch schon wie«, erklärte er und legte auf. »Das war der Chef. Er will seine Ware und das Geld zurück, die Polizei scheint schon vor Ort zu sein. Wir müssen aufpassen, sonst fliegen unsere Informanten auf! Die ISADO ist uns auf den Fersen!« Wütend drückte er sein Handy in der Faust zusammen, sodass nun die zuvor gesplitterte Scheibe komplett brach. »Markus!«

Sie wollten sich in den kleinen Ort, indem Jan, Lea und einige der anderen wohnten, begeben, um dort mit den restlichen Zeugen abzurechnen und die bereits geplante Flucht anzutreten.

Marlenes Geschichte

Gewarnt von Timo verließen Jan, Lea und Marlene nicht mehr das Haus. Leas Mutter musste jedoch arbeiten und ihr Vater war übers Wochenende auf einer Fortbildung. Leas Bruder Stephan wurde nun durch die, laut ihm lästigen, Anhängsel begleitet. Ihr Bruder war beim Training und würde erst gegen halb zehn nach Hause kommen. Wie nah doch Freude und Angst beieinanderlagen. Der Tag hatte für Jan und Lea so gut begonnen und jetzt mussten sie aufpassen und Angst vor der Ungewissheit haben.

Aber wer wollte Jan etwas antun? Er hatte nichts verbrochen und wusste nichts, was er irgendwem verraten könnte. Er war nur zufällig Jacks Stiefsohn, mehr nicht.

Jan zerbrach sich den Kopf darüber, doch eine Antwort wollte ihm nicht einfallen. Seine Mutter bemerkte, dass er nichts mehr verstand, deshalb brach sie ihr Schweigen und erzählte Jan die Geschichte aus ihrer Sicht. Auch Lea hörte zu. Sie wollte ihre Wissenslücken füllen und auch andere Sachen hinzufügen.

Marlene sah ihren Sohn nachdenklich an, atmete tief durch. Erst dann versuchte sie, einen Anfang zu finden und wandte sich an Jan.

»Kennst du Sebastian gut?«

»Ich denke schon, warum?«

»Ich auch, sogar sehr gut.«

»Woher?«

»Als dein Vater und du in Deutschland wart und das Haus vorbereitet habt, habe ich einen kleinen Jungen kennen gelernt, oder vielmehr deine Schwester. Sie hat ihn beim spielen entdeckt, als er durchnässt in einer Gasse saß und weinte. Alina holte mich und ich nahm den Jungen mit zu uns. Er erzählte mir, dass er vor einer Gruppe weglaufen würde, die ihn erschießen wollte und dabei ins Meer gestürzt sei. Er hat Glück gehabt, denn die Strömung war so stark, dass er direkt an Land gespült wurde. Ich wusste nicht, wie viel ich davon glauben konnte und sorgte für ihn, er blieb eine Weile bei uns. Der Junge hatte Angst vor der Polizei. Deshalb wollte ich, dass er sich beruhigt und dann mit ihm hingehen. Doch vorher tauchten seine Verfolger wieder auf. Der Junge erzählte mir, dass seine Mutter tot sei, er aber eine Frau in Deutschland kennt. Seine Mutter hätte ihm erklärt, er solle dort hingehen, wenn ihr etwas passierte. Also schenkte ich ihm eins unserer Flugtickets und erzählte deinem Vater, dass wir später kommen würden, da uns ein Ticket gestohlen worden war. Ich hatte Angst, weil wir seit Tagen beobachtet und verfolgt wurden. Und so belog ich deinen Vater. Er wollte nicht, dass wir dort länger allein blieben. Also kam er mit dir zurück und wir wollten gemeinsam nach Deutschland fliegen.«

»Ich erinnere mich daran. Papa ist einen Tag, nachdem wir wieder zurück waren, mit Alina in ihr Lieblingsschwimmbad gefahren.«

»Und auf dem Rückweg hatten sie den Autounfall, wobei deine Schwester und dein Vater…«

Ihre Augen füllten sich mit Tränen, die sie nicht verbergen konnte. Sie hielt kurz inne und sprach traurig weiter.

»Sie starben bei dem Unfall. Nachdem dein Vater gestorben war, ging ich mit dir nach Hause und brachte dich ins Bett.« Kurz wischte sie die Tränen aus ihren Augen. Zu sehr schmerzte der Gedanke an ihren verstorbenen Mann und ihre Tochter.

»Du hast mir erzählt, dass Papa jetzt ein Engel sei und auf uns aufpassen würde und dass Alina nun im Himmel spielen würde und uns zusieht. Ich habe das geglaubt, aber ich habe beide so vermisst.«
»Ich wusste nicht, wie ich es dir anders erklären konnte, du warst

erst neun Jahre. Du hast abends immer so getan, als könntest du deinen Vater und Alina sehen und hast erzählt, wie sie mit deinem Papa spielt und wie glücklich sie ist. Das hat mich aufgebaut. An einem Abend, etwa einen Monat später, kam ein Mann zu uns. Du warst schon im Bett und hast nichts mitbekommen. Er trug mir auf, am Flughafen einen Mann zu treffen, den ich mitnehmen müsste. Ich verneinte, weil ich es für eine absurde Idee hielt. Er stellte sich vor dein Schlafzimmer und zückte seine Waffe, ging hinein und hielt sie dir an den Kopf. Dann drohte er mir, wenn ich nicht tue, was er verlangt, würde er dich umbringen. Ich hatte meine Tochter und meinen Mann verloren, ich wollte dich nicht auch noch verlieren. Also traf ich ihn am Flughafen und wurde gezwungen, sobald wir in Deutschland waren, ihn zu heiraten.«

»Wieso?«

»Ich war ihnen in die Quere gekommen. Ich hatte dem Jungen zur Flucht verholfen. Das war meine Strafe gewesen. Seitdem wohnt Jack bei uns. Er gehört zu einer brutalen und rachsüchtigen Organisation. Ich mochte mir nicht ausmalen, zu was die im Stande waren. Ich habe Jack nicht verlassen, weil ich Angst um dich hatte.«

»Wegen mir hast du dich gequält? Warum? Wir hätten zusammen verschwinden können.«

»Verstehst du nicht? Sie würden uns überall finden. Was glaubst du, wer den Streit zwischen dir und Lea damals entfacht hat? Glaubst du, er hat das ohne Grund gemacht?«

»Was für einen Grund hatten sie denn?«

»Überleg doch mal. Lea war deine Freundin und wer war ihr bester Freund?«

»Basti.«

»Er war der Grund. Es war Zufall, dass er in die Nähe gezogen ist. Jack sollte ihn suchen und sicherte sich die Aufenthaltsgenehmigung in Deutschland, indem er mich heiratete.«

»Wusstest du davon?«

Lea schüttelte den Kopf. »Nicht alles. Ich kannte nur Sebastians Geschichte. Warum deine Mutter bei Jack geblieben ist, habe ich nie verstanden.«

»Warum hast du mir das nie erzählt?«, fragte er Lea.

»Ich musste es Sebastian versprechen. Ich habe dein Geheimnis auch niemandem verraten.«

»Wusstest du, wer Jack war?« Jan wurde ungeduldig.

»Selbst Basti wusste es nicht. Er war damals erst zehn. Für ihn war er immer ein großer, böser, Mann, verstehst du? Lasst uns einfach hoffen, dass alles wieder gut wird.« Marlene versuchte das Gespräch wieder in eine angenehmere Richtung zu lenken. Doch Lea war nicht so optimistisch.

»Ich habe das Gefühl, dass ich Sebastian nie wiedersehen werde.«

»So darfst du nicht denken! Er kommt zurück und ich werde mich wieder mit ihm streiten, wie früher.«

Sein Blick wandte sich zu Boden.

»Ich habe mich immer nur mit ihm gestritten. Hätte ich gewusst, was alles passieren würde, hätte ich es nicht drauf angelegt.«

Jans Stimme war nun leise und traurig, doch Lea versuchte ihn wieder aufzubauen.

»Es ist nicht deine Schuld, Jan!«

»Doch! Ich habe dich schlecht behandelt und war ein Idiot. Basti hatte Recht. Ich hab dich nicht verdient!«

»Was redest du denn da? Natürlich.« Sie hockte sich vor seinen Stuhl, sah ihm in die Augen und nahm liebevoll seine Hände. »Nur weil du jetzt die Wahrheit erfahren hast? Schön, du warst ein Idiot! Aber was spielt das jetzt für eine Rolle? Zwischen uns ist alles gut.«

»Hätte ich schneller geschnallt, was los ist und zu meinen Gefühlen gestanden, wäre er noch bei uns und vielleicht würden wir uns auch vertragen. Er muss zurückkommen, ich muss mich bei ihm entschuldigen.«

»Ihr habt beide Fehler gemacht. Er hat dir bestimmt verziehen, so wie du ihm alles verziehen hast.«

Langsam stand sie auf, setzte sich vorsichtig auf Jans Schoß und küsste ihn.

»Ich liebe dich und ich werde dich niemals mehr gehen lassen.«

»Ich dich auch Lea. Ich hoffe, dass er zurückkommt.«

»Das hoffen wir alle.« Marlene lächelte ihren Sohn an und machte Anstalten sich von ihrem Stuhl zu erheben.

Ohne jede Vorwarnung fiel der Strom aus.

»Was war das?«

»Der Strom ist weg, keine Panik. Ich suche den Schalter.«

»Sei vorsichtig, Jan.«

»Keine Sorge Mama, ich werde schon nicht gefressen.« Er stand auf und tastete sich langsam in Richtung Treppe und hinunter in den Keller.

»Wann kommt dein Bruder nach Hause, Lea?

»Der soll um zehn zu Hause sein. Wie spät ist es?«

»Ich kann meine Zeiger nicht erkennen«, stellte Marlene fest.

»Ich hab doch mein Handy. Manchmal bin ich so dämlich. Kurz nach sechs.«

»Die letzten Monate gingen schnell um. Basti ist seit Ende Juli verschwunden. Hoffentlich wird der Winter nicht zu kalt. Ich mache mir noch mehr Sorgen als vorher.« Jetzt, wo der Strom weg war, wurde sie ängstlicher und machte sich viele zusätzliche Gedanken. Und da es bereits November war, wurde es auch früh dunkel.

»Keine Sorge, er wird es schon irgendwo warm haben.«

»Lea!«, rief Jan nach oben.

»Ja?«

»Habt ihr irgendwo Kerzen? Ich habe die Sicherung wieder rein gemacht, aber der Strom kommt trotzdem nicht wieder.«

»Komm einfach hoch, ich habe noch das Handy, da ist auch ein wenig Licht.«

Es klopfte an der Tür. Vorsichtig stand Lea auf und spähte durchs Fenster.

»Wer ist da?«, fragte Marlene.

»Wir sind es, wir wollten nur fragen, ob alles in Ordnung ist.«, rief einer der Sicherheitsleute.

»Der Strom ist nur ausgefallen, sonst ist alles klar. Haben Sie zufällig eine Taschenlampe für uns?«

»Moment.«

Einer der Polizisten eilte zum Auto, während Lea die Tür öffnete. Schnell war er wieder zurück und überreichte ihr die Taschenlampe.

»Das scheint ein allgemeiner Ausfall zu sein, die ganze Straße ist dunkel. Wenn was ist, gebt uns Bescheid. Wir werden uns unmittelbar vor der Tür aufhalten.«

»Danke, aber wenn es zu kalt ist, können Sie auch reinkommen.«

»Wir haben die Aufgabe, das Haus zu observieren. Wir werden draußen warten, wir können aber jede halbe Stunde nachhören, ob alles in Ordnung ist, wenn Sie möchten«, schlug der Polizist vor.

»Das wäre nett.«

Marlene schloss die Tür und ging zurück ins Wohnzimmer, in welchem auch Jan wieder saß.

»Ich habe unten nichts gefunden.«

»Macht nichts, ich habe eine Taschenlampe bekommen. Die reicht fürs erste.« Marlene wedelte mit ihr.

»Also harren wir hier aus und warten, bis es wieder Strom gibt, toll!« Mit einem Seufzer ließ sich Lea aufs Sofa fallen, doch auch Jan schien ratlos zu sein.

»Genau, wir können ja äh, keine Ahnung … rumsitzen und warten.«

»Was anderes fällt mir auch nicht ein.« Auch Marlene setzte sich nun auf einen der Sessel.

Also warteten sie. Nach einer halben Stunde folgte die erste Überprüfung der Polizisten, die vor dem Haus standen. Nachdem alles in Ordnung zu sein schien, gingen sie wieder hinaus und ließen die drei allein.

Geiselnahme

Wann kommt dieser blöde Strom wieder und warum ist mein Bruder noch nicht da?« Langsam wurde Lea ungeduldig. Nicht nur, dass es tödlich langweilig war, sondern sie machte sich zusätzlich noch Sorgen um Stephan. Doch Jan nahm ihr direkt den Wind aus den Segeln.

»Der kommt doch erst um zehn, reg dich nicht auf.«

»Soll ich uns einen Tee machen?«

»Mama, echt jetzt? Ohne Strom?«

»Stimmt, entschuldigt.«

Nachdenklich legte sich Lea auf das Sofa und ließ den Kopf von der Kante des Sofas herabhängen. Plötzlich schreckte sie auf. »Wann waren die Polizisten das letzte Mal an der Tür?«, erkundigte sie sich, doch Jan zuckte mit den Schultern.

»Keine Ahnung, vor einer Stunde?«

Die drei warfen sich aufschlussreiche Blicke zu. Lea war die Erste, die aufsprang und ans Vorderfenster stürmte. Jan folgte ihr, bog jedoch in die Küche ab, um dort ebenfalls am Fenster nach den Aufpassern Ausschau zu halten. Lea hibbelte auf und ab.

»Es ist niemand draußen! Der Wagen ist da und die Türen stehen auf, aber es ist keiner draußen.«

»Vielleicht sind die nur pinkeln.« Ein leises Klingeln unterbrach die beiden.

»Lea! Dein Handy!«, rief ihr Marlene aus dem Wohnzimmer entgegen. Sie hatte sich nun ebenfalls erhoben.

Lea eilte wieder ins Wohnzimmer zurück und nahm das Gespräch entgegen. »Hallo!«

»Lea! Haut ab!«

»Timo?«

Ein leises Klicken ließ sie aufblicken und erstarren. Ihr Herz schlug wie verrückt und ihre Augen wurden groß. Lea spürte, wie die Farbe aus ihrem Gesicht wich.

»Ihr müsst euch in Sicherheit bringen. Lea? Verstehst du…? Lea?«

Im ersten Moment war sie nicht in der Lage, etwas von sich zu geben. Schweigend starrte sie auf den fremden Mann, der vor ihr stand. Dieser hatte eine Pistole auf Lea gerichtet und deutete mit dem Finger an, ihm das Handy zu geben.

»Zu spät Timo.« Lea warf es ihm hinüber.

»Lea! Antworte! Geht es dir gut?«

Jan kam auch ins Wohnzimmer und sah in die kreidebleichen und angespannten Gesichter. Langsam drehte er sich um. Er ahnte bereits, dass er sich nicht über den Anblick freuen würde. Als er den großen und kräftigen Kerl sah, stellte er sich schützend vor die beiden.

Der Mann beendete das Gespräch, warf das Handy auf den Boden und schoss darauf. Sofort stürmte Timo los und rannte zu Lea, während Jan seine Worte wiederfand.

»Wer sind Sie?«

Wieder sprach der Mann nicht. Er deutete nur an, dass sie still sein sollten. Dann zog er sein Handy aus der Hosentasche und hielt es sich ans Ohr.

»Ich habe sie. Ja … den Stiefsohn und die Frau … Ja, ja, die Freundin auch. Sonst ist niemand hier. Nein, um die Zwei vorne hat sich Thilo gekümmert.« Schließlich legte er wieder auf und wandte sich seinen verschreckten Geiseln zu.

»Darf ich euch vorstellen! Das ist Thilo!«

Sofort erkannte Lea ihn wieder. »Du bist der Kerl, der auf der Party von Matthias war!«

»Schnellmerker!«

»Du hast die Polizei darauf aufmerksam gemacht, dass die Jacke Basti gehört hat«, polterte Lea hervor.

»Ich habe ihm das Kokain sogar rein gelegt!«

»Du hast nur eins übersehen!« Lea verschränkte ihre Arme.

»Und was soll das sein, wenn ich fragen darf?«

»Basti hatte die Jacke gar nicht mitgebracht. Eine Freundin hat sie für ihn gewaschen und sie ihm auf der Feier gegeben. Sie hat sie über den Stuhl gehängt. Basti wollte die später mitnehmen. Und plötzlich lag die Jacke draußen!«

»Was gelaufen ist, ist gelaufen, oder? Wer würde euch das glauben? Außerdem ist Sebastian nicht mehr unser Problem.« Thilos Äußerungen wirkten sehr gestellt. Fast so, als würde er sich zwingen, diese Dinge auszusprechen.

»Was soll das heißen?« Wieder war es Lea, die das Gespräch in Gang hielt.

»Och, das wisst ihr noch nicht? Euer Freund hat sich mit dem falschen angelegt und musste leider sterben!«, erklärte er mit einem seltsam höhnischen Ausdruck in seinem Gesicht, der wieder aufgesetzt wirkte. Doch Lea konnte das nicht glauben.

»Das ist nicht wahr!«

»Wie ihr meint. Ich werde mich darüber nicht streiten. Freeze hat ihn erschossen und auch seinen Vater!«

»Basti hat keinen Vater!«, brummte nun Jan.

»Oh Jan! Keinen Vater? Selbst ich hab es sofort verstanden! Du kennst ihn besser, als jeder andere eurer perfekten Clique.«

»Jack?«

»Wahnsinn, der Kandidat erhält hundert Punkte.«

»Das kann nicht sein! Basti ist doch ganz anders als er, du spinnst! Das kann nicht sein! Du lügst!« Lea wollte diese Antwort nicht hören.

Doch Jan schossen Sebastians Aussagen ins Gedächtnis und es schien ihm klar zu werden, dass Thilo die Wahrheit verkündet hatte:

Glaub mir, ich weiß mehr als du glaubst zu wissen! Ich will nicht, dass Lea darunter leidet, was bei dir zu Hause vorfällt. Da hat sie nichts mit zu tun! Es gibt Menschen, die von deinem Stiefvater und seinem Anhang schon länger gequält werden, als du. Manchmal sind bestimmte Sachen ein wenig komplizierter, als du dir denken kannst!

»Ich hätte merken müssen, dass Sebastian was mit Jack zu tun hat. Er wusste, was bei mir vor sich geht. Von seinen Kollegen konnte er nichts wissen. Das habe ich dir nie erzählt, Lea.«

»Ich habe dein Geheimnis niemandem erzählt! Auch nicht Basti«, murmelte Lea gekränkt.

»Das ist ja rührend. Ich verrate euch jetzt aber mein Geheimnis! Ihr werdet diesen Tag nicht überleben! Thilo, nimm die Autoschlüssel und fahr den Wagen weg! Der erregt zu viel Aufsehen! Freeze wird gleich hier sein.« Der Mann mit der Waffe in der Hand, warf Thilo die Autoschlüssel zu.

»Freeze? Wer ist das?«, hakte nun auch Jan nach.

»Das hat dich nichts anzugehen!«

Nach einer kurzen Pause hastete Timo weiter. Er rannte, so schnell er konnte. Dann klingelte sein Handy und er blieb ruckartig stehen.

»Timo?«

»Ja!«, antwortete er keuchend.

»Ich bin es, Markus! Wo bist du?«

»Fast bei Lea. Ich habe versucht, sie zu erreichen. Aber sie hat das Gespräch mittendrin unterbrochen, da stimmt was nicht! Warum hast du mir nicht eher Bescheid gegeben?«

»Ich habe es zu spät erfahren. Wir sind auf dem Weg zu dir. Versteck dich, geh nicht ins Haus und halt dich bedeckt!«

»Ich kann nicht tatenlos rumstehen!«

»Bitte Timo, du weißt, wie ernst die Lage ist. Wir sind in zehn Minuten da. Ich sehe schon die Autobahnausfahrt. Warte, wo du bist!«

»Ich verstecke mich gegenüber auf dem Spielplatz.«

»Das ist zu nah! Wenn sie dich finden, werden sie dich töten!«

»Das weiß ich, aber ich stehe mitten auf der Straße.« Timo suchte nach einem geeigneten Versteck. Er sah auf einem anderen Grundstück eine hoch gewachsene Hecke.

»Ich weiß, wo, das ist weit genug weg, hinter einer Hecke.«

»Wir sind fast da, verschwinde.«

»Markus …«

»Ja?«

»Bitte holt meine Freunde raus.«

»Wir geben unser Bestes!«, versprach er Timo.

»Danke.«

Er machte das Handy aus, steckte es weg und begab sich vorsichtig in Richtung Hecke. Auf halben Weg sah er Thilo, wie er gerade ein Auto einparkte. Dieser bemerkte Timo ebenfalls und stieg aus dem Wagen. Da Timo nicht wusste, dass Thilo zu El Kontaro gehörte, fing er mit ihm ein kurzes Gespräch an und hoffte so, ihn schnell wieder abwimmeln zu können. Freundlich trat er ihm gegenüber.

»Was machst du denn hier?«

»Das Gleiche könnte ich dich fragen.« Thilo wirkte sehr angespannt und wich Timos Blick aus, woraufhin Timo weiter nachhakte.

»Na ja, ich wohne hier im Dorf, du aber nicht.«

»Ich besuche einen Freund«, gab Thilo kurz und knapp zur Antwort.

»Aha. Ich wollte auch jemanden besuchen. Na dann, muss ich mal wieder.«

Timo drehte Thilo den Rücken zu und betrachtete zum wiederholten Male Leas Haus. Thilo begriff, dass Timo wegen seinen Freunden hier war und schlug ihm mit der Rückseite der Pistole heftig auf den Kopf. Doch Timo drehte sich um, packte sich verwirrt an den Hinterkopf und schrie ihn an.

»Spinnst du?« Dann sah er in den Lauf der Pistole. »Was willst du mit dem Ding?«

»Sei nicht so blöd! Was glaubst du, warum ich hier bin?«

Weiterhin zielte er mit der Pistole auf Timo, dann zückte er sein Handy und wählte eine Nummer.

»Timo ist hier! Er ist ein Freund der beiden. Was soll ich mit ihm machen?«

»Bring ihn rein, Freeze müsste jede Sekunde hier auftauchen, er …«

Sirenen unterbrachen die restlichen Worte. Thilo wandte einen Moment den Blick ab und Timo schlug zu. Er versuchte, ihm die Pistole abzunehmen, doch Thilo war zu stark. Beide umklammerten fest den Griff und hielten ihre Arme nach oben gestreckt.

Dann fiel ein Schuss.

Das ferne Blaulicht hüllte die Dunkelheit in buntes Licht. Davor raste ein dunkelblauer Kombi, der mit quietschenden Reifen in die Spielstraße einbog. Der Wagen bremste und drehte sich, bevor er stehen blieb.

Freeze, Ty, Armin und zwei weitere sprangen aus dem Fahrzeug heraus. Sowohl Timo als auch Thilo blickten, immer noch den Griff fest um die Pistole geheftet, auf die näher kommenden Autos.

Thilo ergriff seine Chance. Er trat Timo kräftig, seitlich ins rechte Bein, sodass dieser zusammensackte.

»Sorry Timo, ist nichts persönliches.« Er richtete wieder die Pistole auf ihn. Sofort, als Freeze bei ihnen angelangt war, übernahm er die Führung.

»Spiel nicht herum! Fürs nächste Mal! Knall ihn ab oder schlag ihn bewusstlos und nimm ihn mit!«

»Die Bullen kommen!« Ty hatte als erstes die Sirenen wahrgenommen.

»Schnappt ihn euch, unser Fernsehstar könnte uns vielleicht noch nützlich sein!« Die beiden, die zuvor ebenfalls aus Freeze Auto gestiegen waren, nickten Freeze zu, näherten sich Timo und hielten ihn schließlich fest. Timo versuchte sich zu wehren, doch gegen seine Angreifer kam er nicht an. Er strampelte wild und versuchte sich zu befreien.

Sie waren fast an der Haustür angekommen, als Markus und seine

Leute um die Ecke bogen. Dieser erschrak, als er Timo in den Fängen der Männer sah. Einen letzten Blick konnte Timo noch auf Markus werfen, bevor Freeze ihn bewusstlos schlug. Er ließ ihn von seinen Leuten ins Haus schleifen, während sich die beiden »Bodyguards« noch einen kurzen Schusswechsel mit den Polizisten lieferten.

»Was ist da los?«, flüsterte Marlene ihrem Sohn ins Ohr.

»Ich glaube, dieser Freeze ist gerade eingetroffen«, gab Jan ihr leise zurück.

Eine Minute später erreichte Freeze das Wohnzimmer. Hinter ihm schliffen seine Mittäter den bewusstlosen Timo in den Raum und ließen ihn einfach liegen.

»Ihr Schweine! Was hat er getan?« Wieder einmal konnte sich Lea nicht zurückhalten.

»Fesselt ihm die Arme und Beine und verklebt ihm den Mund, ihr auch!« Sofort eilten Armin und Thilo zu ihm und taten, was Freeze ihnen befohlen hatte. Armin genoss es. Grausam lächelnd zog er die Fesseln absichtlich enger, als es eigentlich sein musste. Selbst Thilo schien es nicht gut zu finden, was Armin dort tat.

»Warum tust du das?«

»Weil es mir Spaß macht. Was meinst du? Kann man die noch enger ziehen?« Auf sein Gesicht hatte sich ein hinterhältiges Grinsen geschoben und er lächelte Thilo aufgesetzt freundlich an.

»Wieso? Ihm laufen schon die Arme blau an. Du wirst sie ihm abschnüren!« Thilo konnte nicht nachvollziehen, warum Armin so grausam war.

»Was glaubst du, wofür er seine Arme noch brauchen wird? Weißt du nicht, was wir vorhaben?«

»Was quasselt ihr da? Sorge dafür, dass sie die Schnauze hält!« Freeze schien extrem wütend zu sein. Seine Stimme wirkte laut und unkontrolliert.

»Ja Chef!«

»Wieso höre ich immer nur von Thilo ein JA CHEF!?«

»Weil er ein Arschkriecher ist!«

»Ich will klare Antworten von dir bekommen! Ist das klar?«

Armin senkte den Blick, doch

»Ob das klar ist!«

»Ja!«

»Jetzt weiß ich, was Basti meinte. Ich war noch nicht mal halb so schlimm dran, wie der da.«

Lea nickte stumm, als Jan ihr die Worte ins Ohr flüsterte. Minuten vergingen und nichts geschah. Langsam regte sich Timo auf dem Boden. Seine Augen waren geschlossen, doch er bewegte leicht seinen Kopf.

Er spürte, dass er gefesselt und sein Mund mit Klebeband verschlossen war. Seine Arme fühlten sich taub an. Schließlich wagte er es, die Augen zu öffnen.

Obwohl sein Kopf dröhnte, versuchte er etwas zu erkennen. Er entdeckte Lea, Marlene und Jan, die angewidert ihre Geiselnehmer ansahen. Thilo stand in der Ecke etwas abseits und bemerkte, dass Timo wach war. Doch er gab es nicht weiter und wandte den Blick wieder ab.

Armin hingegen ging unruhig im Zimmer auf und ab und blieb genau vor Timo stehen. Dabei sah er, dass er ihn anstarrte.

»Er ist wach!«

Augenblicklich wandte sich Freeze an Timo.

»Bist du endlich wieder unter den Lebenden? Oder besser, noch? Hast du geglaubt, dein kleiner Fernsehauftritt hätte keine Konsequenzen für dich?« Freeze baute sich vor ihm auf.

»Mmmm… mmmh.«

»Was? Ich kann dich nicht verstehen.«

»mmmme mmmmh mmm mmh!!!!«

»Armin, würdest du ihm bitte den Mund freimachen!«

»Ja!« Armin riss mit Freuden das Band mit einem Ruck von Timos Mund.

»Also, was wolltest du uns mitteilen?« Freeze schubste seinen Sohn weg, hockte sich zu Timo hinunter und wartete auf Timos Antwort.

»Nein! Das habe ich nicht geglaubt!« Timos Stimme klang fest und selbstsicher. Doch seine Augen spiegelten auch Angst wider und genau das schien auch Freeze zu bemerkten und versuchte ihn niederzumachen.

»Warum hast du das dann getan?«, fragte er schließlich.

»Ich wollte meine Freunde beschützen!« Doch Timos Augen wurden nun ebenfalls fester und klarer. Er würde sich von Freeze nicht fertigmachen lassen.

»Sieht man ja, wie dir das geglückt ist.« Freeze klopfte Timo mehrfach mit der flachen Hand auf die Wange und lächelte dabei unentwegt.

»Wenn wir sterben, wird jeder wissen, von wem wir getötet wurden! Sobald Kinder entführt werden, wird man El Kontaro damit in Verbindung bringen und irgendwann wird es Ihre Gruppe nicht mehr geben!«

»Das bezweifle ich, aber nun gut. Es war wirklich mutig von dir. Dumm und nutzlos, aber mutig! Du hast dein Wissen von einem missratenen Nachkommen erhalten, der selbst nur die Hälfte kannte und nichts verstand.«

»Wieso kannte?«

»Hab ich dir das noch nicht erzählt? Das muss mir wohl entfallen sein! Ich habe ihn erschossen!«

»Was?« Ungläubig schüttelte Timo seinen Kopf.

»Hast du geglaubt, ich würde ihn gehen lassen? Er war ein Risiko für uns, genauso wie ihr! Was glaubt ihr, warum ihr hier seid?«

Alle starrten Freeze an.

»Ich komme an alle Informationen, die ich haben will. Zum Beispiel, du! Dein Name ist Timo Mouries, nächsten Monat würdest du fünfundzwanzig werden, stimmt doch, oder? Deine Eltern sind beide tot. Soll ich weitermachen? Deine Freundin heißt Sabine, sie wohnt auch hier. An Weihnachten wärt ihr vier Jahre zusammen und wolltet wegfahren. Du hättest letzten Monat deine Prüfung zum Polizisten abgelegt, leider musst du zwangspausieren.« Als nächstes wandte er sich an Lea. »Dieses Jahr bist du endlich neunzehn geworden und hast erst jetzt mit dem Führerschein angefangen. Du bist die beste Freundin von Sebastian Schwalbach und seit Neustem sogar die feste Freundin von Jacks Stiefsohn. Herzlichen Glückwunsch! Hat Jan endlich gemerkt, wer in eurer Beziehung so einiges gedreht hat? Ihr seht, ich weiß so einiges. Jan Dawn, Stiefsohn von unserem lieben, aber leider verstorbenen Jack. Du bist zwanzig Jahre alt, Sohn von Marlene und Martin Dawn und Bruder von Alina Dawn. Dein Vater wurde ermordet, als du neun Jahre alt warst. So ein Pech, dass dein Vater ausgerechnet an diesem Tag in dem verflixten Auto sitzen musste. Tja, und deine süße und nicht ganz so liebenswerte Schwester Alina, die leider Gottes den Unfall überlebt hat und zu uns kam.«

»Meine Tochter lebte noch?«

»Hat Jack euch das nicht erzählt? Er hat sie aus den Flammen gerettet und uns angeschleppt. Wie tapfer. Sie gehört zu uns! Sie ist eine von uns.«

»Das ist eine Lüge!«, rief Marlene.

»Seht es, wie ihr wollt. Mir ist das egal. Ich hatte all die Jahre meinen Spaß, doch jetzt will ich mein Geld! Euer guter Freund hat dafür gesorgt, dass die Polizei meine Sachen beschlagnahmt hat. Ihr müsst es ausbaden. Denn ohne Geld, keine Rückkehr zu El Kontaro und das heißt für mich, Tod. Daher haben wir alle nichts zu verlieren.«

Er nahm Timos Handy und wählte. Es dauerte einen kurzen Augenblick, bis jemand abnahm.

»Oh, hallo, lange nichts mehr von euch gehört. Seid ihr untergetaucht oder wolltet ihr uns nicht eher in die Quere kommen?«

»Wer ist da?«

»Meine Güte, erkennst du mich nicht? Ich habe mir von eurem Freund das Handy geliehen und da war, welch Zufall, deine Nummer drauf!«

»Freeze!«

»Ja!«

»Lass die Geiseln gehen, es ist vorbei!«

»Soll ich dir mal deinen Schützling geben? Er sieht das, glaube ich, ein wenig anders.« Er hielt Timo das Handy ans Ohr.

»Hallo?«

»Timo, alles okay mit dir?«

»Geht so.«

»Hör mir zu, wir werden euch helfen! Macht keine Dummheiten!«

»Wie denn? Wir sind gefesselt und die fünf Männer hier können wir auch nicht überwinden.«

Freeze trat Timo in den Bauch, hielt ihm die Pistole an den Kopf und nahm das Handy wieder an sich. Er erhob seine Stimme und begann ihm zu drohen.

»Ich warne euch. Sehe ich auch nur einen von euch in meinem Umfeld, werde ich anfangen, die Geiseln zu erschießen! Mit eurem Schützling fange ich an. Hast du das verstanden!«

»Ja! Was stellt ihr für Forderungen?« Markus ließ sich nicht aus der Ruhe bringen, er blieb ruhig und konzentriert, während Freeze angespannt wirkte und immer lauter und ungehaltener wurde.

»Bitte! Was für eine dumme Frage! Ich will meine Sachen zurück, meine Lieferungen und mein Geld!«

»Die Drogenfahndung hat die Ware beschlagnahmt, wir haben keinen direkten Zugang.«

»Verarschen kann ich mich selbst. Ihr arbeitet mit denen zusammen oder wer steht da mit Blaulicht vor der Tür?«

»Freeze, das sind verschiedene Bereiche! Aber gut, ich werde es versuchen.« Auch diesmal wirkte Markus gelassen.

»Falsche Antwort. Du wirst es mir bringen!«

»Das kann etwas dauern … Du weißt, wie so etwas abläuft.«

»Ich habe langsam die Schnauze voll und werde euch ein Ultimatum stellen!«

Er zückte seine Pistole und schoss Timo in den Oberschenkel.

»Aaaaaaah!«

»Ich vermute, ihr habt knapp eine Stunde Zeit. Spätestens dann ist euer Freund verblutet!«

Entsetzt starrten Jan, Lea und Marlene auf Timo. Schlagartig wurde ihnen bewusst, dieser Freeze meinte es ernst.

»Willst du dich von ihm verabschieden? Oder hat er deiner Meinung nach eine Chance? Los, wähle deine Abschiedsworte.«

Dann hielt er Timo wieder das Handy ans Ohr, welcher immer

noch stöhnend vor Schmerz und zusammengekrümmt am Boden lag.

»Timo, hörst du mich?«

Timo stöhnte nur, um ein Ja zu formulieren, mehr brachte er nicht hinaus.

»Wir holen euch da raus. Ich werde alles in Bewegung setzen, um euch zu retten. Timo ... Timo?«

»Oh, ich glaube, dein Freund ist ohnmächtig. Zumindest so halb. Na ja, du weißt, was ich will.« Er legte auf und schmiss Ty das Handy in die Hand. »Pass drauf auf. Wenn sie sich melden, sag mir Bescheid!«

»Ist klar. Glaubst du, die probieren das?«

»Keine Ahnung, ist mir auch egal. Die werden ohnehin sterben und unsere Flucht ist auch garantiert. Aber das Weichei hier, meine Güte, ein Schuss und schon ohnmächtig. Was ist nur mit der Jugend von heute los?«

»Markus, was ist?« Markus blickte stumm auf sein Handy, während sein Kollege ihn musterte.

»Er will die beschlagnahmte Ware zurück, sonst bringt er die Geiseln um. Timo ist auch bei ihnen.«

»Dein Informant?« Markus nickte besorgt.

»Eher ein Freund. Er ist verletzt, sie haben ihn anscheinend angeschossen. Wenn Timo stirbt, ist das Ultimatum vorbei und er fängt an, weitere Geiseln zu töten. Timo meinte, dass es fünf Täter sind. Aber ich bin mir sicher, dass noch weitere im Haus sind.«

»Vielleicht solltest du zurücktreten. Du bist befangen.« Kurz dachte Markus tatsächlich darüber nach. Doch sein Gewissen ließ ihn den Fall nicht abgeben. Er hatte es Timo versprochen. Innerlich kämpfte er, doch seiner Ausbildung hatte er es zu verdanken, dass er seine persönlichen Gedanken hintenanstellen konnte.

»Ich habe viele Jahre daraufhin gearbeitet. Ich werde ihn mir nicht durch die Lappen gehen lassen!« Sein Kollege schien nicht vollends überzeugt zu sein, stimmte ihm jedoch zu.

»Du hast Recht, aber pass auf. Überdenke alles zweimal. In Ordnung?«

»Dafür haben wir keine Zeit, das weißt du. Ich weiß, dass es nie für alle gut ausgehen wird und du weißt es auch.« Sein Kollege nickte stumm.

»Also beschaffen wir die Ware?«

»Sieht so aus.« Obwohl Markus wusste, dass die Ware zu beschaffen, kein leichtes Unterfangen werden würde, blieb er emotionslos. Er konzentrierte sich rein auf den Fall und stellte sich auf mögliche Verluste ein. Jegliche Emotionen war nicht angemessen und hätte den Ausgang gefährdet. Er wandte sich an seinen Kollegen.

»Habt ihr schon was über die Geiseln?«

»Bis jetzt wissen wir nur, dass sich dieser Timo und Lea im Haus befinden. Ich bin aber überzeugt, dass Marlene Dawn und ihr Sohn Jan Dawn ebenfalls dort gefangen gehalten werden. Vielleicht sind auch noch andere Familienmitglieder dort«, gab sein Kollege, der alles auf einem Tablet notiert hatte, weiter.

»Wir können nur warten und hoffen, dass wir die Ware bekommen.«

»Ich denke nicht, dass er die Geiseln gehen lassen wird. Freeze macht keine halben Sachen. Ich rufe trotzdem zurück und frage nach Timos Zustand und bestätige, dass die Ware angefordert wurde.«

»Alles klar.« Also wählte Markus die Nummer.

»Ja!«

»Spreche ich mit Freeze?«

»Nein, wer ist da?«

»Ich rufe von draußen an, ich habe eben mit Freeze gesprochen.«

»Mal sehen, ob er dich sprechen will.«

Ty tappte nach oben zu Freeze. Dann übergab er ihm das Handy.

»Ich hoffe, du hast gute Nachrichten!«

»Wie geht es Timo?«, erkundigte sich Markus.

»Er lebt noch, das reicht. Was ist mit meiner Forderung?«

»Wir haben sie angefordert, es dauert nicht mehr lange.«

»Geht doch. Mir ist egal, wie lange es dauert, solang es in der Frist ist. Schließlich wollt ihr euren Freund ja wiederhaben. Seit wann setzt ihr eigentlich halbe Kinder ein?«

Markus schwieg.

»Er stirbt, wenn ihr euch nicht beeilt! Möchte wissen, wie ihr das den Angehörigen erklären wollt.« Wieder legte Freeze genervt auf und schmiss Ty das Handy hin.

Ein qualvoller Tod

Währenddessen kam Timo wieder zu sich und starrte Thilo an.

»Wieso tust du das?«

»Wieso tue ich was?«

»Das hier. Weißt du nicht, dass sie uns umbringen werden?«

»Doch!« Thilo hielt kurz inne und fuhr mit zittriger Stimme fort. »Das… weiß… ich.«

Langsam bemerkte Timo ein seltsames Durstgefühl. Er wollte jedoch nicht weiter darüber nachdenken. Er musste bei Verstand bleiben, um einen Ausweg zu finden. Auch wenn das nicht einfach werden würde.

»Und das ist dir egal?«

»Nein, aber es muss sein. Ihr wisst zu viel.«

»Und du glaubst, dich werden sie gehen lassen?«

Thilo zuckte mit den Schultern.

»Ist dir das auch egal?«, erkundigte sich Timo.

»Was hab ich zu verlieren?«

»Dein Leben! Deine Freunde!«

»Freunde? Was für Freunde?«

»Die Freunde, die du sterben lässt! Die Freunde, mit denen du feiern warst und die, die du verraten hast! Du wusstest, was sie vorhatten, und hast nichts unternommen! Was bist du für ein Mensch?«

»Du hast keine Ahnung. Ihr habt euer perfektes Leben gehabt! Ich musste meine Schwester und mich immer vor unseren Eltern schützen. Wir wurden viel zu spät in eine Pflegefamilie gesteckt. Und jetzt ist meine Schwester weg!«

»Oh, ich bemitleide dich sehr. Hast du dir mal unsere Leben genauer angesehen? Die Familie von Jan und Marlene wurde zerstört und ihr Leben zur Hölle gemacht. Sebastian ist tot, er ist bei euch aufgewachsen! Meine Eltern sind gestorben, als ich neun war. Findest du, wir hatten ein perfektes Leben? Nicht alle von uns waren immer glücklich!«

»Lass dich doch nicht von dem Arsch bequatschen!« Armin mischte sich nun in das Gespräch ein.

»Und wenn er Recht hat?«

»Was laberst du da? Wir gehören zu El Kontaro, wir haben immer Recht! El Kontaro ist unsere Familie!« Armin präsentierte sich stolz, um zu zeigen, dass er einer von El Kontaro war.

Thilo senkte nachdenklich den Kopf und verließ den Raum.

»Mein Gott, das ist ja Gehirnwäsche, was ihr betreibt!«, grummelte Timo vor sich hin.

»Halt die Schnauze!«

Armin verklebte Timo wieder den Mund und presste ihm absichtlich die Hand auf die Schusswunde, sodass Timo wieder vor Schmerzen das Gesicht verzog. Um Timos Bein herum hatte sich eine Blutlache gebildet, die immer größer wurde. Mit einem Mal merkte Timo, wie sich ein Schwindel in ihm ausbreitete und er das Bedürfnis verspürte, die Augen zu schließen. Sein Blick war immer noch auf Armin gerichtet, dennoch verschwamm dessen Gesicht hin und wieder.

»Na, hast wohl nicht mehr so eine große Klappe!«

»Glaubst du, dein Vater liebt dich?«, meldete sich Jan zu Wort.

»Sei still, Jan«, zischte seine Mutter ihm zu und versuchte ihn so davon abzuhalten, noch mehr von zu geben.

»Lass mich. Wenn wir eh sterben, will ich ihm noch die Meinung mitteilen. Los, antworte mir!«

»Du hast überhaupt keine Forderungen zu stellen!«

»Also glaubst du nicht, dass dein Vater dich liebt?«

»Was spielt das für eine Rolle? Ich bin sein Sohn und das verschafft mir Vorteile!«

»Du stehst in seinem Schatten und da wirst du auch bleiben. Der Sohn von Freeze. Es ist egal, wie alt oder wie gut du bist, du wirst immer im Schatten deines Vaters stehen.« Jan sah ihn herausfordernd an.

»Das ist nicht wahr. Ich werde aus seinem Schatten heraustreten und allen zeigen, was ich kann.«

»Und dann lässt du dich herumkommandieren?«

Armin krallte sich Jan und zog sein Gesicht nah an seines heran.

»Ich mach dich fertig. Glaubst du, du kannst mich mit deiner Masche reinlegen?«

»Weiß ich nicht, aber es ist die Wahrheit.«

Freeze kam hinunter und betrachtete die beiden.

»Was ist los? Armin, lass ihn sofort los!«

»Nein!«

»Was? Wiederhole das!« Freeze machte den Eindruck, als würde er seinen Ohren nicht trauen. Mit hochgezogenen Augenbrauen sah er seinen Sohn an.

»Ich werde ihn nicht loslassen. Ich habe es satt mich ständig von dir herumkommandieren zu lassen!«

»Willst du mich verarschen? Deine Mutter hätte dich abtreiben sollen, dann müsste ich dich jetzt nicht ertragen!«

Armin starrte seinen Vater wütend an. »Hoffentlich gehst du drauf!«

»Komm her!«

Freeze packte ihn im Genick und drängte ihn aus dem Raum. Timo nickte Jan zu und merkte, dass er immer müder wurde.

»Wie hast du das gemacht? Woher wusstest du, dass er darauf anspringt?« Marlene schien begeistert zu sein von der klugen Herangehensweise ihres Sohnes.

»Wusste ich nicht, ich habe es gehofft. Dumme Menschen kann

man schneller reinlegen. Ich habe ihn mit der Wahrheit konfrontiert, mehr nicht. Ich weiß nur nicht, was Freeze jetzt machen wird.«

»Was, wenn wir sie alle gegeneinander aufbringen? Dann gehen sie sich vielleicht gegenseitig an die Gurgel«, überlegte sie nun.

»Das glaub ich nicht, Mama. Die anderen sind es gewohnt, ihm in den Hintern zu kriechen. Die würden ihn nicht verraten.«

»Aber wir können es versuchen.«

»Vielleicht. Wenn uns die Zeit bleibt.«

Lea sah Jan stumm in die Augen und zeigte ihm so, dass sie furchtbare Angst hatte. Eine Träne lief ihre Wange hinunter. Sie schien sich sicher zu sein, die Nacht nicht zu überleben.

»Keine Sorge, ich werde dich beschützen.«

Ein kurzes ängstliches Nicken ließ Jan verstehen, was sie meinte. Auch Timo sah Jan an. Er schien seine Hoffnung nun ebenfalls in ihn zu stecken, denn er selbst und Lea konnten nichts ausrichten, da sie ihnen die Münder verklebt hatten, und Marlene durch ihre zittrige Stimme nicht überzeugend gewesen wäre.

Freeze kam wieder herein und nahm sich Jan vor.

»Ich weiß nicht, wie du das gemacht hast, aber ich werde es dir heimzahlen!« Genauso schnell, wie er gekommen war, verließ er wieder den Raum.

Timo verdrehte währenddessen die Augen. Sein Herz schlug schneller, seine Atmung hatte sich beschleunigt. Er hatte das Gefühl nicht genug Luft zu bekommen. Von Minute zu Minute fiel es ihm schwerer, sich zu konzentrieren.

»Markus! Wir kommen nicht an die Ware ran! Der Drogenfund ist zu groß, wir können ihnen nicht gewährleisten, dass sie sie zurückbekommen. Die Ware werden sie nicht wieder aus den Händen geben. Die Leben, die auf dem Spiel stehen, sind zu unbedeutend, als dieses Risiko einzugehen.«

»Ich verstehe!« Markus fixierte das Haus und plante die nächsten

Schritte.

»Was werden wir jetzt tun?«, fragte der Kollege.

»Uns wird nichts anders übrigbleiben, als reinzugehen! Die Polizei soll die Schaulustigen wegschaffen und weiträumig absperren. Sie stören mich und bei einer offenen Schießerei wären sie in Gefahr. Warum denkt da keiner mit?«

Schulterzucken ging durch die Reihen, doch einer der Anwesenden gab per Funk durch, dass die Zuschauer und auch Anwohner umgehend evakuiert werden sollten.

»Stürmen?«

»Was bleibt uns anderes übrig? Wir müssen sie da rausholen. Zu keinem ein Wort, nur unsere Leute sollen Bescheid wissen. Es darf nichts durchsickern. Wir werden so tun, als ob wir die Ware hätten und dementsprechend den Plan weiter ausarbeiten. Wer ist das denn?«

Markus deutete auf den von rechts kommenden hoch gewachsenen Mann, der sich gezielt auf Markus zu bewegte und anscheinend jegliche Absperrungen umgangen war.

»Was ist los?« Doch als der junge Mann Markus sah, fügte er schnell eine Ausrede hinzu. »Ich schwöre, ich habe nur ein paar Mal etwas runter geladen und seit Monaten nichts mehr. Bitte, ich zahle auch alles zurück.«

»Wer sind Sie denn?« Markus wirkte irritiert.

»Ich heiße Stephan … Sie sind nicht wegen mir hier?«

»Nein.«

»Und warum stehen Sie vor unserem Haus?«

»Gehörst du zur Familie?«

»Ich wohne hier. Ist was passiert?«

»Weißt du zufällig, wer sich momentan im Haus befindet?«

»Meine Schwester, ihr Freund und seine Mutter. Sonst keiner, wieso?«

Markus packte Stephan freundschaftlich an die Schulter und leitete ihn hinter eines der Fahrzeuge.

»Deine Schwester wird in eurem Haus festgehalten.«

»Wieso? Wer?« Stephan sah ihn geschockt mit weit aufgerissenen

Augen an.

»Das ist jetzt zu kompliziert. Du hast verdammtes Glück gehabt, dass du jetzt erst nach Hause gekommen bist.«

»Meine Uhr ist stehen geblieben. Ich sollte schon da sein. Geht es meiner Schwester gut?«

»Wir vermuten, dass die Geiseln unversehrt sind. Leider kennen wir aber ihren nicht.«

Stephan blickte besorgt auf sein Zuhause.

»Was wollen Sie jetzt tun? Hier herumsitzen oder stürmen?«

»Das wissen wir noch nicht, wir verhandeln noch.«

Stephan bemerkte die Einsatzkräfte, die sich für etwas bereitzumachen schienen. Die Schutzkleidung wurde überprüft. Die Visiere waren geschlossen. Ein Teil der Kräfte stand mit Sturmgewehr parat und wartete offensichtlich auf einen Einsatzbefehl.

»Aber ihre Männer sehen so aus, als ob sie stürmen wollten.«

»Die sind nur vorbereitet, falls sich die Situation verändert.«

»Klar, ich bin doch nicht blöd!«

»Hör zu, wir sind Spezialisten und du bist ein Kind. Es darf nichts nach außen dringen!« Markus sah ihn eindringlich an.

»Ist schon klar, aber …«

»Nicht aber! Ich meine es ernst. Unüberlegte Schritte könnten tödlich sein!«

»Glauben Sie, ich will, dass meiner Schwester was passiert?«

»Sicherlich nicht, aber du musst hierbleiben und dich ruhig verhalten. Egal was passiert.« Markus winkte einen seiner Leute zu sich hinüber.

»Sorge dafür, dass der sich hinten aufhält!«

»Wenn Sie stürmen, müssten Sie doch genau wissen, wie es im Haus aussieht, oder?«

»Ja, ich möchte dich jetzt bitten…«

»Wenn ich Ihnen helfen könnte, können Sie mir meine Schwester unversehrt zurückbringen?«, unterbrach Stephan sein Gegenüber.

»Vielleicht. Hier sind Spezialisten am Werk. Ich habe alles unter Kontrolle!«

»Ich habe aber gehört, Sie haben keine Pläne vom Haus. Ich weiß aber, wie es aussieht und wo welcher Raum ist.«

»Es liegen keine Grundrisse des Hauses vor, das ist richtig. Die brauche ich, wenn wir wirklich stürmen müssten.«

»Ich könnte Ihnen vielleicht helfen«, schlug Stephan vor.

»Ich weiß nicht, wie du das anstellen willst, aber erzähl!«

»Haben Sie Blätter und einen Stift?«

»Warte …« Er kramte einen Block aus dem Auto und einen Kugelschreiber.

»Wissen Sie, unsere Nachbarn sind in den Urlaub gefahren und ich sollte die Katze füttern. Daher habe ich einen Schlüssel. Als Kinder haben Lea und ich einen Detektivclub zusammen mit den Nachbarskindern gehabt. Da wir uns nicht immer verabreden konnten, haben wir uns ein Versteck gebaut. Beide Häuser sind auf dem Speicher miteinander verbunden. Und zwar aus dem Grund, weil die Vorbesitzer mit drei Parteien dort gewohnt haben. Oben war eine Wohnung, die durch eine Tür verbunden war. Die wurde aber zugemauert, als meine Eltern und die Nachbarn das Haus gekauft haben.«

Stephan fing an zu zeichnen. Erst den Umriss des Hauses und die einzelnen Etagen. Dann den Kamin, der vom Speicher direkt nach unten ins Wohnzimmer führte.

»Meine Eltern haben den Kamin noch nicht fertig, aber unten wurde bereits ein Loch hineingeschlagen. Eine kleine Kamera würde durchpassen. Neben dem Kamin gibt es noch einen Raum, wohl ein Baufehler, der wurde einfach zugemacht, mit einer Rigipsplatte. Und im Kamin oben, ist ein Loch, das wurde wegen des Umbaus neu gemacht. Unser Teil des Raumes kann man mit einer Luke öffnen, die ist nie abgeschlossen. Jedenfalls haben die Nachbarn auch einen Durchgang, der ist nur mit Karton und Tapete überklebt, mehr nicht. Die kann man leicht abmachen. Die wollten sich den Kamin auch anlegen, weswegen das noch offen ist oder so.« Wieder zeichnete Stephan, wo sich dieser Eingang befand.

»Gut, wir wissen jetzt, wie wir unbemerkt ins Haus kommen und wie wir das Wohnzimmer filmen können, danke.«

»Ich könnte mitkommen und Ihnen alles genau zeigen.«

»Ich kann dich nicht mitgehen lassen.«

»Dann gehe ich allein. Ich will mich nicht profilieren, ich will nur helfen.«

»Du bleibst hier! Meine Leute gehen rein!« Dann wandte er sich wieder den Einsatzkräften zu. »Nehmt die Kamera mit dem längeren Kabel mit. Ich weiß nicht, wie lang der Kamin ist. Alles andere läuft nach Plan! Ist das klar?«, fragte Markus in die Runde.

»Was ist, wenn sie uns entdecken?« Einer der Männer sah ihn an.

»Wenn ihr es schafft euren Entdecker auszuschalten, wartet ihr. Sonst müsst ihr sofort stürmen. Ich schicke euch die Leute nach.«

»Hör zu, mir wäre es lieber, wenn du weiter zurückgehst und das hier anziehst.« Er gab Stephan eine schusssichere Weste.

Einer vom Sturmtrupp kam aufgebracht hinzu und stellte Markus zur Rede.

»Du lässt einen Minderjährigen hier? Spinnst du?!«

Doch Markus beschwichtigte ihn.

»Wenn wir noch Fragen haben, brauche ich ihn. Er ist unsere einzige Chance, unentdeckt ins Haus zu gelangen!«

»Du bringst den Jungen in Gefahr!«, warf nun auch sein Kollege mit dem Tablet aufgebracht ein. »Ich hatte dich eben bereits darauf hingewiesen. Du sollst wegen Befangenheit zurücktreten, du gefährdest ein Kinderleben!«

»Das weiß ich! Willst du ihn unbeaufsichtigt der Presse vorwerfen? Oder gar El Kontaro? Wer weiß, wer noch hinter der Absperrung steht. Als Bruder steht er genauso unter unserem direkten Schutz, wie die anderen! Hast du einen besseren Plan? Ich hole mir den Fisch. Ich lasse ihn mir nicht von der Angel nehmen!« Wieder wandte er sich seinem Sturmtrupp zu. »Also passt auf, ihr werdet die Straße zurückgehen, am Haus vorbei und über den Eingang der Nachbarn ins Haus gelangen. Durch unser Radarsystem, wissen wir, dass sich oben zwei bewaffnete Wachen befinden. Wir geben euch durch, wann ihr gehen könnt.«

Leichte Schweißperlen bildeten sich unter den Masken, auf der Stirn der Bewaffneten. Leise eilten sie den Weg entlang, der ihnen erklärt worden war, und schlichen sich ins Nachbarhaus.

Stephans Herz raste und er zitterte, doch Markus legte ihm beruhigend die Hand auf die Schulter und nickte ihm zuverlässig und motivierend zu.

Die Bewaffneten schlichen sich ins Haus und untersuchten jeden Winkel. Mit dem Finger deutete der Vordermann auf die Treppe und nach oben. Sie eilten leise hinauf. Stufe für Stufe. Einige blieben oben an der Tür zum Speicher stehen, um Wache zu halten. Durch Betasten der Wand entdeckten sie schnell Karton, den sie entfernen sollten, und betraten den kleinen Raum. Obwohl die Bezeichnung Raum reichlich übertrieben war.

Sie stellten einen Bildschirm, der die Größe einer CD hatte, neben der Luke zum Kaminschacht auf. Daran befestigte einer ein Kabel, an welchem eine Minikamera befestigt war. Langsam ließ er sie hinunter. Es dauerte ungefähr eine Minute, bis man ins Wohnzimmer sehen konnte.

Der Polizist musste die Kamera leicht drehen, um etwas zu erkennen. Lea saß gefesselt und verheult am Boden. Außerdem waren da Jan und Marlene, die sich gefesselt neben Lea befanden. Jemand lag auf dem Boden, der auch in Fesseln gelegt worden war. Doch sonst schien niemand in diesem Raum zu sein.

Truppen rückten nach und stiegen durch das Dachfenster der Nachbarn auf das Dach der Geiselnehmer. Sie versuchten zusätzlich Kameras nach unten zu lassen, um zu ermitteln, wer sich in welchem Raum befand und um die Gesamtsituation besser einschätzen zu können. Es schien zu funktionieren. Markus bekam ein Bild der meisten Räume und konnte die Lage am Monitor verfolgen.

Freeze schien sich aufzuregen. Um was es ging, konnte Markus jedoch nicht feststellen. Mittlerweile hatte die Presse Wind bekommen und drängte sich den Polizisten auf.

An Markus und sein Spezialeinsatzkommando kamen sie jedoch nicht heran. So blieb selbst vor den Kameras und Journalisten die

Tatsache verborgen, dass seine Truppen sich zum Stürmen bereit machten. Es gab zwar Unmengen an Spekulationen, denn einige seiner Leute waren bereits ins Nachbarhaus eingedrungen. Doch was sie dort machten, wusste niemand.

Stephan wollte nicht warten. Er wurde neugierig, er musste sehen, was passierte. Seine Schwester könnte verletzt werden, alles andere war ihm scheißegal. Auch wenn er sich oft mit ihr stritt, er liebte sie und würde sie niemals aufgeben oder im Stich lassen.

Markus lächelte ihn ermutigend an und nickte. Einige Minuten verstrichen. Stephans Körper zitterte. Seine Atmung war unruhig. Schließlich schloss er die Augen und hockte sich, mit geschlossenen Augen und Daumen drückend, neben Markus´ Auto.

Es fiel ein Schuss und jemand schrie auf. Dann wurde es plötzlich leise. Wieder klingelte Markus Handy und Stephan schwante nichts Gutes, auch Markus starrte besorgt auf das Display. Freeze klingelte ihn an. Langsam und innerlich flehend, dass nichts passiert sei, führte er das Handy ans Ohr.

»Ja?«

»Das Ultimatum ist beendet! Ich lasse mich von euch nicht verarschen!«

»Was ist mit den Geiseln?«

»Nicht doch. Ich stelle die Fragen! Wo sind mein Geld und meine Ware?«

»Sie sind unterwegs.«

Wieder fiel ein Schuss, diesmal schrie eine Frau. Markus wurde sauer. Nur mit Mühe konnte er sich beherrschen.

»Verarsch´ mich nicht! Für wie dämlich haltet ihr mich? Überall auf dem Dach und auch im Nachbarhaus befinden sich Sturmtruppen! Im Gegensatz zu euch, bin ich nicht unvorbereitet einmarschiert! Wer ist für diese Aktion verantwortlich?«

Markus zögerte kurz. Schweiß lief ihm von der Stirn.

»Das bin ich!«

»Dann habe ich ja den Richtigen bestraft! Ich will, dass deine Männer abziehen. Sonst stirbt noch eine Geisel!«

»Das Geld ist unterwegs! Ich kümmere mich persönlich darum!«

»Ich erwarte keinerlei Zwischenfälle, sonst stirbt jemand!«

Verzweifelt lehnte Markus seine Ellenbogen auf das Dach des Autos und vergrub seine Stirn in seinen Händen, nachdem er das Gespräch unterbrochen hatte.

»Klaus!«

»Ja?« Der Kollege mit dem Tablet hatte sich nun wieder zu Markus gewandt.

»Bring den Jungen hier weg«, wies er seinen Kollegen an.

»Wieso? Was ist passiert? Ich will hier warten! Ich lasse meine Schwester nicht im Stich!«

Stephan versuchte, sich zu wehren, als zwei Mitarbeiter ihn wegführen wollten. Ihm kamen die Tränen. Er schrie, so laut er konnte, den Namen seiner Schwester.

»Lea! Ich hole dich da raus. Halt durch! Lea!« Dann hockte er sich auf den Boden und wippte voller Zorn und Traurigkeit hin und her. Er schwor sich den Mann umzubringen, wenn er seiner Schwester etwas antun würde.

Lea horchte auf, als sie ihren Namen hörte. Anscheinend war ihr Bruder da und bekam die Situation mit. Freeze sah ihr in die Augen und sein Augenlid zuckte dabei leicht.

»Wer war das, der nach dir gerufen hat?«

Lea schüttelte den Kopf.

»Antworte mir!«

»Lass sie in Ruhe!«, verteidigte Jan seine Freundin.

»Du mischst dich nicht ein! Ich dachte, mein Bruder Mad hätte dir bereits Manieren eingeprügelt!«

Sauer sah Jan ihm in die Augen. Doch er wusste, es hatte keinen Sinn Freeze zu reizen, denn er würde Lea oder seiner Mutter etwas tun. Langsam wanderte sein Blick zu Timos erschlafften Körper hinüber und drehte sofort seinen Kopf weg. Er konnte die Tränen nun nicht mehr zurückhalten.

Timo hatte mit der ganzen Sache nichts zu tun. Er wollte nur seinen Freunden helfen.

»Ihr werdet alle so enden! Keiner von euch wird dieses Haus lebend verlasen! Sie werden mir meine Sachen nicht zurückgeben. Ich denke, dass sie es nicht mal versucht haben. Sie dachten, sie könnten das Gebäude stürmen. Aber leider habe ich das Haus längst verwanzt, schon vor Wochen. Ich weiß alles, auch dass dein kleiner Bruder den Wichtigtuern geholfen hat.«

Er kam Lea sehr nahe und warf ein Auge auf ihre Kette.

»Ist die von deinem Bruder?«

Dann riss er sie, von ihrem Hals, wobei Lea mit dem Kopf in Jans Schoß landete und dort weinend liegen blieb.

»Halt endlich deine Schnauze, das ist ja grausam! Dass Weiber immer heulen müssen. Ich wette, dass dein Bruder nach dir gerufen hat. Schade, dass er sich mir in den Weg gestellt hat. Er hätte vielleicht mal was werden können. Genauso wie euer Freund da, aber Dummheit ist manchmal tödlich. Na ja, ist eben Pech.«

»Du Schwein! Lass ihm wenigstens seine Würde!« Jan war so aufgebracht, dass er seine Gefühle nicht mehr zurückhalten konnte. Ihm standen die Tränen in den Augen, doch er konnte nichts tun. Gar nichts.

»Ich kann mich nicht erinnern, dich zum Reden aufgefordert zu haben! Halt endlich deine Schnauze sonst stopf´ ich dir das Maul!« Freeze hielt ihm die Pistole an den Kopf. »Hast du das kapiert!«

Jan nickte stumm und sah Lea ins Gesicht, die immer noch in seinem Schoß lag. Diese hatte sich noch nicht beruhigt, es war eher das Gegenteil der Fall. Ihr schluchzen wurde heftiger.

»Thilo! Komm her!« Der Gerufene rannte die Treppe hinunter und ging zu Freeze hinüber. »Pass auf, dass der die Schnauze hält. Kleb ihm den Mund zu, das wird das Beste sein. Ich ertrage das Geheule nicht mehr, aber ich kann sie noch nicht kalt machen, sonst kommen wir hier nicht lebend raus.« Freeze streckte ihm die Pistole entgegen. »Ich vertraue dir noch nicht! Aber so viel kannst du nicht falsch machen! Du wirst mir beweisen müssen, dass du würdig bist. Wenn es so weit ist, wirst du deinen Freund erschießen. Ist das klar?«

Er sah ihn eindringlich an, worauf Thilo stumm und verunsichert nickte und die Pistole entgegennahm. Dann verließ Freeze den Raum und überließ Thilo die Situation.

»Ist er tot?« Tonlos nickte Thilo zu Timo hinüber. Angewidert sah Jan ihm ins Gesicht.

»Du bist doch nicht blind oder dumm, oder? Siehst du nicht, was Sache ist? Wir gehen alle drauf, schön, dass es dir aufgefallen ist!«

»Das hab ich nicht gewollt! Ihr habt selbst Schuld!«

»Warum? Weil wir leben? Was haben wir getan?« Jan schrie fast.

»Keine Ahnung, ist mir auch egal.«

»Du weißt, dass du mich erschießen musst, wenn die Zeit da ist?« Jan zog die Augenbrauen ein Stück nach oben und ließ ihn nicht aus den Augen. Auf diese Weise wollte er herausfinden, ob sein Freund wirklich wusste, was hier los war.

Thilo setzte sich an den Türrahmen, starrte auf die Pistole und wandte den Blick von dieser nicht mehr ab. Die Mordwaffe wackelte in seinen zittrigen Händen hin und her.

»Ich weiß nicht, warum du das tust. Aber die haben dich reingelegt, noch ist es nicht zu spät. Verschwinde, lauf oder tu was anderes. Aber warte nicht auf dein Schicksal.«

»Ihr wartet auf euer Schicksal, nicht ich«, stellte Thilo fest.

»Du wirst im Knast landen, wenn du nicht sogar stirbst. Warum tust du das?«

In der Ecke rührte sich Timo. Er war schwach, sehr schwach, doch zu Jans Erleichterung lebte er noch.

»Er lebt ja noch. Hält mehr aus, als ich dachte.«

»Du könntest ihm das Leben retten. Wenn du nichts tust, stirbt er. Bitte Thilo, wir haben dich wie einen Freund behandelt und dich aufgenommen. Warum tust du das? Sag mir einen Grund, den ich verstehe und ich füge mich meinem Schicksal und halte die Klappe.«

Zornig sah Thilo zu Jan hinüber. Entweder täuschte sich Jan oder Thilo hatte wirklich Tränen in den Augen.

»Du hast keine Ahnung! Wenn ich es nicht tue, töten sie meine kleine Schwester. Die haben sie verschleppt. Ich wollte sie suchen und habe zu viel erfahren. Ich habe sie gefunden, aber die haben mich entdeckt. Ich würde alles tun, um sie zu retten!«

»Das verstehe ich, aber du willst uns dafür umbringen, ist dir das klar? Sie werden dir deine Schwester nicht wiedergeben! Meine Schwester wurde auch entführt! Ich dachte, sie wäre tot, aber sie lebt. Bei dieser Gruppe, für die du töten sollst. Leas Bruder steht draußen und wartet darauf, seine Schwester wieder in den Arm zu nehmen. Ihre Eltern werden Angst um sie haben. Weißt du, wie vielen Menschen du wehtust?«

Plötzlich griff Thilo an sein Fußgelenk und zog ein großes Jagdmesser hervor. Er ging zielstrebig zu Jan. Dann beugte er sich über ihn und schnitt seine Fesseln durch. Er sah ihm tief in die Augen und gab ihm schließlich das Messer.

»Du hast Recht, ich kann es nicht«, murmelte er und senkte den Kopf.

»Ich wusste es! Du bist ein Verräter! Dad! Ty! Er versucht, die Geiseln zu befreien!«

Armin schien den Moment zu genießen. Er richtete seine Pistole auf Thilo und entsicherte sie.

»Du bist so ein Feigling!«

Die Gerufenen stürmten ins Wohnzimmer. Ty riss dabei die Bilder von der Wand und stolperte hinterher. Jan nutzte die Gelegenheit, um das Messer an seine Mutter weiterzugeben, diese versuchte Leas Fesseln durchzuschneiden.

»Thilo, Thilo, Thilo, ich wusste, warum ich dir nicht vertraut habe.«

Langsam schüttelte Freeze den Kopf, zog seine Pistole ebenfalls aus der Tasche und richtete sie auf Thilo. Keiner der Anwesenden achtete in diesem Augenblick auf die Geiseln, was sie ausnutzten und sich gegenseitig von den Fesseln befreiten.

Auch Thilo richtete seine Waffe auf Freeze. In seinen Augen konnte man die Angst sehen. Wieder kopfschüttelnd grinste Freeze ihn an und entsicherte seine Waffe.

»Hast du wirklich geglaubt, ich würde jemandem, dem ich nicht vertraue, eine Waffe in die Hand drücken, die geladen ist?«

Thilo drückte ab. Einmal, zweimal, dreimal, dann sank er in die

Hocke und schüttelte ungläubig den Kopf. Seine Pistole war nicht geladen, Freeze hatte ihn reingelegt.

Thilo schloss die Augen und Freeze drückte ohne Zögern oder Mitleid ab. Wieder bewies er, wie eiskalt er war.

Ein ohrenbetäubender Knall ließ Jan zusammenzucken. Er drehte sich zu Thilo und sah, wie sich die Kugel in seinen Hals bohrte. Durch den Treffer fiel er nach hinten, doch Jan fing seinen Oberkörper auf. Als Lea ihn sah, fing sie panisch an zu schreien.

Blut strömte aus Thilos Hals. Verzweifelt versuchte Jan die Blutung zu stoppen. Das Blut klebte an seinen Händen und spritzte auf sein T-Shirt, doch alle Bemühungen halfen nichts.

»Bitte, gib nicht auf!«

Langsam tastete sich Thilos Hand zu der seines Helfers.

»Finde meine Schwester … Danke, dass du mich … davor bewahrt hast…« Thilo schluckte schwer. »Ich wollte das … alles … nicht. Bitte … verzeiht … mir.«

»Wir verzeihen dir. Ich hätte genauso gehandelt, halte durch.«

Doch Thilos Zittern wurde schwächer.

»Gib nicht auf! Thilo!«

Thilo wusste, dass es vorbei war. Er legte seinen Kopf in den Nacken, schloss die Augen und gab auf.

»Thilo, bitte!«

Das blutleere, blasse Gesicht verriet Jan, dass es zu spät war. Vorsichtig legte er den Kopf des Toten auf den Boden und umklammerte noch einmal fest seine Hand. Dann wandte er sich ab und sah Freeze ernst an.

Immer noch schrie Lea, als ob man sie in Stücke reißen wollte. Selbst Jan, der die Hoffnung zu verlieren schien, konnte sie nicht beruhigen. Dieser Mann kannte keine Gnade und keine Skrupel. Jan, Lea, Timo und Marlene würden sterben. Es war ein Plan, selbst Thilos Tod war ein Teil gewesen.

Auch Leas Verzweiflung umklammerte ihn zunehmend und zog ihn immer weiter in ein Loch hinein. Freeze würde nur seinen Sohn und vielleicht Ty mitnehmen, mehr nicht. Alle anderen würde er umbringen. Bis die Polizei merken würde, was passiert war, hätte er sich abgesetzt.

Das war also Jans Schicksal, früh zu sterben. Er hätte nur gerne seine Schwester noch einmal gesehen.

»Die Geiseln werden wieder gefesselt und die Münder verklebt. Bringt sie in den Keller. Wir wollen doch nicht, dass ihr auf die Idee kommt zu fliehen, oder? Und hört endlich auf zu schreien!«

Er holte mit seiner Waffe aus und schlug Lea mit dem Griff gegen die Stirn. Kurz darauf sackte sie zusammen und es wurde totenstill.

»Steht hier nicht so herum! Tut was ich euch auftrage!«

Wutentbrannt stampfte er aus dem Wohnzimmer und deutete noch einmal seinen Handlangern, die Geiseln in den Keller zu befördern. Doch soweit sollte es nicht mehr kommen.

Tag des Schicksals

Wenige Minuten zuvor.

»Ist das Haus umstellt? Habt ihr die Kameras neu installiert? Sind alle auf ihrem Posten?«

»Sekunde!« Einer von Markus Unterstellten holte sich die Bestätigungen und gab diese an Markus weiter.

»Wir dürfen keine Zeit verlieren. Ich hoffe, dass alle Geiseln noch leben.« Er senkte den Kopf.

»Hey, deinem Schützling geht es bestimmt gut.«

»Wollen wir es hoffen.«

Kaum hatte er es ausgesprochen, war wieder ein Schuss zu hören. Doch diesmal schrie niemand, im Haus herrschte Stille. Dann brach ein panisches Geschrei los, was die Außenstehenden das Schlimmste befürchten ließ. Es war Klaus, der nun Markus aus seinen Gedanken riss.

»Markus! Jetzt oder nie!«

»Macht euch bereit«, Gab Markus das Kommando an seinen Sturmtrupp.

»Habt ihr gehört? Es geht los!« Und auch Klaus gab es per Funk an seine Leute durch.

Eine weitere Minute verstrich. Endlich hob Markus den Arm und gab das Zugriffssignal.

Sofort knallten an verschiedenen Stellen des Hauses Zündkapseln, welche die Sturmtrupps zum Sprengen der Fenster- und Türschlösser zuvor angebracht hatten. Stephan, der kurz vorher weggebracht worden war, ignorierte seinen Aufpasser, warf einen Blick auf Markus, stand auf und ging wieder zu ihm hinüber.

»Wird das klappen?« Genervt, er hatte keine Zeit für Diskussionen, sah Markus Stephan an. Dieser Junge ließ sich nicht davon abbringen, dabei zu sein.

»Ich hoffe es!«

Den Atem anhaltend starrten die Schaulustigen auf die Geschehnisse. Sie konnten nicht fassen, was sich gerade abspielte. Mittlerweile hatte sich auch Sabine mit anderen Freunden eingefunden. Sie hatten erst durch die Medien erfahren, was sich abspielte.

Die ersten brachen durch die Fenster und drangen ins Haus ein. Es waren Schreie zu hören und Gewehrfeuer. Es schien in einem Massaker zu enden.

»Was ist das?«, fragte Lea.

»Es hört sich an, als würde draußen geschossen werden«, antwortete Marlene.

Jan sah einen, der vermummten Einsatzkräfte, die das Haus stürmten.

»Lea! Bring dich in Sicherheit. Mama, du auch. Ich muss Timo raus bringen.«

Sofort hörte Lea auf zu weinen. Sie starrte ihren Freund an und zuckte zusammen, als seine Mutter anfing zu sprechen.

»Spiel nicht den Helden, Jan. Sie holen alle raus, bring dich in Sicherheit!«

»Ich kann ihn nicht allein lassen!«

Lea verstand die Situation und sprintete los. Sie hatte neuen Mut gefasst und wollte raus.

»Ihr werdet nirgendwo hingehen!«

Da sich Lea während des Laufes auf Marlene und Jan konzentriert hatte, war sie Freeze in die Arme gestürmt, als sie zur Haustür rennen wollte. Er packte sie unsanft an den Haaren und drückte sie gegen die Wand.

»Lass sie los! Ich schwöre dir, ich bring dich um«, drohte Jan ihm.

Mit dem Gesicht an die Wand gedrückt sah Lea ängstlich zu Jan hinüber. Während ein Krieg ausbrach, schien sich Freeze nur für seine Geiseln zu interessieren.

»Dieses Gesicht kenne ich, diese Augen kenne ich! Euer Freund hat meinen Bruder so angesehen, wenn er Alina etwas antun wollte. Es scheint in der Familie zu liegen!«

Suchend sah sich Jan um, doch er fand nichts, mit dem er sich schützen oder verteidigen konnte. Marlene stand neben ihrem Sohn und wog die Situation ab. Sie konnte nur an ihre Tochter denken und daran, Jan und Lea heile aus dem Haus zu bekommen.

Freeze presste seine Waffe an Leas Kopf.

»Habt ihr geglaubt, ihr würdet es schaffen?«

Ängstlich stand Lea fest an Freeze gepresst da und schwieg. Sie starrte ihren Freund regungslos an. Nur ein Wimmern trat ab und zu aus ihrem Mund.

»Waffe runter!« Hinter Freeze tauchte einer vom Sturmtrupp auf, der seine Waffe direkt auf Freeze` Kopf gerichtet hatte und diesen damit berührte.

»Bevor du auch nur mit dem Finger zuckst, habe ich ihr den Kopf weggeblasen!« Unbeeindruckt stand Freeze da und sah zu Jan hinüber. »Ihr sollt in den Keller! Macht schon!«

»Sofort die Waffe fallen lassen!«, wurde der Mann vom Sturmtrupp nun lauter und bestimmender.

Gleichgültig ließ Freeze nicht von Lea ab und schoss Jan ins rechte Knie, sodass dieser einsackte und wütend zu Freeze hinauf sah. Doch er gehorchte und versuchte aufzustehen.

Sein Blut tränkte seine Jeans. Er humpelte, gestützt von seiner Mutter, in Richtung Kellertreppe. Dort drehte er sich noch einmal zum Wohnzimmer, sah den soeben Getöteten an und wieder schwand seine Hoffnung. Entweder er würde lebend den Keller verlassen oder Freeze würde alle Geiseln und zum Schluss sich selbst erschießen. Dieser Mann wirkte überzeugend und drohend zugleich.

»Wo sind meine Männer?«

»Die werden hier nur noch in Handschellen wieder rauskommen«, antwortete der Polizist.

»Mein Sohn?«

»Die Waffe runter!«

Der Bewaffnete sprach ruhig und selbstbewusst und ließ sich nicht weiter auf ein Gespräch mit Freeze ein, sondern hielt ihn konzentriert im Blick. Freeze wurde jedoch deutlich aggressiver. Er kochte vor Wut. Dann drehte er sich so ruckartig um, dass Lea in die Waffe sah und Freeze mit einem hämischen Grinsen den Mann ansah. Freeze hatte ihm die Pistole unter den Halsschutz geschoben.

»Wenn ich wollte, wärst du tot! Wenn du vorhast jemanden zu erschießen, dann tu es!«

Er nickte der Pistole entgegen. Geschlagen hob der Betroffene seine Waffe hoch und ließ diese zu Boden fallen.

»Du gehst zuerst!« Immer noch mit der Pistole auf den Mann gerichtet und Lea fest an sich gedrückt, ging nun auch Freeze zur Treppe hinüber.

»Waffe fallen lassen!«

Plötzlich standen um sie herum mehrere Polizisten, die mitgenommen erschienen und dennoch erleichtert, die Geiseln lebend vorzufinden. Einer stand auf der Treppe und hatte Freeze im Visier, ein anderer war durch den Keller gekommen und wieder ein Dritter hockte auf der obersten Treppe im offenen Treppenhaus und hatte Freeze ebenfalls im Schussfeld. Jeweils hinter ihnen stand ein weiterer Kollege, der Feuerschutz geben sollte.

»Lassen Sie die Waffe fallen!«

»Wie tragisch. Ich dachte, ich müsste niemanden mehr umbringen lassen! Jungs, würdet ihr bitte eure Kollegen entwaffnen.«

Völlig verblüfft standen die Polizisten da und hoben ihre Arme hoch. Einer nach dem anderen ließ die Waffen fallen.

»Was machen wir jetzt mit denen? Wir sind enttarnt!«, erkundigte sich einer von ihnen.

»Lasst das meine Sorge sein! Bringt sie in den Keller und richtet sie hin! Dann werdet ihr uns in Handschellen raus bringen. Ich werde meine Waffe behalten!«

Plötzlich ertönte ein Schuss, der durchs Treppenhaus hallte. Der Polizist, welcher zuvor auf der obersten Treppe gehockt hatte, fiel in den Keller und schlug auf den harten Fliesen auf.

»Im Keller! Nicht hier!«

Lea hielt den Atem an. Sie versuchte, sich aus den Fängen von Freeze zu befreien, doch Jan schüttelte langsam den Kopf und so rührte sie sich nicht weiter.

»Erster.«

Der Mörder des Polizisten sprang gegen das Treppengeländer und ins Erdgeschoss, in welchem alle versammelt standen. Es war Armin, Freeze` Sohn.

»Ich dachte, die hätten dich«, brachte Freeze hervor.

»Hättest du wohl gerne!« Er sah in den Keller. »Oh weh! Der arme Kerl, hoffentlich war es eine weiche Landung.«

»Deinen Sarkasmus kannst du dir sonst wohin stecken! Heb´ die Waffen auf und komm! Ihr bringt die anderen in den Keller und bringt sie um, wir warten hier. Ich kann mich schließlich nicht um alles kümmern!« Freeze hatte die Situation wieder im Griff und das Kommando übernommen. Dann fiel sein Blick auf Jan, der sich ebenfalls in den Fängen eines Mörders befand.

»Den auch!«

»Neiiiin!« Lea versuchte, sich zu befreien. Sie trat und schlug um sich, doch Freeze hatte sie fest im Griff. »Jaaaan!«

Auch Marlene wurde festgehalten. Sie versuchte, ihren Sohn zu retten, doch sie war zu schmächtig. Jan sträubte sich nicht gegen seinen Angreifer. Er verabschiedete sich schweigend von der immer noch kämpfenden Lea, die wieder weinte und von seiner Mutter, dann wurde er die Treppe hinuntergestoßen. Er schlug auf dem Boden neben der Leiche auf. Benommen öffnete er seine Augen und sah die Waffe, die ihn töten würde.

»Leeeaaaaa!« Langsam schloss er seine Augen, dann fielen Schüsse. Jeder Schuss ließ die Frauen zusammenzucken, einer war quälender als der andere.

Stille!

Beide hockten auf dem Boden und konnten es nicht glauben. Sie hatten das Gefühl, man hätte ihnen das Herz aus der Brust gerissen. Es war das reinste Massaker gewesen, sie hatten jeden getötet. Jeden mit einem Schuss. Schließlich kamen die Männer wieder nach oben und verteilten sich im Wohnzimmer.

»Sind sie erledigt?«, erkundigte sich Freeze.

»Nicht ganz. Ein paar, winseln noch, aber nicht mehr lange!«

»Werdet endlich erwachsen! Man spielt nicht mit Opfern!« Freeze hockte sich zu Lea hinunter und nahm sie in den Arm.

»Keine Sorge, ihr beide kommt noch früh genug dran. Ich warte nur auf das Zeichen. Es geht schnell und schmerzlos.«

Dann stand er auf, ging ins Wohnzimmer und ließ sich die rechte Hand in Handschellen legen. Sie besprachen etwas und kamen zurück, um endlich Marlenes und Leas Leben zu beenden.

Markus, der unruhig hin und herging und Anstalten machte, selbst ins Haus zu stürmen, wurde von Klaus abgehalten.

»Markus! Du kannst da jetzt nicht rein!«

»Das ist mir entschieden zu ruhig! Meine Jungs hätten mir schon lange eine Nachricht überbracht. Außerdem sind die Kameras ausgefallen. Da stimmt was nicht!«

»Warte, wenn es schiefgelaufen ist, kannst du nichts mehr tun!«

Stephan schlich an die Straße und hockte sich hin. Er wollte die Hoffnung nicht aufgeben, seine Schwester nicht einfach im Stich lassen. Dann sah er eine Waffe auf dem Rücksitz von Markus` Wagen liegen. Wenn er seine Schwester jetzt nicht da rausholen würde, dann würde sie sterben, dessen war er sich sicher. Immer hatte er geprahlt, dass er seine Familie beschützen würde, wenn sich jemand an ihnen vergreifen würde. Heute war der Tag gekommen. Stephan wäre eher gestorben, als dass er seine Schwester im Stich lassen würde. Er wog die Situation ab und dachte nach. Schließlich stand er ruhig auf und ging zielstrebig zum Auto hinüber.

Erst zu spät erkannte Markus, was Stephan vorhatte. Bevor er reagieren konnte, stürmte Stephan auf das Haus zu. Er hatte sich binnen Sekunden einen Plan zurechtgelegt und würde ins Haus gelangen. Was er dann tun würde, wollte er spontan entscheiden. Stephan war klug, sehr klug. Wenn jemand bei solch einer Aktion Erfolg haben würde, dann er.

»Haltet ihn auf!«, brüllte Markus seinen Kollegen zu, doch auch die kamen nicht an den verzweifelten Bruder heran.

Markus sprintete ihm, so schnell er konnte, hinterher. Rechts vorbei, über die Mauer, auf die Garage und in das Schlafzimmer. Vorher vergewisserte er sich, dass niemand dort war. Als nächstes stieg er durchs Fenster ein, genauso wie Stephan es vor ihm getan hatte.

Leise schlich er in den abgedunkelten Flur und stolperte schnell über einen von Freeze Leuten, die anscheinend in einem Duell ihr Leben gelassen hatten. Auch im Schlafzimmer der Eltern lag einer von El Kontaro.

Als Markus sich der Treppe näherte, fand er Stephan, der bereits neben dem Sideboard an der Küche saß und seine Schwester im Auge behielt.

Lea und Marlene waren gefesselt worden und saßen anscheinend bewusstlos oder nur geistig abwesend neben der Tür.

Als Markus in den Keller sah, stockte ihm der Atem und er senkte den Kopf. Seine Kollegen lagen wie Vieh übereinandergestapelt auf dem Boden. Drei schienen tot zu sein, zwei bewegten sich leicht. Dann erkannte Markus ein rotes T-Shirt und schloss die Augen.

Er wusste, das musste eine der Geiseln gewesen sein. Da er Timo nicht sehen konnte, ging er ebenfalls davon aus, dass er tot war. Anscheinend waren die Männer eine zu große Gefahr. Die Frauen dagegen waren gute Geiseln. Um einiges leichter und handzahmer als die Männer.

Die Wohnzimmertür klickte und Freeze kam heraus, gefolgt von einigen seiner Gefolgsleute. Stephan rührte sich und entsicherte die

Waffe. Markus schüttelte den Kopf und versuchte ihm zu bedeuten, dass die Zeit noch nicht gekommen war.

Plötzlich zuckte Markus zusammen. Doch als er neben sich sah, nickte er seinem Kollegen dankend zu und gab ihm die Hand. Dieser war von oben dazugestoßen. Er hatte sich seinen übergelaufenen Kollegen entziehen können. Er machte sich ebenfalls ein Bild von der Lage und signalisierte Markus, dass jeder zwei erschießen musste, damit sie eine Chance hatten.

Stephan fixierte nur Freeze. Er hatte sofort erkannt, dass es sich bei diesem Kerl um den Anführer handeln musste.

»Vergesst nicht, was geplant wurde. Wir treffen uns am vereinbarten Ort!«

Freeze kam nah an Stephan heran, doch anscheinend sah er ihn nicht, denn er drehte sich noch einmal zu seinen Kollegen um.

»Armin, ich überlasse es dir!«

»Mir?«

»Ja!«

»Ich erschieße keine Bewusstlosen. Wo bleibt denn dann der Spaß?«

»Ach, vergiss es!« Freeze zog seine Waffe und richtete sie auf Lea.

Drei Schüsse fielen.

Binnen einer Sekunde, bevor Freeze nur annähernd den Abzug berührt hatte, hatte Stephan abgedrückt. Dreimal. Zwei Kugeln gingen daneben, eine traf ihn direkt in den Kopf, sodass dieser tot zu Boden fiel. Dann stürmten Markus und sein Kollege die Treppe hinunter und stellten die übrigen Bewaffneten.

»Das würde ich nicht tun, Freundchen. Ich habe heute einen nervösen Zeigefinger!«

Einer der Entwaffneten hatte versucht, eine weitere Waffe aus der Jacke zu ziehen, doch Markus hatte die Situation früh genug erkannt. Er griff in seine eigene Tasche und rief seine Kollegen zu Hilfe, welche sofort kamen und den Verbrechern Handschellen anlegten.

Lea und Marlene schienen unter Schock zu stehen. Und da die Überläufer ebenfalls Helm und Maske trugen, erkannte auch niemand der Anwesenden, dass unter Markus` Männern die »Maulwürfe« immer noch frei waren. Sie taten so, als hätten sie sich in letzter Minute befreien können und hatten Armin niedergeschlagen. Sie führten ihn in Handschellen heraus und brachten ihn in eines der Einsatzfahrzeuge. Sie setzten sich ebenfalls hinein und fuhren mit ihm davon.

Niemand achtete darauf. Für die Schaulustigen war es eine normale polizeiliche Maßnahme und die Polizisten waren zu sehr damit beschäftigt sich darum zu kümmern.

Stephan stand mit der Pistole in der Hand wie angewurzelt da. Er starrte auf den toten Freeze und auf seine Schwester. Als nächstes auf Marlene, die herumlaufenden Sanitäter und das weitere Durcheinander um ihn herum.

Es war ein Bild des Grauens. In der oberen Etage lagen drei Leichen, zwei Verbrecher und einer von Markus´ Leuten. Im Keller lagen zwei Tote, drei Schwerverletzte und Jan, um den sich mehrere Sanitäter kümmerten. Man konnte nicht erkennen, wo und wie schwer verletzt er war, denn die Sanitäter versperrten die Sicht auf ihn.

Im Wohnzimmer lag Ty, er lebte allerdings noch. Ganz in der Nähe, an dem Platz, an dem sich die Geiseln zuvor befanden, lag Thilo.

Direkt neben der Tür lag Timo. Markus eilte sofort zu ihm, als er ihn erblickte. Er sah furchtbar aus. Bevor er den Puls fühlen konnte, waren die Sanitäter da. Anscheinend war Timo nicht tot. Doch viel Hoffnung machten sie nicht.

Sie lösten die Kabelbinder, die sich tief in seine Handgelenke geschnitten hatten und fingen an auch ihn zu verarzten. Routiniert machten die Männer ihn für den Abtransport fertig.

Er schien schlechter dran zu sein als Jan. Sie hatten mit Wiederbelebungsmaßnahmen begonnen und eilten mit ihm auf einer Trage durch den Flur hinaus in den Rettungswagen. Doch wenn Jan tot war, war es kein Wunder, dass die Sanitäter ihn nicht hinaustrugen.

Dann fiel Markus´ Blick wieder auf Stephan und er ging langsam auf den Jungen zu.

»Lass los«, wies er ihn an.

Er fasste Stephan väterlich an der Schulter, nahm die Waffe aus seinen Händen und legte sie auf das Sideboard. Stephan hockte sich zu seiner Schwester und streichelte ihr durchs Haar.

Marlene sah ihn traurig und verwirrt an, als könne sie nicht glauben, dass alles vorbei war. Liebevoll nahm Stephan seine Schwester und legte ihren Kopf in seinen Arm. Langsam öffnete sie die Augen und sah ihren Bruder genauso an wie Marlene zuvor. Sie weinte. Es waren mit Sicherheit ein paar Freudentränen dabei, doch alle anderen wurden für ihre Freunde vergossen.

Vielleicht war es dumm gewesen, doch wenn Stephan nicht ins Haus gerannt wäre, würde seine Schwester nicht mehr leben. Er umarmte und küsste sie auf die Stirn und hob sie langsam hoch. Er trug sie nach draußen und ließ sie nicht mehr los.

Schließlich begann auch er zu weinen. Er hatte einen Menschen getötet, das wurde ihm bewusst. Doch er hatte es für seine Schwester getan. Er liebte sie so sehr, dass er für sie sein Leben riskiert hatte.

Wieder vereint

Die Schwerverletzten wurden auf Tragen aus dem Haus gebracht und in die nächsten Krankenhäuser gefahren. Lea sah Jan nicht und ihr wurde bewusst, dass er niemals auf einer Trage raus gebracht werden würde, zumindest nicht sichtbar für alle.

Wieder kamen Lea die Tränen. Mittlerweile war auch Marlene zu ihnen gestoßen. Sie schien ebenfalls unverletzt zu sein, jedoch wie Lea, stand sie unter Schock. Alle Freunde, die sich hinter der Absperrung befanden und nicht wussten, was passiert war, sahen mitleidig zu Lea und Marlene hinüber. Doch auch sie ahnten, dass etwas mit Jan passiert sein musste.

Es kamen Leute der Spurensicherung und drängten sich an ihnen vorbei ins Haus. Kaum waren sie im Inneren verschwunden, strömten Ärzte, Polizisten, Rettungssanitäter, Markus und sein Kollege heraus. Doch Markus drehte sich auf der Türschwelle noch einmal um und ging wieder hinein. Und sprach mit jemandem, den die anderen draußen nicht sehen konnten.

»Du sollst auf die Sanitäter warten! Setzt dich hin, du verletzt dich sonst noch mehr!«

»Ich habe solange ausgehalten und wurde verprügelt, den Weg schaff´ ich auch noch. Danke.«

Humpelnd ging der junge Mann zur Tür.

»Das ist ja nicht mit anzusehen, ich helfe dir. Warte ich stütze dich.« Markus stützte den jungen Mann im roten T-Shirt.

»Na gut.«

Stolpernd und von Markus gestützt, kamen sie heraus. Erst erkannte Lea ihn nicht oder sie konnte es einfach nicht glauben.

»Jaaaan!«, schrie sie dann aber.

Stephan und Marlene schlugen die Köpfe nach oben und sahen ihn. Jan stand fast unverletzt, bis auf die Schusswunde am Knie und einer Kopfverletzung, auf der Türschwelle. Auch die Freunde sahen auf und schrien. Lea sprintete so schnell sie konnte wieder zum Haus. Abrupt blieb sie stehen und betrachtete Jan noch einmal, als könne sie nicht glauben, dass er noch lebte.

»Wie ist das möglich?«

»Keine Ahnung, ich dachte, es ist vorbei.«

»Aber …« Dann fiel sie ihm um den Hals und küsste ihn.

»Den musst du dir warmhalten. Er ist ein echter Glückspilz. Es war ein Streifschuss, einen Zentimeter weiter und er wäre tot gewesen.«

Jan musste sich plötzlich festhalten, denn ihm wurde schwindelig und sein Knie hielt ihn nicht mehr.

»Ich glaub, ich schaff das doch nicht.«

»Sanitäter, wir brauchen noch eine Trage«, rief Markus einer der Sanitäter herbei.

»Sofort, Sekunde.«

Unverzüglich eilten die Rettungskräfte mit einer weiteren Liege herbei und legten Jan darauf. Dann verarzteten sie seinen Kopf und stabilisierten sein Knie mit einer Schiene.

»Es tut mir leid, aber Sie müssen ins Krankenhaus.«

»Ist schon in Ordnung, da war ich die letzte Zeit öfter.«

Ein leichtes, jedoch schmerzverzerrtes Grinsen huschte über Jans Lippen.

Ein silberfarbener Wagen fuhr vor. Es war ein Kölner Kennzeichen. Ein dunkelhaariger Polizist in Uniform stieg aus und ging zu Markus hinüber.

»Ich habe es gehört, ist schlimm ausgegangen für deine Leute. Tut mir leid. Wie viele Verluste?« Der Polizist war offenbar ein Bekannter von Markus, denn sie sprachen vertraut miteinander.

»Weiß ich noch nicht genau. Drei sind gestorben, die anderen schweben teilweise in Lebensgefahr.«

»Ihr habt gestürmt?«

»Leider ohne Erfolg.«

»Was soll das heißen? Die Geiseln sind doch frei, oder?«

»Das ist nicht unser Verdienst.«

»Wessen dann?«, erkundigte er sich.

»Siehst du den Jungen da drüben? Der bei der Frau und dem Mädchen, mit der Verletzung an der Stirn, sitzt?«

»Was ist mit dem?«

»Er ist ins Haus gerannt, hat den Chef der Bande niedergeschossen und seine Schwester befreit. Kaum zu glauben, oder?«

»Wahnsinn! Gibt es Verluste unter den Geiseln?«

Markus senkte den Kopf. »Wahrscheinlich eine.«

»Einer von deinen Leuten?«

»Er hätte einer werden können. Er hat uns unterstützt.«

»Da fällt mir ein, ich wurde zu dem Einsatz in Köln gerufen. Hat ja indirekt mit deinem zu tun, wir konnten alle befreien. Es gibt zwei Verluste, die ich mit Gewissheit weiß. Es waren wohl noch welche eingeschlossen, als das Feuer ausbrach. Aber ich weiß nicht, wie es bei denen aussieht. Wir versuchen zu klären, ob es Geiseln waren oder welche von denen. Anscheinend haben auch Jugendliche aktiv mitgearbeitet. Daher ist es schwer, zu entscheiden, ob es sich tatsächlich um entführte Kinder handelt oder um freiwillige Täter. Ein Mann, den wir noch nicht identifiziert haben, wurde vor der Flucht erschossen und noch ein junger Erwachsener, bei dem es sich um Sebastian Schwalbach handelt, wurde schwer verletzt ins Krankenhaus gebracht. Es besteht aber wenig Hoffnung.«

»Das behalte ich vorerst für mich. Warum bist du eigentlich hier?«

»Ich habe zwei Jugendliche im Auto sitzen. Das Mädchen behauptet, dass hier ihre Familie wohnt. Sie hat anscheinend von Sebastian den Ort genannt bekommen. Ich habe sie ins Dorf gefahren. Ich konnte mir nicht vorstellen, dass das ein Zufall ist. Vorher wollte ich aber noch mit dir sprechen.«

»Und warum?«

»Das Mädchen kommt wohl aus Amerika und ich weiß, du hast da einen Fall bearbeitet, als du noch bei uns warst. Außerdem hat dieser Timo in der Sendung vor einiger Zeit einige Polizisten aus meinen Reihen mobil gemacht und sich damit Sicherheit erkauft.« Markus senkte den Blick.

»Was ist los?«, wollte der Polizist wissen.

»Timo ist die Geisel, die vielleicht nicht überleben wird.«

»Ich verstehe. Dann denke ich, dass ich das Mädchen besser bei dir lasse. Sie meint nämlich, dass Sebastian von Timo erzählt hat und dass er ihnen helfen wird.«

»Lass sie ruhig hier. Ich glaube, ich weiß, wer das ist. Ich muss nur die Mutter langsam darauf vorbereiten. Normalerweise würde ich das nicht machen, aber … egal. Ich komme mit.« Markus war nun alles egal. Die Geiselnahme war vorbei. Doch er dachte unentwegt an Timo und gab sich die Schuld für das, was passiert war.

Langsam gingen sie hinüber zum Auto. Dann öffnete Markus die Tür auf der Seite des Mädchens und sah sie lächelnd an.

»Du bist bestimmt Alina, habe ich Recht?«

»Woher wissen Sie das?«

»Ich kenne deine Geschichte. Ich werde dich zu deiner Mutter bringen. Du musst dir aber darüber im Klaren sein, dass sie dich vielleicht nicht erkennen wird. Auch dein Bruder wird das wahrscheinlich nicht.« Markus erblickte den Anhänger, den Alina um den Hals trug. »Er hat ihn dir also gegeben.« Sie nahm ihn in die Hand und sah traurig zu Boden.

»Ich habe ihn an mich genommen. Sebastian hatte ihn an Mike weitergegeben, als er im Sterben lag.«

»Das tut mir leid. Wir werden jetzt hinübergehen.«

»Mein Bruder ist auch hier?«

»Er wird gleich ins Krankenhaus gebracht, beeilen wir uns besser.«

»Ist gut.«

Schnell versuchte Alina sich den Schmutz ein bisschen aus dem Gesicht zu wischen, immerhin wollte sie nicht dreckig ihrer Mutter gegenübertreten. Dann gingen Markus und sie hinter dem Rettungswagen her und blieben stehen. Mike wartete am Polizeifahrzeug.

Alina musste weder einen Schritt näherkommen noch einen Ton von sich geben. Als ihre Mutter sie erblickte, erkannte sie ihre Tochter sofort wieder. Sie stand auf und stolperte zu ihr hinüber.

»Alina!« Marlene umarmte sie und Tränen liefen beiden über die Wangen.

»Wo warst du? Ich dachte, du wärst tot. Heute habe ich erfahren, dass du noch lebst. Geht es dir gut?«

»Ich habe nicht gedacht, dass ich da rauskommen würde. Ohne Basti hätte ich das niemals geschafft.«

Alina wandte sich von ihrer Mutter ab.

»Ich wäre gerne mit euch nach Deutschland gekommen.«

»Alina, du kannst nichts dafür! Du warst noch klein. Ich dachte, ich hätte dich für immer verloren. Es hieß, du wärst gestorben, bei einem Autounfall.«

»Ich werde lernen müssen mit der Gesamtsituation klar zu kommen.«

»Kaum zu glauben. Vor mir steht meine fünfzehnjährige Tochter und spricht wie eine Erwachsene«, stellte Marlene fest.

»Ich hatte nie eine Kindheit!«

»Das tut mir schrecklich leid. Kannst du mir das jemals verzeihen?«

»Ich mache dir keinen Vorwurf und auch nicht Sebastian. Du hast ihm geholfen und ihm eine normale Jugend ermöglicht. Woher solltest du ahnen, in was für eine Geschichte du geschlittert bist? Aber lass uns jetzt nicht darüber sprechen. Ich habe fast zehn Jahre gewartet, um meinen Bruder zu sehen. Ich kann mich nur an Kleinigkeiten erinnern und selbst die sind verschwommen. Das alles spielt bei denen keine Rolle. Die Familie gibt es nicht mehr, du bist auf dich allein gestellt. Du versuchst, zu überleben.«

Marlene nahm ihre Tochter in den Arm. Dann gingen sie zum

Rettungswagen, denn Jan wurde gerade in diesem für den Abtransport fertig gemacht.

»Kann ich noch einmal kurz zu ihm?«

»Aber beeilen Sie sich. Wir müssen los, das Knie muss behandelt werden und der Streifschuss auch.«

Marlene kletterte in den Krankenwagen, gab Alina die Hand und zog sie hinein. Dann setzte sie sich und wartete, bis Marlene sie zu sich holte.

»Jan, geht es dir gut?«

»Geht so.«

»Wie geht es deinem Kopf?«, fragte sie ihn besorgt.

»Ich bin einfach nur froh, dass das vorbei ist. Ich dachte, ich würde sterben, ich hatte schon aufgegeben. Dann kam der Schuss und ich war weg. Keine Ahnung, warum die Kugel mich verfehlt hat. Der Kerl hat auf meinen Kopf gezielt.«

Jan starrte die Decke an. Sein Körper zitterte und ihm war kalt. Das war der Schock. Eigentlich wollte er nicht mehr über die Geschehnisse sprechen, doch er fühlte sich mit einem Schlag besser.

»Wie geht es dir?«

»Jetzt wieder gut. Ich muss dir noch etwas erzählen. Ich habe dir doch von deiner Schwester erzählt.«

»Was ist mit ihr?«

»Sie ist hier.«

»Was? Wo?« Von einer Sekunde auf die andere war er wieder wach. Die Schmerzen traten in den Hintergrund.

»Alina.« Marlene reichte Alina ihren Arm und langsam kam sie an die Trage heran.

Schweigend sahen sich beide an. Alina sah genauso aus wie Jan, nur mit weiblichen Gesichtszügen. Jan konnte nicht glauben, dass vor ihm seine kleine Schwester stand, die er vor fast zehn Jahren verloren hatte.

»Warum bist du so still? Kennst du mich nicht mehr?«, fragte Alina ihren Bruder, aber Jan widersprach sofort.

»Doch, aber du kennst mich nicht, oder?«

»Nur ein bisschen, aber du siehst mir ähnlich.« Alina lächelte exakt wie Jan. Ihre dunklen Haare, ihr dunklerer Teint, es war, als würde Jan in sein Spiegelbild blicken.

»Das ist wahr«, brachte er kurz hervor.

»Ich habe etwas für dich, von Sebastian.«

»Ist er … tot?« Alina senkte den Blick und nickte ihrem Bruder zu.

»Ich glaube ja. Mike war bei ihm. Er meint, dass Basti gelächelt hat, als er eingeschlafen ist. Das hat er immer gehofft: Wenn er El Kontaro fertig macht, wird er mit einem Lächeln sterben. Er hat uns alle gerettet und dieses Schwein umgebracht.«

»Welches Schwein?«

»Mad!«

»Den kenne ich. Wegen ihm war ich das erste Mal im Krankenhaus.«

»Er war der Bruder von Freeze. Der wollte sich rächen, aber Jack hat ihm dazwischen gefunkt.«

»Jack?«

»Unser Stiefvater.«

»Du weißt über ihn Bescheid?« Jan konnte nicht für sich behalten, dass er überrascht war.

»Basti hat mir alles erzählt.«

»Entschuldigung, aber wir müssen jetzt fahren. Er wird hier ins Krankenhaus eingeliefert. Sie können ihn dort besuchen«, meldete sich nun einer der Rettungskräfte.

»Eine Sekunde«, bat Jan den Sanitäter.

»Jack war kein schlechter Mensch. Er hat sich um Basti gekümmert, als er krank wurde.«

»Basti war krank?«

»Er hat Armin bei einer Schlägerei fast umgebracht, als er mich geschlagen hat. Daraufhin hat der Typ ihm ein Messer in den Arm gerammt. Sebastian hat viel Blut verloren und er bekam eine Blutvergiftung. Jack konnte keinen Arzt holen und ihn nicht ins Krankenhaus bringen. Er hat sich um ihn gekümmert und seine Wunden versorgt. Basti hat ihn verändert. Er war wohl nicht immer so brutal. Er war ein normaler netter Mann. Es war eine Wette, die

Jack zu dem gemacht hat, was er geworden ist. Ich habe Glück, dass ich Mike hatte, sonst wäre ich so geworden wie alle.« Es sprudelte plötzlich alles aus Alina heraus. Sie war furchtbar aufgeregt.

»Ich kann ihm nicht verzeihen, was er uns angetan hat und ich hoffe, dass er dafür zahlen muss.« Jan verzog missbilligend das Gesicht.

»Er ist tot!«

»Das wusste ich nicht. Ich meine, Freeze hat es erwähnt, aber ich habe ihm kein Wort geglaubt.«

»Wir müssen jetzt wirklich«, meldete sich nun der Sanitäter zu Wort.

»Okay«, rief Jan nun etwas lauter.

»Oh, Jan, hier.«

Alina drückte ihm den kleinen Brief in die Hand, gab ihm einen Kuss auf die Wange und verließ zusammen mit ihrer Mutter den Rettungswagen. Dann machten die Sanitäter die Türen zu und Jan wurde davon gefahren. Der Brief in seiner Hand fiel ihm wieder ins Auge. Er ahnte bereits, dass es ein Abschiedsbrief war. Langsam öffnete er ihn und begann ihn auf den Weg zum Krankenhaus zu lesen.

Hallo Jan,
wenn du das liest, lebe ich wahrscheinlich nicht mehr. Ich wollte mich bei euch entschuldigen. Vor allem bei dir und deiner Mutter. Ich bin schuld, dass euer Leben so verlaufen ist. Es tut mir wirklich leid. Ich möchte, dass ihr wisst, dass Jack mein Vater ist, bitte verzeiht ihm. Er hat große Fehler gemacht, doch er hat sich geändert. Er hat mir erzählt, dass er sehr viel Geld auf dem Konto hat. Er wollte, dass ich es euch weitergebe, falls ihm etwas zustoßen sollte, dass er kein Testament hat. Daher würde das Geld, was er besessen hat, auf seine Erben übergehen. Da ich meinen Teil des Erbes wahrscheinlich nicht antreten werde und es auch nicht will, werdet ihr alles bekommen. Es gibt keine Wiedergutmachung für seine Taten, aber zumindest könnt ihr so unbeschwert weiterleben.
Bitte erklär Svenja, dass ich bis zum Schluss an sie gedacht

habe. Sie soll nicht traurig sein, ich werde immer auf sie aufpassen.
Es tut mir leid, dass ich ihr solch einen Kummer bereitet habe. Ich wäre gerne bei ihr. Sie soll sich einen netten Freund suchen und glücklich werden.
Ich habe dich in Gefahr gebracht und auch Lea. Alle meine Freunde!
Danke, dass ihr mit mir befreundet wart. Danke, dass ihr mich so gemocht habt, wie ich war. Ich bin mir sicher, dass ich hier nicht mehr lebend rauskommen werde. Aber ich hoffe, dass ich es schaffe, meine und deine Schwester in Sicherheit zu bringen.
Ja, Jan, wir sind Brüder. Zwar nur Stiefbrüder, aber für mich spielt das keine Rolle. Ich bin immer mit dir angeeckt. Ich dachte, dass ich will, dass du so wirst, wie ich. Ich habe dich immer beneidet. In Wirklichkeit wollte ich so werden wie du. Erst jetzt habe ich gemerkt, wie ähnlich wir uns sind.
Ich habe in meinem Leben Fehler gemacht. Einige kennen die wahre Geschichte über mich und ich möchte, dass du und alle anderen die Wahrheit erzählen. Bitte, ich möchte nicht mit dem Gedanken sterben, dass alle an meinem Grab vorbeigehen und schlecht über mich sprechen: »Guck mal. Da liegt der Drogendealer und Mörder.«
Ich habe die Waffe gehalten, wurde jedoch zum Abdrücken gezwungen. Ich konnte mich nicht wehren. Ich bin kein Mörder. Ich hoffe, El Kontaro wird für alles büßen, aber das ist wohl nur Wunschdenken.
Meine letzten Gedanken werdet ihr sein. Ich werde mit einem Lächeln auf dem Gesicht sterben. Vielleicht gibt es einen Himmel, von dem aus ich euch beobachten kann. Ich habe viel darüber nachgedacht. Vielleicht tue ich das auch nur, weil es keine Hoffnung gibt. Ich weiß es nicht.
Ich wollte dir immer verraten, dass ich Jacks Sohn bin, aber ich war mir nicht sicher. Ich habe mir immer einen Bruder wie dich gewünscht. Mein leiblicher Bruder ist gestorben, als wir weglaufen wollten. Er war zwei Jahre älter als ich. Vielleicht werde ich ihn bald wiedersehen.
Ich habe euch alle lieb, danke, dass ihr meine Freunde wart.
Basti

Noch einmal las Jan die letzten Worte seines Bruders. Anscheinend war es Basti, der sich Vorwürfe gemacht hatte, bis zuletzt.

Jan hätte ihm so gerne alles erzählt. Aber das ging nicht mehr und auch sein bester Freund lag im Sterben. Er hatte seine Freiheit und seine Schwester wieder, diese Freiheit hätte er aber für das Leben seiner Freunde aufgegeben.

Die Fahrt ins Krankenhaus schien Stunden zu dauern. Dabei waren es nur fünf Kilometer. Er faltete den Brief und steckte ihn in seine Hosentasche, dann drehte er seinen Kopf zur Seite, ihm war schlecht. Lesen im Auto hatte er noch nie vertragen und dann auch noch liegend im Rettungswagen.

»Alles in Ordnung?«

»Ich bin einfach müde.«

»Keine Sorge, das geht vorbei.«

Es war nicht sein Schicksal, heute zu sterben. Sein Schicksal war es weiter zu leben und für seine Schwester da zu sein und für seine Freunde.

Er legte den Kopf wieder zur Seite und schlief ein. Die Augen zu schließen war ein Drang des Körpers gewesen, der nach alldem endlich abschalten wollte. Er merkte nicht einmal, wie er aus dem Rettungswagen ins Krankenhaus gebracht wurde.

Traurige Gewissheit

Erst Stunden, nachdem die Geiseln befreit worden waren, hatte die Spurensicherung alle Beweise gesichert. Leas Eltern waren verständigt worden und ebenfalls vor Ort. Doch Markus hatte es für besser empfunden, dass die Familien erst einmal anderweitig untergebracht werden, damit sie der Presse nicht noch mehr »Futter« gaben.

Also wurden sie in einem kleinen Hotel einquartiert und dort von Polizisten überwacht. Ebenfalls hatte Markus angeordnet, dass seine Leute ins Krankenhaus fahren, um nach Jan und Timo zu sehen.

Lea wollte ihre Mutter nicht mehr loslassen. Auch Stephan wandte sich nicht von seinen Eltern ab. Sie hockten im Hotelrestaurant und beantworteten die Fragen der Polizisten, die immer wieder gleich waren.

Mike hockte neben dem Kamin und döste. Für ihn war alles unwirklich, als dass er es hätte begreifen können. Ihm war noch nicht klar, wie er zurechtkommen sollte. Solange er zurückdenken konnte, war er bei El Kontaro gewesen. Markus saß währenddessen neben Marlene und Alina, die ihn gebannt anstarrten.

»Ich bin wirklich froh, dass wir zusammensitzen können. Ich denke, dass es etwas brauchen wird, bis alle die Situation verarbeitet haben.« Er sah auf die blassen Gesichter von Lea, Stephan, Marlene und Alina. »Wir werden morgen früh eine Pressekonferenz halten.

Gleichzeitig werden wir euch abholen und woanders unterbringen. Ich denke zwar, dass ihr in Sicherheit seid, aber ich gehe lieber auf Nummer sicher.«

»Was ist mit unserem Haus?«, fragte Lea besorgt.

»Diese Angelegenheit werden wir ein anderes Mal klären. Ich habe alles in die Wege geleitet. Sobald sich die Lage beruhigt hat, werden wir dies in Angriff nehmen. Bis dahin werdet ihr unter der Obhut der ISADO stehen.« Stumm nickten die Anwesenden. »Stephan!«

Der Angesprochene zuckte leicht zusammen und wandte sich Markus zu.

»Ja?«

»Ich danke dir. Deinem Mut haben wir es zu verdanken, dass wir die Geiseln befreien konnten.«

Stephan lächelte stolz und nickte dann.

»Du musst mir nur eines versprechen.«

»Was?«

»Nimm nie wieder eine Waffe in die Hand und mach nie wieder so etwas Dummes. Es sei denn, du hast keine Wahl. Es ist zwar alles gut gegangen, aber es hätte auch anders ausgehen können.«

Stephan überlegte kurz. Er hatte nicht vor jemals wieder eine Waffe zu benutzen, daher konnte er guten Gewissens zustimmen.

»Ich verspreche es.«

Schweigend stand Lea auf. Sie ging zum Fenster, welches sich neben dem Kamin befand, und sah traurig, den Kopf an die Scheibe gelehnt, hinaus. Weinen konnte sie nicht mehr.

Ihre Gedanken kreisten um Sebastian, Timo und Jan. Jan hatte überlebt, das machte Lea glücklich. Dennoch hielt es sich in Grenzen.

Ihre Freude wurde durch zwei tragische Geschehnisse zerschlagen. Sebastian war tot. Es gab keinen Zweifel. Er würde niemals wiederkommen. Freeze hätte nicht gelogen. Nicht bei dieser Sache, er hätte keinen Grund gehabt. Außerdem hatte Alina ebenfalls davon gesprochen. Es war passiert.

Dann war da noch Timo. Wahrscheinlich hatte Lea auch ihn heute zum letzten Mal lebend gesehen. Denn sie glaubte nicht daran, dass er überleben würde. Vielleicht gab es noch Hoffnung, vielleicht aber auch nicht. Wer wusste das schon?

Emotionslos starrte sie hinaus. Die ersten Schneeflocken fielen vom Himmel. Ihr Bruder hätte ebenfalls sterben können. Nur, weil sie in Gefahr geraten war. Lea hätte sich das niemals verzeihen können.

Warum hatte Stephan das getan? Warum hatte er sein Leben für sie riskiert?

Sie fragte sich, ob sie das Gleiche getan hätte. Würde sie ihr Leben für jemanden opfern? Es kam auf die Situation an oder würde sie immer für ihre Freunde sterben?

»Worüber denkst du nach?«

»Über alles.«

Alina hatte sich ebenfalls erhoben und war zu Lea geschlichen.

»Glaubst du, dass sich Menschen ändern können?«, erkundigte sich Alina, ohne Lea dabei anzusehen.

»Wieso?«

»Ich möchte so werden wie Sebastian. Er war stark und hilfsbereit. Er hat mir geholfen, verstehst du? Ich würde ihm gerne zeigen, dass ich ihn mochte.«

»Das wird er wissen. Du brauchst nicht wie er zu sein. Behalte ihn einfach in guter Erinnerung, das werde ich auch tun. Er war mein bester Freund. Ich werde ihn vermissen, aber für mich wird er immer leben und einfach nur weg sein.«

»Ich kann das nicht«, murmelte Alina traurig.

»Was kannst du nicht?«

»Dass so einfach wegstecken. Ich muss erst lernen, wie man lebt. Das verstehst du sicher nicht, oder?«

»Doch, ich kenne Sebastians Geschichte. Es tat ihm leid, dass er euch das angetan hat. Ich wusste zwar nicht, dass es Jans Familie ist, aber er hat es bedauert. Täglich! Du hast jetzt einen Bruder, der dich auch beschützen wird. So wie es mein kleiner Bruder getan hat.« Lea lächelte zu Stephan hinüber und bekam ein ebenfalls freundliches und erleichtertes Lächeln zurück.

»Ich weiß nicht, wie ich mich fühlen soll. Meine Gefühle sind weg, ich bin weder traurig noch glücklich. Mit dem Rettungswagen sind meine Gefühle auch weggefahren«, beschrieb Alina offen, was sie dachte und Lea konnte dieses Gefühl nachempfinden.

»Ich weiß, was du meinst. Ich fühle mich auch leer.«

Plötzlich wurden Sie durch ein Handyklingeln aus den Gedanken gerissen und Markus nahm das Gespräch an. Klaus war mit ins Krankenhaus gefahren, um direkte Rückmeldungen zu erhalten.

»Ja?«

»Es sieht so aus, als müsse Jan am Knie operiert werden, aber es ist nicht weiter schlimm. Die Kugel steckt nicht tief drin und es wurden, wie es aussieht, keine Sehnen oder Muskeln verletzt. Die Schusswunde wurde genäht, ihm geht es soweit gut.«

»Das freut mich.« Markus sah in die Runde und verließ den Raum. Die nächste Frage wollte er nicht im Beisein der Familie stellen.

»Was ist mit Timo?«

»Dazu gibt es noch nichts zu berichten. Der ist noch im OP. Ich weiß nicht, was los ist. Ich gebe dir Bescheid, wenn ich was neues weiß. Georg und Joachim sind wohlauf. Beide Schüsse wurden durch die Weste abgefangen. Joachim ist zwar noch am Arm getroffen worden, aber das ist halb so schlimm. Wir haben Glück gehabt, dass Freeze seine halbstarken Knechte auf die Geiseln losgelassen hat. Hätte er selbst geschossen, wären alle tot.«

»Da wirst du Recht haben! Zumindest lebt Timo noch, aber ich muss wissen, wie es ihm geht und wie es um ihn steht.«

»Gebe ich durch. Noch was, ich habe mit Lars telefoniert. Er war auf Sebastian Schwalbach angesetzt. Anscheinend ist Sebastian nicht im Krankenhaus eingetroffen. Der Rettungswagen ist mitsamt Insassen verschwunden. Die letzte Info, die per Funk weitergegeben wurde, war, dass gegen zwanzig Uhr dreiundzwanzig, sein Tod festgestellt wurde.«

»Gibt es Anzeichen einer erneuten Entführung?«, knurrte Markus.

»Soweit ich weiß nicht. Ich soll dir aber von Norbert ausrichten, dass er mit dir dringend etwas besprechen muss. Er hat was von einem Sonderbeschluss gefaselt. Die Gründe nennt er dir später. Ich weiß nicht, was das zu bedeuten hat. Ich gebe die Infos nur weiter.«

»Danke, ruf bitte sofort an, sobald es Neuigkeiten gibt.«

»Du kennst mich doch.«

Markus beendete das Gespräch und ging wieder zu den Zeugen. Doch nach den Gesichtern der Wartenden zu urteilen, hatten das Telefonat entweder mitgehört oder dachten sich, dass etwas passiert war.

»Was ist mit Timo?«, wollte Lea sofort wissen. »Und Sebastian?«

»Alles der Reihe nach. Setzt euch.« Alle taten, was ihnen durch Markus geraten wurde. Schließlich saßen sie im Kreis und wandten sich ihm zu. Dieser erklärte kurz Jans Zustand. Er beobachtete die Gesichter der Anwesenden, doch niemand zeigte eine Reaktion. Anscheinend waren sie nicht mehr in der Lage Gefühle zu zeigen. Dann erzählte er vorsichtig und langsam weiter, dass es auch zu Timo noch nicht viel zu berichten gab.

Wieder beobachtete Markus die Gesichter. Zu gerne hätte er die Nachricht über Sebastian zurückgehalten. Er räusperte sich und begann zu sprechen.

»Es fällt mir nicht leicht, darüber zu sprechen.«

In Leas Augen entwickelten sich wieder Tränen. Sie wusste, was jetzt kam. Doch sie wollte es nicht hören, es würde sie innerlich zerreißen. Sie schloss ihre Augen und schüttelte langsam den Kopf.

»Bitte nicht! … Ich will das nicht hören! … Sie brauchen das nicht auszusprechen! … Es reicht!«

Lea erhob sich von ihrem Stuhl und ging wieder hinüber zum Fenster, doch die Blicke folgten ihr.

»Sie müssen nicht aussprechen, was wir alle befürchtet haben. Es reicht, wie Sie angefangen haben. Für mich wird er immer da sein.«

Da Markus ebenfalls Trauer über diese Nachricht empfand, konnte er nachvollziehen, wie sich Lea fühlte. Obwohl sie gefasst war, sah man ihr an, dass sie innerlich kämpfte. Sie versuchte stark zu sein, doch ihr Herz zeigte Schwäche. Ihre Augen verrieten die Angst vor der Wahrheit, jede Bewegung von ihr zeigte die Schuldgefühle, die sie hatte. Selbst ihre Art, völlig regungslos am Fenster zu stehen, ließ alle erahnen, was in ihrem Kopf vorging.

Doch auch Alina hatte sich in ihre Welt geflüchtet. Sie saß, still vor sich hin starrend und am Fingernagel des Daumens kauend, auf einem Stuhl. Ihre Gedanken schienen ebenfalls um Sebastian zu kreisen.

»Es war eine lange Nacht. Wir sollten uns fürs Bett fertig machen und schlafen. Ich vermute, dass das allen guttun wird.« Leas Mutter war aufgestanden und hatte die traurige Stille unterbrochen.

Lea schien ihr dankbar zu sein, denn sie war die Erste, die sich zum Treppenhaus begab.

»Hast du deinen Schlüssel, Schatz?«

Sie nickte.

»Stephan, kommst du?«

»Mmh.« Stephan hatte darauf bestanden, in Leas Zimmer zu schlafen, stand daher prompt auf und nickte ihr zu.

Es war ein Trost einen Bruder, wie Stephan zu haben.

Sie gab ihren Eltern einen Kuss und umarmte sie liebevoll. Auch Marlene umarmte sie und ging, gefolgt von ihrem Bruder, nach oben in eines der Hotelzimmer.

Das Ende des Alptraums

Ferne, leise Musik schlich sich in Leas Alptraum. Es war eine unangenehme Musik, die lauter wurde. Plötzlich schreckte sie hoch. Es war ihr Handy, was sie unsanft aus ihrem Bett rüttelte. Ihrem Bett?

Lea erinnerte sich langsam wieder an die Geschehnisse. Sie verfluchte den Anrufer. Lieber hätte sie weitergeschlafen und ihre Sorgen vergessen. Völlig übermüdet torkelte sie zu ihrer Hose, in der sich das Handy befand. Dann sah sie auf die Anzeige, es war gerade einmal acht Uhr morgens.

»Jan?«

»Ich bin es, Marlene. Ich bin im Krankenhaus bei Jan.«

»Ach so. Wie geht es ihm?«

»Soweit gut. Er wird am Montag ein zweites Mal operiert. Sie haben ihm gestern nur die Kugel entfernt.«

»Und wie geht es Timo?«

»Deswegen rufe ich an. Er wurde gestern operiert und auf die Intensivstation verlegt. Dieser Polizist oder woher der war, der gestern bei uns war, ist auch hier. Er spricht momentan mit dem Arzt. Warte kurz, da kommt er.«

Marlene hatte das Handy von ihrem Kopf entfernt und versuchte mit jemandem zu kommunizieren.

»Und? Was ist los?«

»Er ist …«

»Was? Was meint er? Marlene? Ich konnte nichts verstehen!«

»Lea? Bist du noch dran?«

»Ja!«

»Timo wird durchkommen. Seine Werte stabilisieren sich. Allerdings ist er nicht ansprechbar. Er befindet sich anscheinend in einem Schockzustand.«

Markus nickte Marlene zu und ging wieder in die Richtung Intensivstation.

»Ich muss Schluss machen, Lea. Es ist kalt draußen.«

»Grüß bitte Jan von mir. Ich komme, so schnell ich kann ins Krankenhaus.«

»Klär das aber mit den Polizisten ab. Hier ist ein Presserummel vor dem Krankenhaus.«

»Schon wieder?«

»Leider. Es ist wirklich unangenehm.«

»Ich komme, so schnell ich kann«, versprach Lea.

»Machs gut.«

»Tschüss.«

Jetzt konnte Lea nicht mehr schlafen. Sie suchte ihre Sachen zusammen und ging unter die Dusche. Ihr Bruder wachte ebenfalls allmählich auf und fragte sie, was sie machte. Lea vertröstete ihn jedoch, da sie erst duschen wollte, und versprach ihm, alles zu erzählen, wenn sie fertig war.

»Was ist mit Timo?«

»Er kommt durch!«, brüllte Lea aus dem Badezimmer und duschte weiter.

»Entschuldigen Sie? Suchen Sie jemanden bestimmtes?« Eine Krankenschwester hatte Markus abgefangen.

»Ich möchte gerne zu Herrn Mouries.«

»Sind Sie denn mit ihm verwandt?«, wollte sie wissen.

»Ich bin mit der Sicherheit des Mannes beauftragt und würde ihn gerne beobachten.«

Markus zeigte der Krankenschwester, die ihn auf der Intensivstation gebremst hatte, seinen Ausweis.

»Einer ihrer Kollegen sitzt bereits vor dem Zimmer. Er wird sich freuen, abgelöst zu werden.«

»Ich löse ihn nicht ab, sondern sehe nur nach, ob alles in Ordnung ist.«

»Gut, hier entlang. Bitte gehen Sie da hinten den Gang rechts entlang und lassen Sie sich Schutzkleidung geben, wenn Sie vorhaben rein zu gehen.«

»Natürlich, vielen Dank.«

Zielsicher ging Markus den beschriebenen Weg entlang und ließ sich am Ende Schutzkleidung geben, denn er wollte für Timo da sein.

Leise öffnete er die Tür zum Krankenzimmer und ging hinein. Er setzte sich auf einen Hocker neben dem Bett und sah in Timos Gesicht. Unfassbar, was diese Menschen ihm angetan hatten.

Er wurde künstlich beatmet und war am EKG angeschlossen. Beide Arme waren bis zum Ellenbogen verbunden, seine Schusswunde im Bein war ebenfalls behandelt und verbunden worden. Ein Katheter hing knapp über Timos Hüfte rechts am Bett. Anscheinend hatte er ebenfalls einen Schuss in den Bauch abbekommen.

»Kaum zu glauben, dass du noch lebst.«

Er lehnte seinen rechten Ellenbogen aufs Bett und stützte seine Stirn auf seine Hand.

Die Tür schob sich einen Spalt weit auf.

»Tut mir leid, dass ich störe, Markus. Aber ich habe Nachrichten für dich.«

»Einen Moment, ich komme gleich«, bestätigte Markus kurz seinem Kollegen. Dann wandte er sich wieder Timo zu. »Ich werde sie für dich schnappen Timo, das verspreche ich dir!«

Markus erhob sich wieder und schloss beim Hinausgehen die Tür hinter sich. Dann kam ihm sein Kollege und Freund entgegen. Kritisch beäugte Klaus sein Gegenüber.

»Hast du nicht geschlafen?«

»Keine Sekunde«, gab Markus zurück.

»Mach dir keinen Kopf, es ist nicht deine Schuld. Die Kollegen wissen, auf was sie sich einlassen«, versuchte Klaus ihn zu beruhigen.

»Es geht nicht nur um die Kollegen. Ich hatte die Verantwortung.«

»Hey komm, ich bin auch schon angeschossen worden und den Kollegen geht es auch gut. Du bist rein gestürmt, ohne Schutz. Das hätte keiner von uns getan.«

»Ist nett von dir, aber ich habe Timo in Gefahr gebracht, ich hätte ihn raus halten sollen und ich habe drei meiner Leute verloren!«

»Ah ja, Timo?«

»Ich war gerade in seinem Zimmer.«

»Markus, du weißt doch, dass wir keine emotionalen Bindungen eingehen sollen. Weiß er, dass du für die ISADO arbeitest?«

»Er ist klug. Wahrscheinlich hat er es längst herausgefunden. Und das andere habe ich euch allen oft genug gepredigt!«, erwiderte Markus, doch Klaus ließ nicht locker. Offenbar sorgte er sich um Markus.

»Aber du wirst nicht deinen Job verlieren, oder?«

»Ist mir jetzt egal! Ich muss mich für die Aktion verantworten. Ich habe fahrlässig gehandelt. Auch das mit dem Jungen. Wie konnte ich einen Sechzehnjährigen in Gefahr bringen? Er hätte getötet werden können!«

»Du solltest dich vielleicht ein wenig ausruhen. Dann gebe ich dir die neue Infos weiter. Ich übernehme solange.«

»Neue Infos? Sag schon, ich ruhe mich noch aus!«

»Na schön, dir wird das aber nicht gefallen. Wir hatten anscheinend einige Maulwürfe unter uns. Der Sohn von Freeze, dieser Armin ist verschwunden, und unsere Leute auch. Ich habe mit Frau Dawn gesprochen und von ihr erfahren, dass es vier unserer Leute sind, die zu El Kontaro gehören.«

»Na großartig! Habt ihr eine Spur?«

»Nein! Die haben sich abgesetzt.«

»Sofort Großfahndung einleiten! Ich will wissen, mit welchem

Wagen sie geflohen sind! Ich will, dass jeder Flughafen, jeder Bahnhof und jede Straße in Deutschland überwacht wird! Ich will eine Liste mit den Flughäfen, die sie bisher erreicht haben könnten und die zeitlichen Abflugdaten! Die Überwachungsvideos der Bahnen müssen kontrolliert werden. Verdammt! Die könnten überall sein.«

Sofort zückte Klaus sein Handy und gab die Infos weiter.

»Noch was! Ich will von den vier Maulwürfen die Handydaten. Jeder Anruf wird überprüft! Ich will wissen, wann sie sich wo und mit wem, getroffen haben! Alles verstanden?«

»Ja!« Er gab die Infos an seine Kollegen weiter.

»Ich hol mir die Schweine! Das ist mein Fall und ich werde ihn auch zu Ende bringen!«, erklärte Markus mit energischer Stimme.

»So gefällst du mir. Holen wir sie uns!«

Klaus packte seinem Vorgesetzten an der Schulter und fuhr mit ihm ins Büro, in welchem Markus noch weitere Maßnahmen zur Bekämpfung von El Kontaro einleitete.

Kurze Zeit später war Lea ebenfalls im Krankenhaus angekommen. Sie kümmerte sich um Jan und blieb dort, solange sie konnte. Stephan und seine Eltern wurden währenddessen bei Leas älterer Schwester im Haus einquartiert. Dort sollten sie bleiben, denn zurück ins alte Haus wollten weder Stephan noch Lea. Zu viele schreckliche Erinnerungen hafteten an ihrem Elternhaus.

Am Montag wurde Jan endlich am Knie operiert. Die OP lief problemlos und Jan sollte nach einer Woche schon wieder aus dem Krankenhaus kommen.

Timo war ebenfalls auf dem Weg der Besserung. Wenn sein Zustand sich weiterhin so stabilisierte, sollte er auf die normale Station verlegt werden. Auch Sabine besuchte ihren Freund täglich, doch ansprechbar war Timo noch nicht.

Sie versuchte neben Timo auch noch für ihre beste Freundin Lea da zu sein. Doch dies war nicht so einfach. Leas Ängste und die Tatsache, dass einige von El Kontaro fliehen konnten, machten sie verrückt.

Sie wurden alle psychologisch betreut.

Nachdem Svenja erfahren hatte, dass Sebastian seinen Verletzungen erlegen war, brach sie endgültig zusammen. Sie blieb mit ihren Eltern dort wohnen, wo sie sich bereits seit einigen Wochen aufhielten.

Trotz der Nachricht von Sebastians Tod, blieben der Rettungswagen, die Sanitäter und Bastis Leiche verschwunden. Erst Wochen später wurde der Wagen gefunden, doch ohne Insassen und ohne Sebastian. Die Gerüchte nahmen ihren Lauf und ebenfalls, was diese mit der Leiche von Sebastian anstellen könnten.

Markus gab nicht auf und mobilisierte alle verfügbaren Kräfte, die er auftreiben konnte. Er wollte sich für diese schändlichen Taten an den Jugendlichen und Kindern rächen.

Er wusste, wenn er dranblieb, würde er es schaffen, die Schweine zu fassen. Sein Ehrgeiz trug Früchte. Sie schafften es alle, bis auf Armin und Ty, der noch geflohen war, bevor sie im Krankenhaus ankamen, zu schnappen, sodass auch die erhoffte Sondermeldung im Radio und Fernsehen erschien:

Dank eines Spezialeinsatzkommandos ist der Polizei in Köln ein Schlag gegen einen Drogenhändlerring gelungen. Die Dealerbande soll im großen Stil Rauschgift aus den Niederlanden, Belgien und einigen osteuropäischen Ländern geschmuggelt haben. Es handelt sich um eine in Deutschland noch unbekannte Bande, die sich El Kontaro nennt. In Amerika ist der Name jedoch weitläufig bekannt. Als Hauptverdächtiger dieser Bande gilt ausgerechnet ein Justizbeamter.

An der Großrazzia heute Morgen waren über 400 Polizeibeamte beteiligt. Sie durchsuchten zahlreiche Wohnungen im Raum Köln und nahmen weitere 13 Personen fest. Diese werden zur Stunde im Polizeipräsidium Köln vernommen.

Sie durchsuchten insgesamt mehr als 60 Wohnungen und Bürogebäude. Von hier aus sollen die mutmaßlichen Drogenhändler den internationalen Rauschgiftschmuggel

eingefädelt haben.

Es wurde umfangreiches Beweismaterial sichergestellt. Neben Drogen und Geld auch mutmaßliches Diebesgut.

»Wir gehen davon aus, dass wöchentlich Haschisch, Cannabisprodukte, Amphetamine und weitere Substanzen eingeführt wurden«, berichtete uns einer der zuständigen Polizeibeamten.

Drogenkuriere brachten die Ware nach Köln und belieferten ihre Lager in der Umgebung. Aufgeflogen ist der Ring, nachdem sich am bereits erwähnten Freitag, über 40 Kinder und Jugendliche aus den Fängen des Rings befreien konnten. Grund für diese geglückte Flucht war der zu Unrecht beschuldigte Sebastian Schwalbach.

Wie sich herausstellte, wurde er ebenfalls gefangen gehalten und in Kinderjahren zum Dealen gezwungen. Wer diese Kinder und Jugendlichen sind und woher sie kommen, ist bis zum jetzigen Zeitpunkt noch unklar. Laut Berichten der Jugendlichen, sind einige bereits seit dem Kleinkindalter festgehalten wurden. Diese wissen nicht einmal aus welchem Land sie ursprünglich stammen.

Welche Ausmaße diese Sache hat, ist momentan noch unklar. Es scheint sich aber um eine weltweit organisierte Gruppe zu handeln, die ebenso am Menschenhandel beteiligt ist. Anscheinend ist der Polizei lediglich ein kleiner Teil der Gruppe ins Netz gegangen. Es sieht so aus, als können die betroffenen Personen zumindest vorerst aufatmen und vielleicht endlich wieder in Ruhe schlafen.

Es vergingen Wochen und Monate. Der Presserummel legte sich allmählich, doch Svenja und ihre Familie entschieden sich, nicht mehr zurückzukommen. Sie hatte sich erholt und wieder Mut gefasst, doch sie wollten ein neues Leben beginnen.

Sie hatte akzeptiert, dass ihr Freund tot war und versuchte nun, ihr Leben wieder in den Griff zu bekommen. Das Problem war, dass sie lange in der Schule gefehlt hatte. Daher wiederholte sie freiwillig das Schuljahr, damit sie den Stoff, den sie verpasst hatte, aufholen konnte.

Jedoch nicht in ihrer alten Schule. Sie zog zu ihrer Oma, um dort allem zu entfliehen. Jan und Lea hingegen gingen weiterhin in die gleiche Klasse. Allerdings hatten sie ebenfalls die Schule gewechselt, sonst hätten sie diese schwere Zeit niemals überstanden. Auch die Treffen der Freunde waren nicht mehr die Gleichen. Bei Timo konnten sie nicht mehr feiern, da er aufgrund seiner Verletzungen umziehen musste.

Glücklicherweise hatte Timo alles mehr oder weniger gut überstanden. Sein Bauch und seine Handgelenke sind leider schwer vernarbt und durch die Schusswunde im Bein wurden Sehnen verletzt. Die Ärzte gaben ihm jedoch Hoffnung, dass er, wenn er weiterhin regelmäßig zur Physiotherapie ging, bald wieder ohne Krücken laufen könnte. Seinem Traum, eines Tages zur Bundespolizei gehen zu können, konnte er jedoch vergessen. Das harte Training und das Auswahlverfahren würde er niemals bestehen, nicht, mit seinen Verletzungen. Auch als Polizist würde er wohl nur arbeiten können, wenn er in die Verwaltung ginge. Dennoch wollte er seine Ausbildung beenden.

Die Zeit verging wie im Flug, denn jeder der Freunde war damit beschäftigt, sein Leben zu regeln, jedoch nicht, ohne nicht mindestens einmal täglich an Sebastian zu denken. Zumindest anfänglich.

Es war der Jahrestag, an dem der Drogenhändlerring vorerst zerschlagen wurde. Doch Sebastians Leiche blieb verschollen und die Polizei gab die Suche nach ihm auf. Doch da der Todeszeitpunkt durch das Krankenhaus bekannt war und dieser von ausgebildeten Sanitätern bestätigt worden war, entschied man sich, Sebastian für tot zu erklären.

Abschied für immer

Es war einer dieser Tage, an dem man sich zumindest Sonnenschein wünschte, aber es regnete schon seit langer Zeit. Als ob alle Tränen, die vor einem Jahr vergossen wurden, auf einmal vom Himmel fielen. Sabine zog sich ihren schwarzen Blazer über die Schultern, wobei sie sich traurig im Spiegel betrachtete. Fast hätte sie all ihre Freunde verloren. Nichts war mehr, wie es einmal gewesen ist. Noch dazu hatten sich Timo und sie getrennt. Nicht, weil sie sich nicht gern hatten, im Gegenteil, nur sie liebten sich eben nicht. Sie waren sich sehr nahe, doch im vergangenen Jahr hatten beide begriffen, dass sie als enge Freunde besser zueinander passten. Sabine hatte Timo oft den Rücken gestärkt und ihn immer wieder motiviert an sich zu arbeiten und weiterzukommen.

»Soll ich dir helfen?«, fragte sie Timo, als er sich aufs Bett setzte.

»Ich zieh mich im Sitzen an. Das geht schon.«

»Ich wollte dir ja nur helfen, damit es schneller geht. Lea kommt gleich und wir wollen sie nicht warten lassen, oder?«

»Siehst du? Meine Hose habe ich schon an.«

Wieder sah Sabine in den Spiegel und schwieg eine Weile.

»Ich kann es nicht glauben, dass wir ihn heute beerdigen.«

Langsam stand Timo auf, humpelte zu ihr hinüber und legte ihr die Hand auf die Schulter.

»Ich auch nicht. Für mich bleibt es ein leeres Grab. Es ist nur eine Beerdigung an sein Andenken. Wenigstens werden noch einmal alle an ihn denken.«

»Du hast Recht. Glaubst du, dass Svenja kommt?«

»Keine Ahnung. Ich habe sie seit letztem Jahr nicht mehr gesehen oder gesprochen. Du auch nicht, oder?« Timo sah Sabine fragend an. Doch auch sie schüttelte ihren Kopf.

»Jan und Lea auch nicht. Sie wohnt jetzt bei ihrer Oma, im Norden. Frag mich aber nicht wo. Wir wollten sie nicht mit Fragen belästigen. Sie wollte allein sein und alles vergessen.«

Ein lautes Surren kündigte an, dass jemand vor der Tür stand.

»Das müssen Jan und Lea sein. Beeil dich, wir kommen sonst zu spät.«

Kurze Zeit später kam Sabine zurück. Im Schlepptau hatte sie Jan, Lea, Marlene, Alina, Mike und ein kleines Mädchen, welches weder Sabine noch Timo kannten.

»Hallo, ich bin gleich soweit«, rief Timo aus dem benachbarten Zimmer heraus.

»Kein Problem, wir sind sowieso zu früh. Die Messe fängt erst um elf an«, entgegnete Lea.

»Darf ich ein Glas Wasser haben?«, fragte das kleine Mädchen schüchtern.

»Klar, komm mit.«

Zielstrebig eilte Sabine in die Küche und kam schnell wieder zurück. Sie drückte dem kleinen Mädchen das Glas in die Hand und setzte sich an den Tisch.

»Das ist übrigens Marie.«

»Schön dich kennen zu lernen.«

Endlich kam Timo auf Krücken gestützt ins Esszimmer und begrüßte die Anwesenden. Doch beim Anblick von Marie stockte er. Dieses Mädchen sah aus wie ihr Bruder. Es gab keinen Zweifel. Sofort schossen Timo die letzten Minuten von Thilos Tod ins Gewissen. Wenn du die letzten Minuten eines Menschen erlebst, der auf tragische Art und Weise stirbt, prägt sich auf ewig sein Gesicht ein. Jan nickte nur und warf Timo vielsagende Blicke zu.

»Ich habe genauso reagiert, nein, schlimmer. Ich habe geheult«, beantwortete Jan die Frage, die Timo nicht stellen musste.

»Sie sieht genauso aus wie er.«

Und auch Lea konnte diesen Anblick nicht vergessen. Wenn sie nur daran dachte, wie sie den Leichensack aus dem Haus gebracht hatten, füllten sich ihre Augen mit Tränen. Doch sie wollte nicht mehr daran denken.

»Fangen wir nicht mehr davon an, bitte!«

»Wovon? Sprecht ihr über mich?«

»Wir wundern uns nur, wie niedlich du bist, Marie«, gab Lea mit einem gezwungenen Lächeln zurück.

»Oh, Dankeschön. Aber es ist schon gut. Ich weiß, dass ich so aussehe wie mein Bruder. Als ich zu meinen Eltern gekommen bin, habe ich erfahren, dass Thilo weggelaufen ist, um mich zu suchen. Und dann ist er gestorben.«

Marie wich unsicher den Blicken der anderen aus. Man konnte ihr ansehen, dass es auch jetzt noch schwer für sie war.

»Mein Papa hat mir erklärt, was passiert ist. Ich bin stolz auf meinen großen Bruder.«

»Er wäre mit Sicherheit auch stolz auf dich.«

Jan und Timo senkten die Blicke. Sie fühlten sich beide für Thilos Tod mitverantwortlich, denn sie hatten ihn überredet sie zu befreien. Auch wenn Freeze Thilo sowieso umgebracht hätte, letztendlich waren Jan und Timo dafür verantwortlich, dass er qualvoll sterben musste.

»Wir sollten gehen, sonst schaffe ich das nicht«, unterbrach Timo die Unterhaltung, woraufhin ihm Sabine zustimmte.

»Du hast Recht, es wird Zeit.«

Sie verließen die Erdgeschosswohnung und gingen die Straße hinunter. Das Wetter hellte sich etwas auf und der Regen verschwand schließlich. Auf dem Weg schwiegen sie. Es war eine furchtbare Stille. Erst, als sie in der Nähe der Kirche waren, hoben sie die Köpfe.

Eine Menschenmenge stand versammelt vor der Kirche, alle

in schwarz gekleidet. Viele hielten Kerzen in den Händen, einige weinten. Alina erkannte ein paar Jugendliche und auch Marie lief direkt zu einer Schar von Kindern, die sie zu kennen schien.

Anscheinend hatten sich alle Jugendlichen und Kinder, die von El Kontaro verschleppt worden waren, versammelt, um von ihrem Helden Abschied zu nehmen. Es waren alle hier, teilweise mit ihren leiblichen, manche mit ihren Pflegeeltern. Andere waren allein gekommen.

Als sich Timo umdrehte und zur Kirche blickte, sah er Markus. Er hatte ihn nicht mehr gesehen, seit er im Krankenhaus aufgewacht war und Markus sich bei ihm entschuldigte.

Auf die Krücken gestützt humpelte Timo auf Markus zu. Als dieser Timo erblickte, sackte sein Herz in die Hose, dann sah er ihm tief in die Augen und nahm ihn liebevoll, wie einen Vater, in den Arm.

»Es tut mir so leid.«

»Ich lebe.«

»Ich habe dein Leben riskiert«, stellte Markus fest.

»Ich habe den Weg gewählt. Es ist nicht deine Schuld! Selbst wenn ich gestorben wäre. Es war meine Entscheidung, Lea und Jan aus dem Haus zu holen.«

»Und es war meine Mail, die dich darauf gebracht hat.«

»Dann sind wir jetzt wohl quitt. Deine Mail gegen meine Dummheit.«

Markus drückte Timo noch einmal fest an sich und befasste sich dann mit Alina, Lea, Jan und Marlene.

Schließlich gingen sie hinein. Die Kirche war überfüllt. Die ersten Reihen waren reserviert für Sebastians Familie und engsten Freunde. Sie gingen leise in die Richtung der Bänke und erkannten auf den Weg dorthin bekannte Gesichter. Matthias, Daniel, Sina, Alex und Janine saßen bereits auf ihren Plätzen und schienen nur noch auf die anderen der Clique zu warten. Vorne saßen Sebastians Adoptivmutter und Alicia, seine Schwester beziehungsweise Cousine. Natürlich war auch Leas Familie gekommen, außerdem einige Lehrer und viele ehemaligen Mitschüler von Sebastian.

Dann fielen ihre Blicke auf die weibliche Person, die neben der Bank stand. Es war Svenja, sie war zurück. Aber kam sie für immer oder nur zum Abschied?

Sie erblickte ihre Freunde und lächelte ihnen zu, bevor sie sich ebenfalls auf die Bank setzte.

Wo sollten sie sich hinsetzen? Neben ihre Freunde in die dritte und vierte Reihe oder neben Svenja in die zweite? Sie hatten zwar auf ein Wiedersehen gehofft, doch es war komisch. Es ging um die Beerdigung ihres Freundes, der durch El Kontaro sein Leben verlor. Svenja war die Einzige, die nichts über die Gruppe erfahren hatte, sie hatten sie im Stich gelassen. Svenjas beste Freunde hatten es nicht für nötig gehalten ihr im Nachhinein alles zu erzählen. Zumindest fühlte es sich so an, denn Svenja wusste nichts. Nur das, was in der Zeitung geschrieben wurde.

Sie drehte den Kopf nach hinten, winkte ihnen zu und wies sie an sich neben sie zu setzen. Lea, Marie, Timo und Sabine setzten sich neben Svenja. Marlene, Alina und Jan, setzten sich neben Bastis Adoptivmutter.

Als Jan vorbeiging, wurde seine Familie von allen schweigend angesehen. Er wusste, dass sie über sie nachdachten und über Jack. Ob Sebastian seinen Vater geliebt hatte? Auf diese Frage würde er nun keine Antwort mehr bekommen.

Der Pastor betrat die Kirche und schritt langsam hinter den Altar. Erst hielt er eine Predigt und ließ Lesungen verlesen, dann kam er zum traurigen Teil.

»Wir haben uns heute zu dieser Trauerfeier versammelt, um einen ganz besonderen Menschen zu verabschieden, Sebastian Schwalbach. Das Leben, das ihm Gott schenkte, wurde zerstört. Sebastian hatte kein leichtes Leben und es wurde ihm viel zu früh wieder genommen. Durch seine Familie und Freunde hat er es geschafft ein guter Mensch zu werden und sich für andere Menschen aufzuopfern. Viele, der Anwesenden, wären heute nicht hier, wenn Sebastian sich nicht entschlossen gegen seine Peiniger gewehrt hätte, um seine Freunde zu befreien.«

Alina begann laut zu schluchzen und viele taten es ihr gleich. Einige Tränen flossen stumm die Wangen hinunter. Auch Lea konnte ihre Trauer nicht mehr für sich behalten. Sie blickte zu Jan hinüber und begann ebenfalls laut zu weinen.

»Gott selbst wird sie richten und sie für ihre Sünden bestrafen. Doch das kann die Trauer, die durch Sebastians Ableben entstanden ist, nicht verschwinden lassen. Die Tatsache, dass wir seinen Körper heute nicht in heiliger Erde beerdigen können und die bleibende Ungewissheit macht es für viele der Trauernden schlimmer. Gott wird uns auf unseren Wegen begleiten, auf guten als auch auf schlechten. Er hilft uns über die Trauer hinweg und gibt uns Hoffnung.«

Er atmete aus und blickte wieder in die verweinten und traurigen Gesichter.

»Sebastian ist gestorben und hat anderen Menschen Hoffnung gegeben. Hoffnung auf ein neues Leben und eine Zukunft. Gebt euch die Hände und lasst uns die Köpfe senken, um ihm eine Minute des Andenkens zu geben und ihm so für sein großes Opfer zu danken.«

Sie befolgten seine Anweisung, sodass sich Ketten durch die Kirche bis nach draußen über den gesamten Kirchhofplatz bildeten. Die Menge senkte die Köpfe und schwieg für eine Minute. Für Sebastian hätten sie ewig geschwiegen.

Der Pastor hob seinen Kopf und lächelte der Menge zu. Doch selbst wenn sie sich einander hätten loslassen können, hielten sich alle an den Händen. Es war eine der schönsten Beerdigungen, auf der Lea jemals gewesen war. Sofern eine Beerdigung schön sein konnte.

»Ich verlese nun die Namen derer, die es ebenfalls nicht geschafft haben der Gefangenschaft zu entfliehen und ihr Leben gelassen haben. Leider sind auch viele Namen unbekannt. Auch fehlen die Nachnamen einiger Kinder. Doch viele von euch kannten sie. Daher werde ich sie auch ohne ihren Nachnamen vorlesen. Auch allen anderen Kindern, die wir nicht kennen, die aber ein ebenso tragisches Ende genommen haben, werden wir gedenken und eine Schweigeminute einlegen, nachdem ich die Namen verlesen habe.

Rosalin, Emine Özlan, Jaque Liége, Melody Meroltent, Jonathan Selterg, Reka, Jakob, Waldemar, Sedat, Lena Uslan, Yvonne, Marcel, Tobias Kratek, Regina, Ludmilla, Alwin, Ahmet, Sarah, Amila, Armin Seft, Abdul Ehmat, Luise Genft, Sascha Leiet, Rosi Schmittz, Max Leisure und Thilo Loche.«

Beim letzten Namen begann Marie laut zu weinen. Sabine nahm sie auf den Schoß und drückte ihren kleinen Körper an sich. Das Herz des kleinen Mädchens pochte schnell. Die feuchten Tränen tropften auf Sabines Schulter, doch sie kümmerte sich nicht darum. Wichtig war nur, dass die kleine Marie sich wohlfühlte und ihren Emotionen freien Lauf ließ.

Es wurde wieder still. Diesmal wurde die Stille allerdings durch Nase schnäuzen und Weinen durchbrochen. Niemand sprach. Doch keiner konnte seine Gefühle unterdrücken.

Bisweilen hatten die Freunde solch eine Andacht noch niemals gesehen. Auch, dass in einer Kirche so viel geweint wurde, war ihnen fremd. Sie konnten es nicht beschreiben, warum es so war, doch die Gefühle der Gegenwärtigen konnte man spüren. Sie strahlten Wärme und Zuneigung aus.

Für jedes verstorbene Kind und für jeden Jugendlichen und Erwachsenen, der sein Leben gelassen hatte, wurde eine Kerze angezündet. Selbst für Jack, der ebenfalls dafür gesorgt hatte, dass eine Flucht möglich war.

Die Kirche erstrahlte in einem Lichtermeer. Zum Abschluss sang eine Solistin das Ave-Maria. Gänsehaut durchflutete die Massen. Es war schön und traurig zugleich. Danach begaben sich die Anwesenden nach draußen.

Niemand wollte nach Hause gehen. Bis zum späten Abend blieben der Großteil der Menge vor Ort und legten Kränze, Blumen, Kerzen, Fotos, Kuscheltiere und vieles mehr vor die Kirche.

Danach fuhren viele noch einmal zu dem Ort, an welchem die Kinder und Jugendlichen vor einem Jahr gerettet worden waren. Alle Freunde begaben sich ebenfalls dorthin, um Blumen niederzulegen. Dann war es vorbei.

Noch vor Ort erklärte Svenja, dass sie für immer fortziehen würde. Sabine und Lea hielten ihre Freundin fest im Arm.

»Mir tut das alles leid. Ich hätte dir alles erzählen sollen.«

»Nein Lea. Du hast das gemacht, was du Sebastian versprochen hast. Du hast versucht, mich zu beschützen und ihm geschworen, niemandem etwas zu erzählen. Und Timo, Jan und Sabine, ich weiß, dass ihr euch Vorwürfe macht, aber ich bin nicht böse. Ihr habt das getan, was ihr für richtig gehalten habt. Hätte ich gewusst, was los ist, hätte ich alles unternommen, um Sebastian raus zu holen. Aber gerade das hätte alle in Gefahr gebracht, das weiß ich. Und Markus, ich danke dir. Ich werde ab jetzt allein klarkommen. Dass ihr alle an mich gedacht habt und euch Gedanken darüber gemacht habt, was ich gerade alles durchmache, zeigt mir, wie viel euch an mir liegt. Ihr seid wahre Freunde.« Sabine konnte nicht verstehen, warum Svenja dann nicht zurückkommen wollte.

»Warum bleibst du nicht hier?«

Sie lächelte Sabine an und wurde direkt wieder ernst.

»Ich muss alles hinter mir lassen. Freunde wie euch finde ich nicht wieder, aber alles erinnert mich an Basti und an die schöne Zeit, die wir gemeinsam hatten. Ich möchte die letzten zwei Jahre vergessen und alles in guter Erinnerung behalten. Vielleicht komme ich irgendwann zurück, vielleicht aber auch nicht. Ich muss mich um eine Ausbildung kümmern. Vielleicht werde ich alles vergessen oder eher akzeptieren können.«

»Bitte, geh nicht, Svenja. Ich will dich nicht verlieren.« Wieder bildeten sich Tränen in Sabines Augen und auch Lea wollte nicht noch einen Menschen verlieren, der ihr nahe stand.

»Ich will auch, dass du bleibst. Was wird denn aus unserem Trio?«

»Ich kann einfach nicht hierbleiben. Ich werde euch vermissen und weg will ich eigentlich auch nicht. Aber ich würde kaputt gehen, versteht ihr das?«

»Ja, aber ich will es nicht verstehen«, schmollte Lea.

»Es tut mir leid. Wir sehen uns wieder, versprochen.«

»Du weißt, dass man Versprechen nicht brechen darf!« Lea blickte ihrer Freundin hoffnungsvoll in die Augen.

»Klar. Ich muss aber jetzt gehen, wir fahren heute noch zurück.«

Auch Sabine hakte noch einmal nach.

»Wir sehen uns wieder! Du hast es versprochen!«

»Natürlich, und dann werden wir über alles in Ruhe sprechen«, erklärte Svenja.

Sie umarmten sich ein letztes Mal, bevor sie sich verabschiedete. Bald löste sich die Menge auf. Es wurde kalt und auch die Kerzen gingen langsam aus. Nachdem die Letzten gegangen waren, machten sich auch die Freunde auf den Weg nach Hause.

Es waren Wochen und Monate vergangen.

Lea begab sich auf ihren neuen Balkon, der wie ein Wintergarten umgebaut worden war und öffnete das Schiebefenster. Sie waren nach dem Vorfall umgezogen und hatten das alte Haus verkauft. Sie hockte sich auf einen kleinen Sandsack, der sich neben dem Fenster befand.

Verträumt blickte sie in den dunkler werdenden Himmel hinauf. Der Mond lugte leicht hinter den Tannenbäumen des Hauses hervor. Kühler Wind blies ihr ins Gesicht, während sich ihr Blick auf den hell leuchtenden Nordstern fixierte. Leise wiegten sich die Blätter und Tannenzweige im Wind. Die klare Luft wehte all ihre Sorgen davon.

Jan machte sich in der Küche etwas zu essen. Er war zu Besuch gekommen und hatte wie immer nichts gegessen. Nun plünderte er den Kühlschrank.

Ihre Gedanken kreisten wieder um Sebastian. Es war eine schwere Zeit für sie, denn es war eine Weile her, dass Sebastian beerdigt wurde. Nicht wirklich beerdigt, denn es fehlte noch immer jede Spur seiner Leiche.

Die Hauptfrage war, war er wirklich tot? Oder hatte er es wieder geschafft zu entkommen?

Sie wusste es nicht. Doch ihr war klar, dass Sebastian in ihrem Herzen immer weiterleben würde. Denn durch Markus, der sich von seinem Dienst vorerst suspendieren ließ, schöpfte sie neue Hoffnung.

Markus war nun ein Freund der Familie. Er hatte Svenja ein Jahr lang unterstützt und ihr über die schwere Zeit hinweggeholfen. Doch man spürte, dass er ein Geheimnis mit sich trug und dass es ihn wahnsinnig machte, es nicht aussprechen zu dürfen.

Es war schon ein Wunder, dass Jan und Lea so glimpflich davongekommen waren. Sie hatten gemeinsam alles durchgestanden und die Freundschaft zu Timo, Sabine und Alina war gewachsen.

Alina hatte Jan als ihren großen Bruder akzeptiert und sie war nun ebenfalls sehr gut mit Stephan befreundet. Nichts konnte sie trennen, doch zwei fehlten in diesem engen Freundeskreis. Es war Svenja, die es vorgezogen hatte ein neues Leben in einer neuen Stadt zu beginnen, und Sebastian, der das traurigste und kürzeste Leben gehabt hatte.

»Ich habe dir was gemacht.« Jan war hinzugekommen und setzte sich mit zwei Tellern in der Hand in den zweiten Sandsack neben Lea, wobei ihm ein Teller fast hinunterfiel. Langsam schob er ihn über den Tisch auf sie zu, wobei er sie unentwegt anstarrte.

»Worüber grübelst du nach?«

»Keine Ahnung! Über alles, irgendwie.« Sie stand langsam auf und stützte sich auf die Balkonbrüstung. »Es tut mir leid für Svenja und Sebastian. Svenja hat es nicht verdient und Sebastian schon gar nicht.«

»Glaubst du, wenn wir uns nicht geprügelt hätten, wäre alles anders ausgegangen?« Jan sah sie nachdenklich an.

»Vielleicht wäre es später geschehen, es war anscheinend alles geplant. Die wussten genau, wie du reagieren würdest und auch wie sich Sebastian verhält. Es musste also passieren. Was war eigentlich mit dieser Drogensache? Die haben doch Kokainrückstände in deinem Blut gefunden. Das habe ich dich nie gefragt.«

»Keine Ahnung, ich habe noch nie Drogen genommen und ich werde es auch in Zukunft nicht anfangen. Irgendwer muss die mir ins Bier gekippt haben.«

»Kann sein. Aber warum du? Jeder wusste, dass du dich mit Sebastian nicht gut verstanden hast. Warum hätte er ausgerechnet dir Drogen verkaufen sollen? Das wäre bescheuert!«

»Darüber habe ich schon oft nachgedacht. Sie wollten wahrscheinlich sichergehen, dass ich mich mit ihm prügle. Oder es war Thilo, der sich irgendwas dabei gedacht hat. Ach, keine Ahnung. Ich habe auch keine Lust mehr, mir darüber Gedanken zu machen. Schließlich ist es vorbei, oder? Lass uns lieber diesen Abend seit langer Zeit genießen, zumindest einen Augenblick lang. Mir fehlt die Zweisamkeit, du fehlst mir. Ich will dich in den Arm schließen.«

»Das will ich auch. Ich habe aber ein schlechtes Gewissen, wenn ich nur an uns denke und glücklich bin.«

»Das habe ich auch. Ich glaube aber nicht, dass Basti gewollt hätte, dass wir uns nicht mehr in den Arm nehmen. Vor allem nicht, nachdem wir so viel Stress hatten, nur weil ich zu blöd war, um zu erkennen, dass wir zusammengehören. Glaubst du, er würde wollen, dass wir wieder auf Abstand gehen?«

»Er würde uns verfluchen. Du hast Recht.« Sie sah wieder hinaus und beobachtete erneut die Sterne.

Jan stand ebenfalls auf und begab sich zu Lea. Er legte seinen Arm um ihre Schulter und küsste ihre Stirn. Dann stellten sie sich gegenüber und küssten sich sanft.

Allem Anschein nach wurden sie beobachtet. Es war kein Spanner und auch niemand von der Presse, der vielleicht noch ein gutes Foto schießen wollte.

Es war ein großer kräftig gebauter Mann, der sich hinter einem Baum versteckt hatte und lächelnd zum Balkon blickte. Lea und Jan hörten auf sich zu küssen und sahen wieder gemeinsam hinaus in die Sterne, wobei sie zufrieden waren.

Dann fiel er ihnen auf. Lea erschrak, als hätte sie einen Geist gesehen. Doch bevor sie reagieren konnte, war der Mann verschwunden. Hoffnungsvoll sah Lea in Jans Gesicht. Sie wollte eine Bestätigung haben, dass auch Jan diesen Mann gesehen hatte. Doch dieser blickte sie unwissend und fragend an.

»Hast du ihn gesehen?«

»Ich bin mir nicht sicher.«

»Jan! Er stand direkt vor dem Fenster! Da unten am Baum! ER war es, da bin ich mir sicher!«

»Aber warum ist er wieder weg?«

»Aus dem gleichen Grund wie Svenja. Vielleicht um alles zu vergessen.«

Still nahm er seine Freundin in den Arm und lächelte, als wären ihm seine größten Sorgen mit einem Schlag genommen wurden.

»Glaubst du, wir sehen ihn wieder?«

»Das möchte ich wetten.«

Währenddessen wollte sich der bekannte Mann, fern von Leas Haus, in der Nähe des Fußballplatzes, in einen dunklen Wagen setzen, doch der Mann, der ihm die Tür aufgehalten hatte, richtete ihm die Krawatte.

»Du solltest wirklich langsam lernen dich besser zu kleiden. Das weißt du doch.« Sebastian nickte, öffnete die Krawatte wieder einen Spalt und stieg ein, der andere setzte sich neben ihn und zog die Tür hinter sich zu.

»Hast du nicht den Drang zu bleiben?«

»Ich habe viel zu lange zwischen den Zweien gestanden. Sie verdienen ein normales und ruhiges Leben. Ich werde mich weiter um meine Ausbildung kümmern und dann El Kontaro ein für alle Mal den Gar ausmachen. Sie werden sich nicht mehr ansiedeln können! Bis dahin werde ich in Vergessenheit geraten und das ist auch gut so.«

»Und das glaubst du wirklich? Na ja, es ist deine Entscheidung. Wohin jetzt? Zurück zur ISADO oder gehst du ins Schutzprogramm?«

»Wir fahren! Das ist mein Schicksal.«

Der Motor des Wagens sprang endlich an, bog auf die Schnellstraße und ließ die Vergangenheit hinter sich.

Epilog

Nicht alle Menschen haben das Glück auf ein glückliches Ende. Doch ist ein Mensch glücklich, wenn seine Freunde denken, dass er tot ist? Kann ein Mensch mit dem Gedanken zurechtkommen, dass er seine Vergangenheit hinter sich lassen muss, ohne sich zu verabschieden?

Überleben! Weiterleben! Leben!

Dies sind starke Worte. Aber was bedeuten sie?

»Ich habe überlebt«!

»Ich lebe weiter!«

»Ich lebe!«

Doch lebt der Mensch wirklich, wenn er es sich selbst einredet, dass er lebt? Warum leben wir? Warum sind wir froh, wenn wir überleben? Für was leben wir weiter? Wenn sich daraus keine Antwort erschließt, hat unser Leben einen Sinn? Wäre es nicht besser gewesen zu sterben? Wir stehen vor einer großen Entscheidung. Doch welche wird die Richtige sein?

Sebastian hat überlebt, dennoch wird er seine Freunde nie wiedersehen und niemals wird jemand erfahren, dass er weiterlebt, oder doch?

Sebastian Schwalbach wurde offiziell für tot erklärt. Es gibt ihn nicht mehr. Es liegt an ihm, was er aus seinem neuen Leben macht. Große Aufgaben warten auf ihn. Die Frage ist jedoch, ob er ihnen gewachsen sein wird.

Was wird er aus seinem Leben machen? Wird er eines Tages zurückkehren oder bleibt er für immer verschollen? Werden seine Freunde in Zukunft zurechtkommen? Wie sieht die Zukunft aus?

Werden die geretteten Kinder und Jugendlichen ihre Eltern finden? Kann El Kontaro besiegt werden? Wo sind Armin und die Maulwürfe? Was wird aus Jan und Lea?

Fragen über Fragen und keine Antworten. Eines verrate ich jedoch, es ist ein Rätsel um Sebastians Schicksal.

Einst kommt der Tag, an dem der Glaube an das Glück dein Leben retten kann. Es wird dich ändern und es wird dich lehren. Aus deinem Glück und das Glück des anderen entsteht neues Glück. **Wenn** du das Glück liebst und das Leben akzeptierst, wirst du leben.

Über die Autorin

Lea Lessek wurde 1985 in der kleinen Stadt Dormagen geboren und wohnt dort mit ihrer Familie.
Sie ist gelernte Speditionskauffrau, mit Schwerpunkt Zoll. Neben dem Schreiben widmet sie sich unter anderem ihrem Hobby, dem Kickboxen.
Ihre ersten Geschichten hat sie bereits mit neun Jahren geschrieben und ist mit kurzen Pausen dabei geblieben.